Larissa Ione, vétérane de l'Air Force, a également exercé les professions de météorologiste, médecin urgentiste et dresseuse de chiens. Cependant, elle n'a jamais cessé d'écrire, et elle a désormais la chance de pouvoir consacrer tout son temps à cette activité. Elle a adopté un style de vie nomade, qu'elle partage avec son époux garde-côte et son fils. Amoureuse des animaux, elle adopte tous ceux qu'elle trouve. Il n'est donc pas surprenant d'en rencontrer souvent dans ses romans.

Du même auteur, chez Milady :

Demonica :
1. *Plaisir déchaîné*
2. *Désir déchaîné*
3. *Passion déchaînée*

www.milady.fr

Larissa Ione

Passion déchaînée

Demonica – 3

Traduit de l'anglais (États-Unis) par Anne-Virginie Tarall

Milady

Milady est un label des éditions Bragelonne

Titre original : *Passion Unleashed*
Copyright © 2009 by Larissa Ione Estell

Suivi d'un extrait de : *Ecstasy Unveiled*
Copyright © 2010 by Larissa Ione Estell

Cette édition est publiée avec l'accord de
Grand Central Publishing, New York,
New York, États-Unis.
Tous droits réservés

© Bragelonne 2012, pour la présente traduction

ISBN : 978-2-8112-0867-7

Bragelonne – Milady
60-62, rue d'Hauteville – 75010 Paris

E-mail : info@milady.fr
Site Internet : www.milady.fr

*À Brennan, parce que sans toi, je n'aurais jamais connu
la joie d'être mère, et mes personnages non plus, je crois.
Tu es ce que j'ai de plus important, Goob !*

Remerciements

Tous mes remerciements à l'équipe fabuleuse de Grand Central Publishing, du département artistique à mon éditrice, Amy Pierpont. J'ai une chance incroyable de travailler avec des gens si talentueux.

Un immense merci à toi, Justin Knupp de Stonecreek Media, parce que c'est extraordinaire de bosser avec toi, et parce que tu fais partie du monde de *Demonica*.

Enfin, un grand : « Je vous aime, les filles ! » au Writeminded Readers Group et à celles d'entre elles qui écrivent le blog, Jaci Burton, Maya Banks, Amy Knupp et Stephanie Tyler. Vous êtes mon groupe de soutien et j'en ai bien besoin !

GLOSSAIRE

Aegis : Société de combattants humains vouée à protéger le monde des créatures des ténèbres. Voir : Gardiens, Régent, Sigil.

Carceris : Policiers du monde démoniaque. Chaque espèce en a un représentant. Les Carceris ont le devoir d'arrêter les démons accusés de contrevenir aux lois. Ils sont également gardiens des prisons carceris.

Conseil : Toutes les espèces et races de démons sont gouvernées par un conseil qui fait la loi et décide des punitions pour les membres de leur espèce ou race.

Cygnes : Humains agissant comme donneurs de sang et/ou d'énergie pour les vampires ou les *fakires*.

Dresdiin : L'équivalent des anges, pour les démons.

Fakires : Terme désobligeant utilisé par les vampires pour désigner les humains qui croient ou prétendent être des vampires.

Gardiens : Guerriers aegis, entraînés aux techniques de combat et au maniement des armes et de la magie. Quand un Gardien rejoint l'Aegis, il se voit offrir un bijou enchanté, qui porte le sceau des Aegis. Entre autres choses, celui-ci lui confère une excellente vision nocturne et la capacité de voir à travers les capes d'invisibilité.

Infadre : Femelle, appartenant à n'importe quelle espèce, ayant été fécondée par un seminus.

Maleconcieo : Conseil suprême des démons, représentant toutes les différentes espèces et races. Sorte d'ONU du monde des démons.

Orgesu : Esclave sexuel souvent issu de races élevées dans ce but précis.

Porte des Tourments : Portail vertical, invisible pour les humains. Il en existe tout un réseau, par lequel les démons voyagent d'un bout à l'autre du globe. Il relie aussi le monde des humains à Sheoul.

Régent : Chef d'une cellule aegie.

Renfield : Personnage du roman de Bram Stoker, *Dracula*, utilisé ici comme un terme désobligeant pour désigner tout humain qui sert un vampire, autrement dit une groupie.

s'genesis : Dernier cycle de maturation d'un démon seminus. Elle survient dans sa centième année. Un mâle post-*s'genesis* peut procréer et possède la capacité de se transformer en mâle de n'importe quelle espèce.

Sheoul : Royaume des démons. Situé dans les profondeurs de la Terre, il n'est accessible que par les Portes des Tourments.

Sheoul-gra : Réservoir pour les âmes des démons où elles attendent de renaître ou sont torturées.

Sheoulien : Langue universelle des démons. Bien qu'elle soit connue de tous, certaines espèces utilisent leur propre langage.

Sigil : Conseil composé de douze humains connus sous le nom d'Anciens. Ils sont les chefs suprêmes de l'Aegis. Basés à Berlin, ils supervisent toutes les cellules à travers le monde.

Ter'taceo : Démon pouvant se faire passer pour un humain, soit parce que son espèce est humanoïde, soit parce qu'il possède le don de prendre cette apparence.

Therionidryo : Terme employé par les garous pour désigner une personne mordue et transformée.

Therionidrysi : Survivant d'une attaque de garou. Terme utilisé pour distinguer un créateur de son *therionidryo*.

Ufelskala : Échelle de classification des démons établie d'après leur degré de malfaisance divisée en cinq grades, les espèces surnaturelles et les humains malveillants appartenant au cinquième étant les plus diaboliques de tous.

Classification des démons, telle que donnée par Baradoc, démon umber, utilisant la race des seminus comme exemple :

Royaume : Animal
Classe : Démon
Famille : Démon sexuel

Genre : Terrestre
Espèce : Incube
Race : Seminus

Chapitre premier

« Quand on dîne avec un démon, mieux vaut avoir une longue cuillère. »

NAVJOT SINGH SIDHU

W raith était doué pour trois choses : chasser, se battre et baiser. Cette nuit, il ferait les trois. Dans cet ordre.

Il attendait, accroupi sur le toit d'un magasin tenu par des immigrés venus d'un pays tellement pourri que la violence dans les rues de Brownsville, Brooklyn, ne les choquait même pas.

Un peu plus tôt dans la soirée, Wraith avait observé les membres du gang, il avait senti leur agressivité, leur impatience à faire couler le sang, ce qui avait échauffé le sien. Comme tout prédateur, il choisissait ses proies avec soin, mais contrairement à la plupart, il ne préférait pas celles que l'âge ou les circonstances affaiblissaient. Putain, non ! Il voulait les plus fortes, les plus grandes et les plus dangereuses.

Il aimait le sang additionné d'une bonne dose d'adrénaline.

Malheureusement, Wraith ne pourrait pas tuer cette nuit, car il avait déjà fait une victime humaine quelques jours auparavant, et il n'était pas question qu'il dépasse le quota mensuel autorisé par le Conseil des vampires.

Bizarre qu'il s'en soucie, étant donné que dix mois plus tôt, Wraith avait accompli sa *s'genesis*, ce changement qui l'avait transformé en un monstre ne fonctionnant plus qu'à l'instinct… instinct qui le poussait à culbuter autant de démons femelles que possible, dans le but de les mettre enceintes. Cerise sur le gâteau, après sa *s'genesis*, un seminus était tellement obnubilé par ses pulsions sexuelles qu'il se fichait de tout le reste. Mais Wraith était également un vampire ; autrement dit, il avait le meurtre dans le sang. Pour ainsi dire.

Impatient de commencer sa nouvelle vie, Wraith avait trouvé le moyen d'avancer son Changement. En vain, parce qu'il ne voyait aucune différence. Oh, il avait envie de sauter et de féconder toutes les femelles passant à sa portée, mais cela n'avait rien de nouveau. Enfin, si, parce qu'il pouvait désormais vraiment se reproduire. Et bien sûr, il avait la capacité de se transformer en mâle de n'importe quelle espèce, parce qu'il n'existait pas une seule démone sur Terre ou à Sheoul, le royaume des démons situé au cœur de la planète, qui coucherait de son plein gré avec un seminus post-*s'genesis*. Pas une ne voulait donner naissance à un petit qui serait seminus à cent pour cent en dépit de son héritage mixte.

Alors, c'est vrai, quelques petites choses avaient changé, mais pas assez. Il se rappelait encore les horreurs de son passé. Il aimait toujours ses deux frères et l'hôpital qu'ils avaient créé ensemble. Et parfois, il se demandait lequel de ces deux maux était le moindre.

Wraith huma l'air et sentit l'odeur de la pluie qui venait de tomber, la puanteur de l'urine, des immondices en train de pourrir et des épices utilisées dans la cuisine haïtienne servie dans le taudis d'à côté. L'obscurité l'enveloppait d'ombre et le vent froid de janvier faisait voleter ses cheveux mi-longs sans parvenir à calmer le feu qui couvait en lui.

S'il était la patience incarnée quand il s'agissait d'attendre ses victimes, il n'en bouillait pas moins tout au fond de lui.

Parce qu'il n'avait pas choisi de s'attaquer à n'importe quel gang. Non, les Bloods, les Crips et les Latin Kings étaient des enfants de chœur comparés aux Upir.

Leur nom seul lui fit retrousser les lèvres. Les Upir agissaient comme n'importe quel gang, sauf qu'ils servaient de marionnettes à des vampires. Ceux-ci utilisaient les humains pour commettre des crimes et les laissaient se faire coffrer par les flics s'ils se faisaient prendre. Les voyous leur fournissaient aussi du sang et des parties de chasse privées, croyant que leurs sacrifices et leurs services seraient récompensés par la vie éternelle.

Les idiots!

La plupart des vampires adhéraient à des règles strictes quand il s'agissait de la transformation d'un humain. Chacun n'étant autorisé qu'à en faire une poignée au cours de sa longue existence, aucun ne gâcherait une occasion en choisissant un minable sans valeur.

Bien sûr, les membres de gang l'ignoraient. Ils faisaient régner la terreur dans les rues, leurs tatouages en forme de crocs dégoulinant de sang et leurs couleurs, or et écarlate, étaient des avertissements suffisants. Nul ne se mettait en travers de la route des Upir.

Du moins, personne sauf Wraith.

Les Upir arrivèrent. Ils étaient sept. Engagés dans une conversation sordide, ils gesticulaient avec arrogance.

Que le spectacle commence!

Wraith se redressa de toute la hauteur de son mètre quatre-vingt-seize et sauta en bas de l'immeuble pour atterrir devant le gang.

—Salut, bande de connards. Quoi d'neuf?

Le chef, un blanc trapu qui portait un bandana autour de sa grosse tête, recula d'un pas et dissimula sa surprise derrière un juron.

—Putain de merde !

Un autre sortit un couteau de la poche de sa veste. Gras et court sur pattes, avec son nez tordu par plusieurs fractures mal ressoudées, il avait l'air d'un troll. Wraith aurait bien aimé qu'il en soit vraiment un : il aurait pu le tuer sans en subir les conséquences. Il rit de leur réaction, et deux autres brutes tirèrent leurs lames, ce qui redoubla son hilarité.

—La lie de la race humaine m'amuse beaucoup, dit-il. Des rats avec des armes ! Sauf que les rongeurs sont intelligents. Et qu'ils ont très mauvais goût.

Le chef attrapa un flingue, coincé dans la ceinture du pantalon qui lui tombait en bas des fesses.

—T'as des envies de mort ou quoi ?

Wraith arbora un large sourire.

—Nan… des envies de meurtre.

Sur ces mots, il lui flanqua son poing en pleine figure.

L'homme recula en titubant, tenant son nez cassé à deux mains. L'odeur de sang attisa le feu qui couvait dans les veines de Wraith… et il ne fut pas le seul à y réagir. Les deux membres de gang restés un peu en retrait tournèrent vivement la tête.

Des vampires. Le mâle noir et la femelle latino étaient vêtus comme les autres d'un jean, d'un sweat à capuche et de baskets en toile usées.

Bingo !

Wraith allait pouvoir tuer, ce soir, après tout.

Avant qu'aucun des humains stupéfaits ait pu réagir, il partit en courant dans une ruelle adjacente.

Ils s'élancèrent à sa poursuite en vociférant. Wraith ralentit l'allure pour leur permettre de le rattraper, sauta avec adresse sur une poubelle, puis sur le toit, et attendit qu'ils l'aient dépassé. Leur fureur laissait une trace olfactive qu'il pourrait suivre les yeux fermés, mais au lieu de cela, il redescendit de son perchoir et utilisa sa vision nocturne pour les repérer dans l'obscurité devant lui. Même s'il n'aimait pas se servir de ses pouvoirs de vampire, Wraith s'accommodait de sa force et de sa rapidité surhumaines, mais il détestait sa nyctalopie.

Il haïssait cet atout, car il n'était pas né avec. Il en avait hérité il y a près de huit décennies, à l'âge de vingt-deux ans, quand Eidolon lui avait greffé ces yeux. Chaque fois qu'il se regardait dans un miroir, ils lui rappelaient les tortures et la douleur qui avaient précédé leur transplantation.

Se maudissant de s'être ainsi laissé distraire par le passé, il se mit aussitôt en chasse. En temps normal, il se serait d'abord chargé des vampires, mais le « troll » était juste devant, la respiration haletante, s'étant laissé distancer par les autres.

Wraith sauta sur l'humain difforme et le priva d'oxygène juste assez longtemps pour qu'il sombre dans l'inconscience, puis il abandonna le corps derrière une pile de cartons. Il s'intéressa ensuite au vampire qui, se croyant sans doute très malin, avait fait le tour du pâté de maisons pour le prendre à revers.

Feignant d'avoir l'esprit ailleurs, Wraith resta debout sous un lampadaire tandis que sa proie se rapprochait sans faire de bruit. Plus près... toujours plus près...

Maintenant!

Wraith pivota et flanqua une volée de coups de pied et de poing à son assaillant. Le vampire n'eut pas l'occasion de se défendre, et le démon l'entraîna sous un pont pour lui régler son compte. Un genou appuyé contre le bas-ventre de son ennemi, une main autour de sa gorge, le seminus tira un pieu du harnais qu'il portait autour du torse, sous sa longue veste en cuir.

—Qu'est-ce que…, haleta le vampire, écarquillant les yeux de terreur. Qu'est-ce que vous êtes ?

—Tu sais, mon pote, il m'arrive de me poser la même question, répondit Wraith avant de lui enfoncer le bout de bois dans le cœur.

Il ne regarda pas sa victime se désintégrer ; il lui restait un autre vampire à tuer.

Contenant à peine son impatience, il prit la femelle en chasse à travers un labyrinthe de petites rues transversales. Comme le mâle un peu plus tôt, elle pensait avoir le contrôle de la situation, et Wraith put la prendre par surprise alors qu'elle avançait à pas de loup dans l'ombre d'un bâtiment. Il la poussa contre le mur et la saisit à la gorge, la soulevant du sol.

—C'était trop facile, dit-il. Qu'est-ce que le Conseil des vampires apprend aux jeunes recrues, ces temps-ci ?

—Je ne suis pas novice, répondit-elle d'une voix basse et séductrice tout en enroulant les jambes autour de la taille de son adversaire. Je vais te le prouver.

Il sentit son désir, et son corps d'incube y répondit, devenant dur et brûlant. Mais Wraith aurait préféré se donner la mort plutôt que de baiser une vampire… ou une humaine, même si c'était pour d'autres raisons.

Il se pencha, et effleura du bout des lèvres son oreille criblée de piercings.

—Je ne suis pas intéressé, gronda-t-il.

Ce qui n'empêcha pas la femelle de se presser contre lui, car les phéromones de Wraith lui enflammaient les sens.

« On ne joue pas avec la nourriture. »

La voix d'Eidolon résonna dans son esprit, mais il n'y prêta aucune attention, comme à presque toutes les mises en garde de ses frères. Après tout, il n'avait pas l'intention de la manger.

—On ne dirait pas, répondit-elle en se frottant contre son érection.

—Alors je vais devoir me montrer plus convaincant.

Il tira de nouveau son pieu en bois et le lui agita sous le nez.

Elle écarquilla les yeux de terreur.

—Pitié…

Elle déglutit avec peine, et il sentit sa gorge se contracter sous sa paume. La tentatrice disparut, laissant place à une pauvre fille apeurée.

—Pitié… faites vite.

Il tressaillit, s'étant attendu à ce qu'elle le supplie pour avoir la vie sauve. Il croisa ses yeux hantés, aux pupilles dilatées, et avec lenteur, car il avait un très mauvais pressentiment, changea la position de ses doigts sur le cou de la femelle. Le mouvement révéla quelque chose au-dessus du col de sa veste.

Merde.

Il rangea son pieu et écarta le vêtement pour mieux voir le dessin gravé au fer rouge dans la peau de la vampire.

C'était une marque d'esclave. Et pas n'importe laquelle. Il s'agissait des os croisés des maîtres esclavagistes neethuls, une race extrêmement cruelle. Les Dieux seuls savaient pendant combien d'années cette femelle avait été forcée à vivre en enfer. Elle avait gagné sa liberté, probablement en s'échappant… et elle faisait maintenant son possible pour survivre.

Elle avait souffert. Sans doute était-ce toujours le cas.

Quelque chose lui noua les tripes, et il ne réussit à identifier son sentiment qu'après avoir redéposé la vampire au sol : de la pitié.

— Tire-toi, ordonna-t-il d'une voix rauque. Grouille-toi, avant que je change d'avis.

Elle prit ses jambes à son cou, et Wraith s'éloigna aussi vite que possible. Ébranlé par la clémence dont il venait de faire preuve, et qui ne lui ressemblait pas, il chassa sans ménagement l'incident de ses pensées. Il devait se concentrer. Se nourrir aussi. Et causer de la souffrance.

Les humains s'étaient séparés, et il les traqua les uns après les autres avec une efficacité mécanique et redoutable, jusqu'à ce qu'il ne reste que celui au bandana. Tout près, un coup de feu retentit, son qui n'avait rien d'inhabituel dans ce quartier de la ville. Personne n'appellerait les flics.

Le chef de gang était droit devant lui. Il faisait les cent pas sur le trottoir devant un magasin aux vitres condamnées et aboyait des ordres dans son téléphone portable d'un ton que l'agitation rendait cassant.

— Hé, tas de merde, je suis là ! l'interpella Wraith. Tu me repérerais plus facilement si je portais une enseigne au néon ?

Le visage empourpré par la fureur, l'Upir se rua après lui dans une ruelle. Quand la poursuite fut bien engagée, Wraith fit volte-face. Le voyou dégaina son arme, mais le démon l'en débarrassa avant qu'il ait eu le temps de tirer. Le pistolet glissait encore sur l'asphalte humide quand Wraith poussa l'humain contre le mur et lui mit le bras sous la gorge.

— Tu me déçois beaucoup, dit le seminus. Je m'attendais à mieux. J'avais l'intention de t'attendrir un peu avant de te manger. Quand est-ce que vous allez comprendre qu'une arme ne sert à rien dans un combat corps à corps ?

— Je t'emmerde ! cracha le type.

— Tu crois ? s'amusa Wraith, se penchant jusqu'à effleurer la joue de sa victime du bout des lèvres. Dans tes rêves !

Le chef de gang poussa un cri rageur, et Wraith sourit de toutes ses dents. Il inhala son odeur, mélange de colère et de peur, et se mit à saliver. Dévoré par la faim, Wraith sentit ses crocs s'allonger.

Fini de jouer.

Il les planta dans la gorge offerte et sentit le sang chaud et doux lui couler dans la bouche. Après un ou deux spasmes, l'humain perdit connaissance.

Wraith aurait pu utiliser son pouvoir de seminus pour lui projeter des visions plaisantes et joyeuses, mais cet homme n'était qu'une merde. Les saloperies qu'il avait faites traversèrent l'esprit du démon en un éclair. D'accord, Wraith n'était pas un saint – il avait même baisé un ou plusieurs faux anges – mais à l'exception des Gardiens aegis, il ne s'attaquait jamais aux femmes ou aux enfants humains.

Ce type… eh bien, Wraith regrettait d'avoir déjà fait son quota mensuel de victimes en tuant un braconnier à Sumatra. Il devrait se contenter de tourmenter le chef de gang, ce qui pouvait être drôle. Se délectant du sang alcoolisé de l'homme, il utilisa son don pour lui montrer tous les supplices qu'il lui infligerait s'il apprenait qu'il avait commis d'autres crimes violents. En règle générale, il se fichait bien qu'un humain vive ou meure, mais cette ordure s'en prenait aux faibles et aux personnes âgées.

Il n'y avait aucun honneur à cela.

Le pouvoir envahit Wraith en même temps que l'adrénaline et la sensation que des éclairs de chaleur lui éclataient sous la peau. Son *dermoire*, véritable arbre généalogique de ses ancêtres seminus, se mit à pulser du bout des doigts de sa main droite à sa joue, en passant par son bras, son épaule et son cou. Les glyphes faciaux indiquaient que Wraith était un seminus post-*s'genesis*. Les humains n'y voyaient qu'un tatouage. Certains le trouvaient cool, les autres détournaient les yeux en grimaçant.

Quelle espèce coincée!

Le pouls du chef de gang s'accéléra, son cœur essayant de compenser la perte de sang. Wraith but encore deux grosses gorgées et se dégagea, puis il hésita avant de lécher les deux points ensanglantés pour les refermer. Il ne détestait pas boire le sang d'une victime, mais il n'aimait pas passer la langue sur sa peau, goûter sa sueur, son parfum, sa crasse, ou pire, son essence. Jurant tout bas, il fit ce qu'il avait à faire en essayant de ne pas frissonner de dégoût, mais en vain.

—Tu devrais le tuer.

La voix masculine, grave et posée, le surprit. Nul ne pouvait s'approcher de lui à son insu !

Wraith lâcha le voyou, et celui-ci s'effondra avec un bruit sourd. D'un mouvement fluide, sans le moindre effort, le seminus fit face au nouveau venu… mais trop tard. Une fléchette l'atteignit à la gorge.

—Merde !

Wraith arracha le projectile et le jeta au sol tout en se précipitant sur son agresseur. Il allait étriper ce salaud !

Il voulut l'attraper par le col de sa chemise, une sorte de tunique en toile grossière, mais ne réussit qu'à effleurer le tissu. L'homme était étonnamment rapide, pour un humain en tout cas. Il s'agissait donc d'un démon, d'une espèce inconnue.

Sans un bruit, l'individu s'éloignait déjà vers une bouche d'égout.

Maladroitement, parce que son côté gauche s'affaiblissait, Wraith tira un shuriken et le lança, atteignant le fuyard dans le dos.

Le mâle lâcha un cri aigu qui transperça les tympans et tomba face contre terre. Wraith ralentit, soudain terrassé par la peur en sentant ses membres s'engourdir et perdre leur coordination.

Il trébucha et voulut se rattraper en s'appuyant à la façade d'un immeuble, mais il ne contrôlait plus ses muscles. Son champ de vision se rétrécit, et sa bouche devint sèche. Chaque inspiration semblait attiser les flammes qui avaient envahi ses poumons.

Il essaya de prendre son téléphone, mais son bras ne réagit pas. Puis ce fut au tour de son cerveau, et il perdit connaissance.

Wraith fut réveillé par une douleur qui lui vrillait le crâne. Il eut un haut-le-cœur, tant sa bouche était pâteuse, et sentit une odeur de maladie, de sang et d'antiseptique.

Merde, qu'avait-il bien pu faire, la nuit passée ? Cela faisait des mois qu'il était clean… enfin, qu'il ne s'était pas nourri d'un junkie juste pour planer. Il avait goûté à sa part d'humains et de démons accros à toutes sortes de drogues, mais ce n'était pas pour cela qu'il les avait choisis. Du moins était-ce ce qu'il se disait.

De toute façon, il ne s'était pas réveillé avec la gueule de bois depuis des mois, mais celle-là… était carabinée !

Il souleva lentement les paupières, qui lui semblèrent doublées de papier de verre. Les larmes lui montèrent aux yeux, et il dut ciller plusieurs fois avant de parvenir à recouvrer la vue. Il découvrit l'image floue de chaînes descendant d'un plafond peint en noir. Des voix basses et étouffées bourdonnaient à ses oreilles, se mêlant aux bips des équipements médicaux. Il se trouvait à l'Underworld General.

Il aurait dû se sentir soulagé, réconforté d'être en sécurité. Au lieu de cela, ses tripes se nouèrent. Il était clair qu'il avait encore merdé, et ses frères allaient le lui faire payer cher.

Quand on parle du loup, pensa-t-il, voyant Eidolon et Shade entrer.

Wraith essaya de lever la tête, mais la pièce se mit à tanguer et son champ de vision fut envahi par des tourbillons noirs qui lui donnèrent la nausée.

—Salut, frangin, dit Shade en lui prenant le poignet.

Une onde de chaleur parcourut le bras de Wraith. Shade lui sondait le corps pour vérifier ses signes vitaux. Peut-être pourrait-il aussi le débarrasser de ses vertiges.

—Qu'est-ce qui se passe? coassa Wraith. Vous avez vos têtes d'enterrement.

Autrement dit, il devait avoir encore plus merdé qu'il l'avait cru.

Eidolon ne sembla pas trouver cela amusant et n'esquissa même pas le petit sourire pincé qu'il réservait à ses patients.

—Qu'est-ce qui t'est arrivé, cette nuit-là?

—Cette nuit-là?

—Tu es resté inconscient pendant deux semaines, répondit Eidolon. Qu'est-ce qui s'est passé?

Wraith se redressa si vite qu'il eut l'impression que sa tête allait se détacher de son cou.

—Oh, non. Putain, non. Est-ce que j'ai tué quelqu'un, Eidolon?

Ses frères le repoussèrent contre les oreillers.

—Pas qu'on le sache. Du moins pas encore. Mais il faut tout nous dire.

Soulagé, Wraith se laissa aller au creux du matelas tout en fouillant le trou noir qu'était devenue sa mémoire. Une ruelle. Il était dans une ruelle. Et la douleur. Mais pourquoi?

—Je ne suis pas sûr. Comment ai-je atterri ici?

Shade grogna.

—J'ai senti ta détresse, alors j'ai réuni une équipe médicale et emprunté les Portes des Tourments pour te retrouver.

—Tu te souviens de quoi? demanda Eidolon, remontant la tête du lit pour qu'il soit presque en position assise.

Wraith passa ses souvenirs en revue et essaya de les rassembler, mais l'exercice s'apparentait à faire un puzzle les yeux bandés.

—Je buvais le sang d'un chef de gang. Il était goûteux, et bizarrement sans aucune trace de drogue.

Il fronça les sourcils. L'avait-il tué? Non, il se rappelait avoir refermé les deux trous laissés par ses crocs.

—J'ai senti une piqûre dans mon cou. Et j'ai vu ce mâle. Un démon, je crois. Pourquoi?

Les ondes cessèrent de passer dans son bras, mais Shade ne retira pas sa main. Même s'il n'utilisait plus son pouvoir de guérison, son *dermoire* continuait à se tordre.

—Tu as été attaqué par un assassin envoyé par Roag.

—Ah… dites, vous avez oublié que Roag est mort? (Il étudia ses frères, s'attendant à les voir enfin craquer, car il s'agissait forcément d'une mauvaise blague.) Oh, arrêtez! Roag est mort. Et pour de bon, cette fois.

Leur frère aîné avait manigancé une sinistre vengeance contre eux trois, et il avait bien failli réussir. Wraith espérait ne jamais revoir les profondeurs d'un cachot de sa vie.

Eidolon passa la main dans ses courts cheveux sombres.

—Oui, eh bien, il avait engagé l'assassin pour nous éliminer, au cas où il mourrait. Tu as dû le blesser, parce qu'il était dans un sale état. Tayla l'a traqué et attrapé pendant que Shade te ramenait. Il a avoué avant que Luc le mange.

—Luc a fait ça?

Eidolon acquiesça.

—L'assassin était un métamorphe léopard, et rien ne les terrifie davantage qu'un loup-garou, alors nous l'avions enchaîné dans la cave de Luc pour le faire parler. Nous pensions pouvoir le tenir hors de portée de son hôte. (Il haussa les épaules.) Apparemment pas.

—J'adore les loups-garous, déclara Wraith, adressant un sourire plein de sous-entendus à Shade. Tu ferais bien de ne pas mettre Runa en rogne ou elle risque de te dévorer.

Shade avait lié son sort à celui d'une louve-garou l'année précédente, et il semblait très heureux, ce que Wraith trouvait écœurant.

—Qu'est-ce que tu fais là, d'ailleurs ? Tu ne devrais pas l'aider avec les petits monstres ?

—Tu veux parler de ceux que tu n'es pas encore venu voir ?

—Shade, dit Eidolon sur un ton d'avertissement.

Ce qui était étrange, parce que d'ordinaire, c'était Shade la voix de la raison quand il s'agissait de Wraith.

Mais depuis que Runa avait mis au monde leurs triplés, Shade se montrait excessivement protecteur et prenait facilement la mouche. Il ne comprenait pas le manque d'intérêt de Wraith pour ses neveux.

Ce dernier repoussa les draps et constata qu'il était nu. Bien sûr, il s'en fichait, mais ses frères avaient intérêt à ne pas avoir abîmé sa veste quand ils l'avaient déshabillé ! Connaissant l'amour de Shade pour les ciseaux, il se dit qu'il allait sans doute devoir s'en payer une nouvelle.

—Bon, pourquoi vous faites ces têtes d'enterrement ? L'assassin a visiblement raté son coup.

Shade et Eidolon échangèrent un regard, ce qui mit tous ses sens en alerte. Ce n'était pas de bon augure.

—Non, il n'a pas échoué, dit Shade à mi-voix. Le type avait un complice qui court toujours, et il est à nos trousses.

—Alors, je le traque et je lui fais la peau. Je ne vois vraiment pas où est le problème.

Voyant Shade hésiter, il sentit ses entrailles se nouer.

—Le problème, c'est que le premier assassin t'a blessé avec une fléchette enduite d'un poison lent.

Wraith lâcha un grognement plein de mépris.

—C'est tout? Filez-moi juste l'antidote.

—Tu te souviens de l'incursion de Roag dans la réserve? demanda Eidolon.

Bien sûr qu'il se le rappelait! L'année précédente, pendant qu'il essayait de se venger, leur frère aîné s'était introduit dans la pièce où Eidolon gardait sa collection d'artefacts et de saloperies que Wraith lui rapportait des quatre coins du monde.

—La nécrotoxine corrosive faisait partie des choses sur lesquelles il a fait main basse, soupira Eidolon. Il n'existe pas d'antidote.

Pas d'antidote?

—Alors, un sort. Trouvez un sort pour me guérir.

Il sentait la panique monter, sapant peu à peu sa maîtrise de lui-même. Shade dut le remarquer, parce qu'il resserra sa prise.

—Wraith, nous avons consulté tous les textes, tous les chamans et tous les sorciers… Rien ne pourra débarrasser ton système de cette saleté.

—OK, alors venons-en au fait. Qu'est-ce que vous essayez de me dire?

Eidolon lui tendit un miroir.

—Jette un coup d'œil à ton cou.

Il lui écarta les cheveux, révélant son symbole personnel en haut du *dermoire*. Le sablier apparu à la fin de son premier cycle de maturation, à l'âge de vingt ans, avait toujours été plein à la base.

Wraith haleta quand il vit son reflet: le sablier s'était retourné, et les grains tombaient, marquant le temps qui passait.

—Tu vas mourir, annonça Eidolon. Il te reste un mois à vivre, six semaines tout au plus.

CHAPITRE 2

S erena Kelley se disait qu'elle allait mourir. Enfin, pas littéralement, mais le vampire sexy l'embrassait avec une telle virtuosité qu'elle en avait le souffle coupé.

Elle n'était pas du genre à traîner dans les clubs gothiques, mais le groupe au programme promettait d'attirer les buveurs de sang… qu'il s'agisse d'humains aux mœurs décadentes ou d'authentiques morts-vivants.

La musique résonnait si fort à l'intérieur de l'ancien abattoir qu'elle influait sur les battements de cœur de la jeune femme, donnant à son pouls un rythme irrégulier et chaotique. Une odeur de parfums, de sueur et de sexe flottait dans l'air, enflammant sa libido. Se mouvant au rythme des corps qui se pressaient autour d'elle sur la piste de danse, Serena se laissait guider par son partenaire, dont elle venait de faire la connaissance.

Elle sentait sa faim, ses sinistres besoins et, oui, c'était mal de sa part de l'allumer ainsi. De lui laisser croire qu'il allait boire son sang et la mettre dans son lit.

Mais merde, une fille avait bien le droit de flirter de temps en temps !

Surtout quand c'était bien tout ce qu'il lui était permis de faire…

— Viens, murmura Marcus, réussissant à rendre ses paroles audibles en dépit du vacarme ambiant. Ma table nous attend.

Marcus était un vieux vampire, et sa manière guindée de parler ajoutait à son charme. Les hormones de Serena étaient en émoi tandis qu'il la conduisait dans un coin sombre, où des groupies humaines se mirent à frétiller d'excitation comme de gentils toutous en le voyant approcher.

Comme beaucoup de ses congénères d'une autre époque, il s'habillait avec goût, portant des vêtements classiques sous la veste en cuir qui lui permettait de se fondre dans la masse des gothiques et des punks qui hantaient les bars. Pour compléter son look, il arborait de longs cheveux noirs et brillants qui lui tombaient jusqu'à la taille et rehaussait ses lèvres de rouge rubis pour qu'elles contrastent avec son visage pâle.

Il agita la main et les chiennes de compagnie se dispersèrent, certaines en jetant des regards envieux à Serena. Elle se demanda combien connaissaient la véritable nature de Marcus. La plupart des gens qui fréquentaient ces clubs ne croyaient pas vraiment aux morts-vivants. Les autres devenaient souvent des Renfield : des parasites qui s'offraient aux vampires et les laissaient disposer d'eux selon leur volonté.

Serena éprouvait peut-être une fascination morbide pour les vampires, mais elle n'avait jamais franchi la limite : pas question de laisser l'un d'entre eux la mordre ou la baiser.

Marcus et elle s'installèrent sur la banquette, le pantalon noir de la jeune femme glissant sur le similicuir. Il lui passa le bras autour de la taille et l'attira contre lui.

Parfait, parce qu'elle admettait avoir un faible pour les vampires. S'il l'avait su, son bienfaiteur et Gardien aegi personnel, Valeriu Macek, aurait eu une crise cardiaque. Mais que voulez-vous, elle adorait vivre dangereusement. Autant qu'elle aimait mélanger le travail et le plaisir. Et pour l'heure, son boulot de chasseuse de trésors consistait à voler l'inestimable bracelet antique au poignet de Marcus.

Avec lenteur et précaution, elle fit glisser sa main jusqu'au bijou macédonien. Marcus ne remarqua rien. Son regard mi-clos était rivé sur sa gorge, et elle sentait son érection contre sa hanche.

—Tu veux y aller ou rester encore un peu? s'enquit-il, et elle se demanda s'il avait conscience d'être démasqué.

À la manière dont il dissimulait ses crocs, la réponse était sans doute négative. D'un autre côté, après des siècles dans la peau d'un mort-vivant, ce devait juste être une seconde nature. D'ailleurs, les canines d'un vampire n'étaient pas si visibles, sauf quand celui-ci était excité. Alors, elles jaillissaient de ses gencives et s'allongeaient… et c'était incroyablement érotique.

Serena inclina la tête, offrant sa gorge sans en avoir vraiment l'air.

—Là, ronronna-t-elle, s'occupant du bracelet d'une main tout en remontant l'autre sur le torse de son partenaire.

Elle sentit les muscles puissants du buveur de sang rouler sous sa paume, et pour la énième fois, elle regretta de devoir rester chaste. Comme elle aurait voulu pouvoir faire toutes ces choses stupides et risquées que les autres jeunes de son âge expérimentaient!

Marcus sourit, révélant juste la pointe de ses crocs quand il se pencha, puis il tressaillit en sentant le pendentif de la jeune femme s'enfoncer dans ses pectoraux. Fronçant les sourcils, il étudia le cristal de la taille d'un grain de raisin.

—C'est un sacré joyau.

—Un cadeau de ma mère, répondit-elle, même si c'était bien plus que cela.

Le bracelet lui tomba dans la main. Serena le glissa dans l'une des poches de son pantalon et regarda sa montre.

—Bon sang, tu as vu l'heure? Il vaut mieux que j'y aille. Je ne voudrais pas me transformer en citrouille.

Marcus resserra sa prise sur le bras de la jeune femme.

—Je n'en ai pas fini avec toi.

Elle lui adressa un sourire suave.

—Bien sûr que si. Je ne suis pas un cygne.

Elle avait employé le terme désignant les humains qui donnaient leur sang ou leur énergie psychique aux vampires, tout en pensant que ces derniers étaient comme eux, des êtres vivants… Les vrais buveurs d'hémoglobine appelaient ces gens des *fakires*.

La rage fit étinceler froidement le regard de Marcus, et il retroussa les lèvres sur ses crocs aiguisés comme des dagues. Tout humain sain d'esprit aurait été terrifié… mais pas Serena.

Elle avait un petit secret : elle était protégée par une bénédiction, depuis le jour où celle-ci lui avait été donnée, à l'âge de sept ans, et rien de mal ne pouvait lui arriver.

Aussi longtemps qu'elle restait vierge.

Marcus se jeta sur elle, essayant de la mordre. Serena esquiva, et sans aucune raison apparente, le vampire perdit l'équilibre, glissa de son siège et tomba comme une masse sur le sol. Les groupies qui n'étaient pas allées bien loin reculèrent ou s'empressèrent de lui porter secours, mais il bondit sur ses pieds dans une explosion de fureur.

Il plissa les yeux et serra les poings, mais il n'avait pas échappé aux tueurs aegis pendant des siècles en attirant l'attention sur lui. Il se contenta donc de lui adresser une injure menaçante, puis il lui tourna le dos à la manière théâtrale des vampires et disparut dans la foule, ses Renfield sur les talons.

Avant que Marcus ne remarque qu'elle lui avait subtilisé son bracelet, il valait mieux qu'elle tire son cul de…

Un flash se produisit devant… non, à l'intérieur de Serena. Un claquement résonna à ses oreilles, provenant de quelque part dans son crâne. Une vague de nausée balaya la jeune femme, qui se couvrit de sueur froide. Instinctivement, elle porta la main à son pendentif et laissa le contact de la pierre froide la réconforter.

Mais cela ne dura pas. Le cristal lança un éclat. C'était un avertissement. L'illusion… avait été compromise. Serena était exposée.

Se levant d'un bond, elle courut en trébuchant vers la sortie la plus proche. Elle devait rentrer chez elle. Regagner le domaine de Val.

Parce que pour la première fois en dix-huit années d'une vie protégée, Serena avait peur.

Byzamoth retomba dans son fauteuil, le corps tremblant. Des vagues orgasmiques de pouvoir le traversaient. Le nom qu'il venait d'apprendre quitta ses lèvres dans un murmure :

— Serena Kelley.

Il n'avait eu aucune idée de l'identité de l'humaine qu'il recherchait, mais à présent tous les détails la concernant étaient clairs comme de l'eau de roche.

Bien trop vite, le pouvoir l'abandonna, le laissant faible, mais non moins extatique. Sa paume le brûlait, mais il endurait sans problème cette douleur exquise. Il ouvrit le poing, et la cause de son inconfort apparut : un orbe de la taille d'une balle de golf, connu sous le nom d'Œil d'Eth. Il émettait une lueur rouge au lieu de dorée, car il venait d'être utilisé pour faire le mal plutôt que le bien.

Épuisé, Byzamoth laissa sa tête retomber contre le dossier du siège et regarda le plafond de la maison israélienne qu'il avait réquisitionnée le matin même. Les membres de la famille qui y avait vécu gisaient dans des poses diverses autour de lui, leurs yeux perdus dans le vide. La plus jeune des filles s'était offerte en sacrifice à Byzamoth, car il lui fallait le sang d'une vierge pour activer les capacités démoniaques de l'Œil d'Eth.

Enfin, « offerte » était peut-être un peu fort, mais d'une manière ou d'une autre, Byzamoth était parvenu à ses fins. Il avait trouvé l'humaine la plus importante de tout l'univers, celle par qui arriverait l'événement le plus significatif de l'histoire des démons.

—C'est parti, dit-il à celui debout à l'entrée du salon.

Lore s'avança. C'était un grand brun large d'épaules et musclé, vêtu de cuir noir de la tête aux pieds, jusqu'aux gants qu'il portait. Il était l'un des assassins les plus efficaces que Byzamoth ait rencontrés, pouvant tuer n'importe qui rien qu'en le touchant de ses mains nues.

Byzamoth avait beau être immortel, il préférait garder ses distances avec Lore.

—Je me fous de ta guerre. Je veux juste mon fric.

—Pourquoi tant de hâte ?

—Mon partenaire a raté le vampire. Il faut que je finisse le boulot.

Byzamoth agita la main.

—Tu seras payé, mais cela n'aura plus d'importance. Bientôt, l'argent n'aura plus de valeur. La douleur sera la nouvelle monnaie.

—Ouais, bon, pour le moment, l'argent paie la bière, alors file-moi ce que tu me dois.

Byzamoth sourit. Alors qu'ils parlaient, les habitants de Sheoul devaient déjà sentir que quelque chose se tramait, même s'ils ignoraient encore de quoi il s'agissait. Peu comprendraient la signification de ce qu'il venait de faire, autrement dit, lever le sort d'invisibilité qui avait dissimulé la véritable nature de Serena aux démons pendant si longtemps.

Durant des années, elle avait vécu comme n'importe quelle humaine, et seuls quelques rares élus avaient connu son secret. Mais plus maintenant.

Heureusement pour elle, elle était toujours protégée par une bénédiction et portait le collier, Heofon, et nul ne pouvait les lui ravir… contre sa volonté.

Nul… sauf Byzamoth et quelques autres.

Et il avait l'intention de s'emparer des deux.

Et quand il en aurait fini avec elle, il serait en possession de l'arme la plus puissante qu'il soit permis d'imaginer, et les démons régneraient enfin sur le monde.

Le docteur Gemella Endri était assise dans la salle de conférences de l'UG avec sa sœur jumelle, Tayla, à sa droite, et Shade à sa gauche. Eidolon, le compagnon de Tayla, et les docteurs Shakvhan et Reaver leur faisaient face. La tension ne retombait pas, rendant l'atmosphère oppressante, tandis que la nuit s'écoulait sans qu'ils parviennent à trouver une solution pour sauver Wraith.

Shade et Eidolon lui avaient administré un sédatif après lui avoir annoncé qu'il était mourant. Bizarrement, Wraith avait plutôt bien pris la nouvelle, mais aucun de ses aînés n'était assez stupide pour lui laisser la moindre occasion de se lancer aux trousses du second assassin. Ils voulaient qu'il reste hospitalisé, pour veiller sur sa santé, même s'ils savaient qu'ils n'arriveraient pas à l'immobiliser très longtemps. Leur petit frère était incapable de rester tranquille ; l'inactivité n'était pas dans ses gènes.

Pour ne rien arranger, les instruments et la structure même de l'hôpital montraient des signes de faiblesse. Toutes les fenêtres donnant à l'intérieur de l'administration s'étaient brisées, les lumières de la cafétéria clignotaient sans cesse, et le bassin rempli de lave de l'aile trois avait eu une fuite, détruisant le sauna au soufre situé juste à côté. Eidolon était si occupé qu'il n'en exerçait plus la médecine. Chaque fois qu'il réglait un problème, un autre surgissait.

—Ce matin, j'ai même consulté un Orphmage, dit Gem, mais sans succès.

Elle ne s'était pas attendue à ce que le puissant sorcier cruentus puisse l'aider, mais cela avait valu la peine d'essayer. Les cruenti étaient assoiffés de sang et de meurtres, tuant jusqu'à ceux de leur propre espèce, alors elle s'était dit qu'un mage maîtrisant la magie noire la plus vile saurait peut-être comment contrer les effets de la nécrotoxine corrosive.

Malheureusement, celui-ci avait paru surtout très intéressé par la manière de s'en procurer.

—Je pourrais encore essayer…

Sa phrase se termina dans un halètement.

Une vague d'énergie malsaine la balaya, suivie par plusieurs perturbations moins fortes, comme si on avait jeté une pierre dans une mare d'eau polluée et que des cercles se formaient à la surface. Gem allait demander aux autres s'ils avaient ressenti la même chose, mais il lui suffit de voir leurs expressions pour comprendre que oui. Quand les « remous » cessèrent, le malaise demeura. La jeune femme avait l'impression que le mal s'était attaqué à l'essence même de la vie et l'avait mutilée.

Un événement terrible, effroyable même, venait de commencer.

—Putain, qu'est-ce que c'était ? croassa Eidolon.

Il semblait encore plus affecté que Gem, mais il était un pur démon alors qu'elle n'était qu'une sang-mêlé, ce qui la rendait moins sensible aux marées du mal.

Elle secoua la tête sans réussir à se débarrasser de son mauvais pressentiment.

—Reaver ? (Tayla bondit sur ses pieds.) Merde !

Toutes les têtes se tournèrent vers l'ange déchu, assis dans un fauteuil à haut dossier. Il convulsait. Sans attendre, les médecins et Shade, qui était ambulancier, l'allongèrent sur le sol pour lui donner les premiers secours ; mais il ne s'agissait pas d'un problème médical, Gem et Tayla le savaient bien.

— Fichez-lui la paix, dit Tayla d'une voix qui tremblait autant que les mains de sa jumelle.

Grâce à leur héritage de déchiqueteur d'âme, elles pouvaient voir que Reaver avait été ouvert de la gorge à l'aine.

Les déchiqueteurs d'âme avaient la capacité de repérer les cicatrices invisibles, tant émotionnelles que physiques, et que nul autre ne discernait. Leur espèce utilisait cela pour exposer les vieilles blessures, les exploiter et les infecter. Gem avait passé vingt-six ans à combattre sa nature, avec plus ou moins de succès. Mais celle-ci lui apportait également de nombreux avantages dans son travail.

Elle s'avança et s'accroupit près de Reaver, toujours pris de convulsions, ses yeux bleu saphir roulant dans ses orbites. Les autres docteurs n'avaient pas bougé, et quand Tayla vint la rejoindre, elle dut les écarter sans ménagement. Comme de très loin, Gem entendit Eidolon demander ce qui se passait, mais elle était concentrée sur Reaver.

Celui-ci attrapa le poignet de Gem et le serra si fort qu'elle dut se mordre la lèvre pour ne pas crier.

— Il faut… la trouver, articula-t-il.

Elle plaça la main sur son torse, à côté de la blessure émotionnelle qui s'était rouverte comme une fermeture Éclair. En tant que déchiqueteuse d'âme, elle avait le pouvoir de la refermer ou de l'aggraver, mais le fait que sa mère ait été humaine diluait un peu son don, et les dégâts étaient beaucoup trop importants. Pourtant, elle devait essayer.

— Qui ça, Reaver ? De qui est-ce que tu parles ?

Il ne sembla pas l'entendre et continua à marmonner des paroles, pour la plupart incohérentes.

—Serena… Sentinelle… exposée… merde!

Gem ne comprenait pas de quoi il parlait, mais Tayla se pencha et mit la main à côté de celle de sa sœur.

—Reaver? Eh bien, quoi, Serena? Tu veux dire qu'elle est affectée par un sort?

Ce dernier ne répondit pas, mais ses convulsions se calmèrent un peu pour se transformer en spasmes intermittents. L'abomination tapie en Gem essaya de se libérer pour garder la plaie ouverte et la sonder en profondeur. La pulsion de creuser pour causer de la douleur la terrifia, et la jeune femme retira vivement la main, mais sa sœur l'attrapa par le poignet et l'obligea à la reposer sur le torse de l'ange déchu.

—C'est important, gronda Tayla, ses propres instincts de déchiqueteuse d'âme faisant surface. Nous devons en savoir plus.

Gem prit une profonde inspiration tremblante et lâcha la bride à son démon. Impitoyable, elle enfonça les doigts dans la blessure et tira, aussitôt imitée par Tayla. Reaver hurla, mais Gem ne prêta aucune attention à ses cris et le regarda dans les yeux.

—Qui est Serena?

—Kelley…, gémit-il, marmonnant dans une langue qu'elle ne connaissait pas.

—C'est une Sentinelle? demanda Tayla.

Reaver se figea. Puis, dans un éclair de lumière soudain, il fut projeté à travers la pièce, comme si un démon gargantua l'avait frappé pour l'assommer, et il atterrit au pied du mur, inconscient.

—Merde.

Eidolon appuya sur le bouton de l'interphone et demanda qu'on apporte un brancard. Quelques instants plus tard, des infirmières et un autre médecin arrivèrent pour conduire Reaver aux urgences. Le docteur Shakvhan accompagna l'ange déchu, laissant Gem, Tayla, Eidolon et Shade dans la salle de conférences.

Shade faisait les cent pas, serrant les poings par réflexe.

— Quelqu'un veut bien m'expliquer ce qui vient de se passer, bon sang ? L'un de vous a senti cette étrange vibration juste avant que Reaver commence à convulser ?

— Oui, moi, et ça m'a fichu une trouille bleue. Je la sens encore, répondit Tayla.

Elle se frotta les bras, comme si elle avait froid, et Eidolon l'attira contre lui d'un geste protecteur.

Gem sentit sa vieille blessure recommencer à la faire souffrir. Elle était heureuse que sa sœur ait trouvé l'amour, mais elle ne pouvait pas s'empêcher d'en éprouver de la jalousie depuis que Kynan l'avait quittée, dix mois plus tôt… alors qu'ils s'étaient enfin trouvés.

— Moi aussi, renchérit Gem. (Elle s'éclaircit la voix pour en éliminer toute trace d'amertume, parce que ce n'était pas la faute de Tayla si elle avait perdu l'amour de sa vie.) Quelque chose vient de se réveiller dans le monde démoniaque.

— Je n'aime pas ça, murmura Eidolon. Ça pourrait être mauvais.

— Ou bien, répliqua Shade en croisant les bras, ce n'est peut-être rien du tout.

— Évidemment, ironisa son frère. On sait tous que Reaver s'écroule et convulse, avant de se mettre à baragouiner dans des langues anciennes, tous les jours.

Tayla s'écarta de son compagnon.

— Reaver a dit un truc important. Pour Wraith.

Eidolon et Shade se raidirent, et Gem tira sur le bout d'une de ses nattes noir et rose.

—Cette histoire de Sentinelle?

Comme sa sœur ne répondait pas, Gem lui posa la main sur l'épaule.

—Tay?

Celle-ci acquiesça.

—Des histoires circulent… des rumeurs, en fait… au sein de l'Aegis. Elles parlent d'humains bénits par les anges. Personne ne sait pourquoi, ou même si c'est vrai, mais ils sont censés être invincibles. Immortels.

—En quoi ça pourrait aider Wraith? demanda Shade.

Tayla hésita jusqu'à ce qu'il se racle la gorge. Elle lui adressa un regard agacé avant de poursuivre:

—D'après la légende, les Sentinelles peuvent transférer la bénédiction à autrui. (Elle se dandinait d'un pied sur l'autre, mal à l'aise à l'idée de partager des secrets aegis, même avec son beau-frère.) Si nous réussissons à trouver cette Serena Kelley, Wraith aura un espoir de s'en sortir. Il lui suffira de prendre sa virginité.

CHAPITRE 3

Il fallut moins d'une journée à Gem et à Tayla pour retrouver Serena Kelley, mais il leur en coûta beaucoup. Elles avaient dû consulter un chaman darquethoth, et celui-ci, après avoir jeté son sort de localisation, leur avait semblé très intéressé par l'humaine. Bien trop. Eidolon avait le sentiment que le démon n'hésiterait pas à vendre ce qu'il avait appris au plus offrant.

Il fallait que Wraith approche Serena sans plus tarder. Non seulement sa vie en dépendait, mais la survie de l'hôpital également.

Cependant, avant de donner tous les détails à son frère, Eidolon voulait avoir une conversation avec Reaver, qui s'était remis de sa crise et s'apprêtait à quitter le service.

Eidolon entra dans la chambre de ce dernier au moment où celui-ci, encore ruisselant d'eau, sortait de la douche.

—Il faut qu'on parle de Serena Kelley.

Eidolon aurait pu jurer avoir vu les mains de Reaver trembler avant qu'il serre les poings.

—Qui ça ?

—L'humaine bénie dont tu nous as parlé hier. Nous pensons qu'elle pourrait être le remède idéal pour Wraith…

Il se retrouva soudain nez à nez avec Reaver, qui l'avait saisi par le devant de sa tunique d'hôpital.

—Tiens Wraith éloigné d'elle.

La voix de l'ange déchu était un grondement sourd et menaçant, mais les sorts écrits sur les murs pour interdire toute violence à l'intérieur de l'hôpital ne se mirent pas à pulser. Il ne lui voulait donc aucun mal.

Shade entra et haussa les sourcils devant la nudité de Reaver.

—Ai-je interrompu quelque chose ?

Eidolon adressa un regard aussi glacial à Reaver que celui de l'ange était brûlant.

—Je te suggère de me lâcher, dit-il. Tout de suite.

Reaver jura et recula.

—Tu ne peux pas laisser faire ça, Eidolon.

—Wraith va mourir.

—J'en suis navré, répondit Reaver en enfilant un pantalon. Mais il s'est fourré tout seul dans ce merdier. Serena est innocente.

—Il ne lui fera pas de mal. Il va juste coucher avec elle. Et tu sais bien qu'il ne peut pas la violer, pas si elle est protégée par la bénédiction, alors elle le fera de sa propre volonté.

Eidolon bluffait, il tentait juste une petite chirurgie exploratrice sur l'ange déchu pour l'inciter à parler. Les informations que Tayla avait obtenues des Aegis concernant les humains bénis n'étaient que pures spéculations, mais jusque-là tout semblait vrai.

Reaver passa les deux mains dans ses cheveux dorés et les y laissa, comme s'il essayait d'empêcher sa tête de tomber.

—Pourquoi elle ? Pourquoi pas l'un des six autres ?

—Ils ne sont que six ? (Quand Reaver ne répondit rien, Eidolon haussa les épaules.) Tu nous as donné son nom. Gem et Tay ont consulté un chaman pour qu'il jette un sort de localisation. Serena s'est illuminée comme une enseigne de bar.

— Merde, souffla Reaver. Le voile qui empêche les démons de voir les humains bénis a dû se déchirer… d'où mon état. Quelqu'un a sans doute l'intention de se servir d'elle pour faire le mal. (Avant qu'Eidolon ait pu l'interroger, l'ange secoua la tête.) Oublie Serena. Wraith ne doit pas la toucher.

Cela faisait des jours qu'Eidolon avait mal à la tête, et sa migraine empira.

— Ce n'est pas à toi d'en décider.

— Ne fais pas ça, Eidolon. Je suis sérieux. Elle a besoin de sa bénédiction.

— Pourquoi ?

— Parce que, répondit Reaver d'une voix froide comme la mort, c'est tout ce qui la maintient en vie. Si elle la perd, elle mourra.

Reaver regarda l'expression d'Eidolon s'assombrir. Shade eut simplement l'air en colère, comme d'habitude.

— Comment ça, elle mourra ? demanda-t-il. Est-ce que c'est ce qui arrive à tous les humains porteurs d'une bénédiction ?

Reaver n'avait envie de répondre à aucune de ces questions, il se refusait à parler de quoi que ce soit de sacré, et il se serait bien botté lui-même le cul pour avoir craché le morceau au sujet des Sentinelles. Leur existence était un secret jalousement gardé depuis des millénaires, et s'il s'ébruitait… L'estomac de Reaver se serra violemment.

— Réponds, dit Eidolon de sa voix calme de Justicier.

Son ton était trompeur, car il pouvait passer d'une froideur extrême à une fureur brûlante en moins d'une seconde.

Il avait été élevé par la Judicia, des démons chargés de rendre la justice, et son attitude détachée et glaciale ne le rendait que plus dangereux, parce qu'il se laissait rarement gagner par les émotions.

— Serena est un cas unique, poursuivit Reaver d'une voix étranglée, incapable de réprimer l'instinct qui le poussait à protéger l'humaine, même s'il n'en était plus digne désormais.

Aucun ange n'était censé interférer dans la vie d'une Sentinelle… du moins directement. Ce boulot, c'était celui de leurs Gardiens aegis.

Reaver se massa les tempes, songeant à ce qu'il pouvait leur révéler. Il n'avait aucun contrôle sur celui ou ceux qui avaient levé le sort qui dissimulait Serena, mais s'il voulait la sauver de Wraith, il devait convaincre ses frères de l'épargner.

— Patricia, la mère de Serena, a été la gardienne de la bénédiction, jusqu'à ce qu'elle la lui transmette, quand la petite a eu sept ans.

— Attends, l'interrompit Shade. Patricia devait pourtant être pucelle, non ? Alors, Serena a été adoptée ?

— Patricia était bien vierge, mais elle était aussi la mère biologique de Serena. L'ovule a été fécondé in vitro, avant de lui être implanté.

Eidolon posa une fesse sur le lavabo. Il observait Reaver avec l'intensité d'un oiseau de proie.

— Comment tu sais ça ?

— Il n'y a qu'une poignée d'humains bénis dans le monde, alors nous savons tout sur chacun d'entre eux, répondit-il, même si ce n'était pas l'entière vérité.

— Pourquoi était-elle bénie ?

— Aucune importance.

Reaver en disait déjà plus que nécessaire. Bien sûr, Eidolon et Shade n'avaient rien à voir avec les bêtes immondes qui peuplaient Sheoul, mais s'il voulait avoir une chance de retourner au Paradis, il ne devait pas la gâcher en partageant des informations vitales avec des créatures dans leur genre.

S'acoquiner avec des démons, travailler dans un hôpital qui les soignait… il vivait déjà sur la corde raide.

— Ce qui compte, c'est que peu après la naissance de Serena, un démon mara a appris la vérité au sujet de Patricia. Il a mordu ses parents… et Serena.

Être mordu par un mara, c'était la poisse. Chacun véhiculait une maladie spécifique, qu'il transmettait par ses morsures, et dont il était aussi le seul à posséder l'antidote.

— Il voulait la bénédiction en échange de leur guérison. Patricia a dû faire un choix terrible, et elle a décidé de tuer le démon. En conséquence, ses parents ont souffert pendant des mois avant de s'éteindre. Serena a passé des années à rentrer et sortir de tous les hôpitaux de la région, sans que les docteurs puissent la guérir. Un peu avant son septième anniversaire, son état s'est aggravé.

La voix de Reaver était rauque de devoir se remémorer de force le passé.

— Quand il est devenu clair que Serena allait mourir, Patricia lui a fait don de sa bénédiction pour la sauver…

— Comment ? l'interrompit Shade. Je croyais que le sexe était la clé.

— Serena était un cas spécial, rétorqua Reaver.

La vérité, c'était que le transfert n'aurait jamais dû avoir lieu, mais il préférait ne pas entrer dans ce genre de détails.

Ou même y penser.

Shade sembla comprendre et donna une autre tournure à la conversation.

— Alors, qu'est-ce qui s'est passé après pour la petite Serena ?

— Sa santé s'est instantanément améliorée, mais si elle devait perdre sa protection, la maladie progresserait de nouveau. Serena mourrait en quelques jours. Quelques heures, peut-être.

— Merde, marmonna Shade. Nous ne pouvons pas révéler ça à Wraith.

Eidolon haussa vivement les sourcils.

— Il a besoin de le savoir.

— Mais il risque de refuser de prendre sa bénédiction.

Reaver le regarda sans ciller.

— Nous parlons du même Wraith, n'est-ce pas, celui qui baise et suce le sang de toutes celles qu'il croise ?

— Wraith ne tue jamais d'humaines.

— Eh bien, je n'aurais jamais cru qu'il puisse avoir la moindre limite, marmonna Reaver.

— Si ça peut te consoler, il fait une exception pour les tueuses aegies, dit Shade, avant de se tourner vers son frère. Ce n'est qu'une humaine, alors c'est quoi ton problème ?

— Je te rappelle que ta propre compagne en est une.

— Était. C'est une warg à présent.

Reaver leva les yeux au ciel. C'était un argument stupide. Tout comme les métamorphes, les loups-garous, qu'ils soient nés ainsi ou qu'ils aient été infectés par morsure, avaient une âme humaine, ce qui techniquement faisait d'eux des humains. Les vampires aussi, même si le destin de leurs âmes était un peu plus compliqué.

— Trouvez un autre moyen de guérir Wraith, déclara Reaver, parce que je ne vous laisserai pas faire.

C'était du bluff. Les anges, et a fortiori ceux qui étaient déchus, ne devaient intervenir en aucune circonstance dans la vie d'une Sentinelle.

D'un autre côté, il avait déjà bravé cet interdit en facilitant le transfert de la bénédiction de Patricia à Serena.

Et il l'avait payé cher.

Shade se rapprocha de Reaver d'un air menaçant.

— Interfère, et je te le ferai regretter.

— Tu ne peux pas me tuer, incube.

— Mais j'essaierai quand même. Et si j'échoue, je te traînerai jusqu'à Sheoul pour une éternité de torture.

Des gouttes de sueur perlèrent sur les tempes de Reaver. Pour le moment, il était entre deux royaumes, banni du Paradis, mais pas sans espoir d'y retourner un jour. Un ange déchu qui restait au milieu des humains avait une chance de regagner les Cieux, mais s'il entrait dans Sheoul, il serait perdu pour toujours.

— Shade, dit Eidolon en posant la main sur le biceps de son frère. Recule. Ça ne nous aide pas. Wraith fera ce qui est juste.

Wraith ? Faire ce qui est juste ?

Reaver ne pouvait pas croire qu'il avait entendu ces mots sortir de la bouche d'Eidolon.

L'ange s'efforça de ralentir les battements de son cœur pour pouvoir entendre par-dessus le rugissement qui résonnait à ses oreilles. Il se fichait que Wraith ou Serena survive, même s'il aimait beaucoup la jeune femme. Parce qu'il ne s'agissait pas seulement de sa vie ou de sa mort, l'enjeu était beaucoup plus grand.

Toutes les Sentinelles étaient protégées par une bénédiction pour une bonne raison : chacune était en possession d'un objet vital pour le bien-être de l'humanité.

Et celui que Serena gardait était le plus important de tous.

Shade baissa la tête.

— D'accord. Que les Dieux nous viennent en aide, on va lui dire.

L'obscurité se referma sur Serena au moment où les démons fondirent sur elle. Ils étaient quatre, des créatures laides comme des crapauds, qui lui arrivaient à hauteur de taille. Ils lui avaient tendu une embuscade devant l'entrée du manoir de Val, profitant qu'elle arrête sa voiture devant la boîte aux lettres.

La veille, elle avait dépensé toutes ses économies pour payer une sorcière capable de réparer le sort d'invisibilité, mais il était clair que la rumeur s'était répandue.

Serena n'en avait pas encore parlé à Val. Elle n'avait aucune raison de le faire pour l'instant, il était déjà bien trop à cran, parce que l'alarme avait été donnée au sein de l'Aegis, dont il était l'un des membres les plus éminents.

D'après Val, ils se préparaient à une incursion démoniaque. La population humaine en général ne cessait de voir des démons partout, et il y avait de plus en plus d'échauffourées entre ces créatures et les Gardiens, qui déploraient de lourdes pertes.

Dans un effort pour combattre la menace grandissante, l'organisation avait baissé ses critères de sélection, placé d'anciens Gardiens en alerte en attendant de les rappeler et déployé ses membres actuels pour effectuer des missions de reconnaissance.

Comme cela démangeait Serena de les aider ! Elle espérait depuis longtemps que Val lui confierait sa propre mission. Or, si elle devait en juger d'après le SMS qu'il lui avait envoyé pour lui dire de rentrer immédiatement, elle allait enfin obtenir satisfaction.

Enfin, après s'être débarrassée des démons. Leurs bouches béantes étaient tapissées de plusieurs rangées de dents acérées comme des rasoirs, jusqu'au fond de leurs gorges. Un frisson d'excitation parcourut Serena, parce qu'elle affrontait rarement ce genre de situations. Sa spécialité, c'était la chasse aux trésors, et d'habitude, ses seuls défis se limitaient à une énorme couche de poussière, des insectes venimeux ou de rares pièges physiques ou magiques.

Elle supposait qu'elle devrait être prudente… après tout, si le sort d'invisibilité n'opérait plus, la bénédiction avait peut-être été compromise également, mais elle en doutait.

« Il existe une manière de contourner tous les charmes, tous les sorts, toutes les malédictions. »

Les paroles maintes fois répétées par Val, prononcées avec son fort accent roumain, résonnèrent dans son esprit. Ce type était vraiment parano.

L'un des démons siffla et bondit sur elle. Elle lui balança son sac à main en pleine figure, et il recula en titubant, emportant deux de ses camarades dans sa chute. Pivotant sur elle-même, Serena ouvrit la portière côté conducteur, s'en servant pour frapper le quatrième démon qui déboulait sur elle. Elle démarra le Land Rover à toute vitesse et écrasa les monstres comme des insectes.

Même si elle n'avait encore jamais tué de démon elle-même, Val l'avait assurée que sur Terre leurs cadavres se désintégraient aussitôt. Et elle put le constater en regardant dans le rétroviseur : leurs corps se ratatinèrent et disparurent, ne laissant que des traces grasses sur la route.

Il n'était pas question qu'elle parle de cela à Val.

Son téléphone bipa. C'était encore lui. Elle appuya sur l'accélérateur et remonta l'allée pour se garer devant les quartiers réservés aux invités, où elle vivait depuis six ans, puis elle gagna la maison principale au pas de course. Elle trouva Val et son fils, David, dans la bibliothèque dont les rayonnages regorgeaient de livres sur l'archéologie, l'anthropologie, l'histoire mondiale et la démonologie. Val était peut-être l'un des Anciens du Sigil, mais il avait également été professeur pendant des années, l'un des rares à s'être spécialisés dans l'archéologie paranormale et les artefacts démoniaques.

Aucun des deux hommes ne la salua. Val ne leva même pas les yeux de son ordinateur.

— Où étais-tu? (Il fit un geste de la main pour parer à ses explications.) Peu importe. Tu es là maintenant. Je t'envoie en Égypte. Tu pars ce soir.

— Je croyais que tu voulais finir les recherches sur le projet Philae avant qu'on y aille?

— En fait, répondit-il avec un sourire rusé, je crois avoir trouvé quelque chose.

Un millier de questions se formèrent sur les lèvres de la jeune femme, se bousculant jusqu'à ce qu'une seule les quitte dans un murmure :

— Le temple d'Hathor?

— Oui.

— Et l'autre artefact? La pièce?

— Alexandrie. Les catacombes de Kom-el-Chouqafa... plus précisément, dans le hall de Caracalla.

— Oh, mon Dieu. (Ses doigts tremblèrent alors qu'elle triturait l'amulette au bout de sa chaîne en or.) Bien sûr.

C'étaient des nouvelles extraordinaires. Les deux objets qu'ils cherchaient avaient une grande valeur historique, mais surtout, Val croyait qu'ils seraient déterminants dans une guerre entre le Bien et le Mal. Ce conflit qui d'après les Aegis se préparait au moment même où ils s'entretenaient...

Les artefacts, une ancienne tablette gnostique et une pièce de monnaie en bronze, étaient de puissants charmes protecteurs contre le Mal. Mais ensemble, ils pouvaient frapper la race des démons d'un coup fatal.

— Tu peux être prête à partir dans deux heures?

— Aucun problème. (Elle se dirigea vers le bar et commença à mettre des glaçons dans un verre.) Je suis tellement impatiente! J'adore Alexandrie.

— Oui, je sais.

Val tendit la main pour faire courir ses doigts sur les motifs compliqués du bracelet qu'elle avait volé au vampire la nuit précédente.

— Mais nous n'avons pas le temps d'utiliser la voyance, poursuivit-il. Tu devras agir aussi vite que possible.

Elle se figea avec la bouteille de bourbon au-dessus du verre.

— Seule ? Tu ne viens pas avec moi ?

— Malheureusement, non. Le Sigil a convoqué tous les Anciens à Berlin. David et moi partons demain soir.

David, un jeune homme de trente-quatre ans qui était le portrait craché de Val, les cheveux et les yeux sombres, leva enfin la tête de la carte qu'il étudiait.

— Personne ne te tiendra la main, cette fois.

Il la taquinait, bien sûr, comme toujours sur le fait que Val était une vraie mère poule pour elle. Mais il avait raison : c'était très inhabituel. Val ne la laissait jamais partir plus d'une nuit sans lui. Il ne s'agissait pas tant d'assurer sa sécurité ; ce qui l'inquiétait par-dessus tout, c'était qu'un homme puisse lui faire perdre la tête au point qu'elle abandonne tout pour assouvir son désir d'une relation normale, laquelle inclurait des rapports sexuels. Oh, oui, surtout cela, si elle avait son mot à dire ! Seigneur, son corps était un baril de poudre prêt à exploser, et Val le savait bien.

Et il se comportait comme un père trop protecteur armé d'un fusil.

De bien des manières, elle en était heureuse. Elle avait grandi sans aucune influence masculine.

Après la mort de sa mère, elle avait été élevée dans un couvent, éduquée par des nonnes qui avaient espéré la voir prendre le voile à son tour. Mais Serena était bien trop aventureuse. Elle avait voulu voyager et vibrer d'excitation, aussi avait-elle quitté les bonnes sœurs pour marcher sur les traces de sa mère et devenir une sorte d'Indiana Jones en jupon.

Elle sourit de cette référence, parce qu'elle avait joué les Indiana Jones, mais pas de la manière dont elle l'avait cru.

Dix-huit ans à peine et avide de croquer la vie à pleines dents, Serena était entrée à l'université, et ses journées s'étaient remplies de cours d'archéologie et d'anthropologie… qui s'étaient révélés barbants avec un grand B. Il ne lui avait fallu qu'un an à travailler à mi-temps au département d'archéologie et à s'endormir pendant les cours pour comprendre qu'elle avait peut-être fait fausse route. Cette profession demandait bien trop de recherches, et où étaient les anciennes malédictions et les balles sifflant à ses oreilles?

C'est alors que Val était entré en jeu.

Il était professeur assistant à Yale, et c'était pour lui qu'elle avait choisi d'y entrer. Elle se souvenait du Gardien qui avait veillé sa mère jusqu'à sa mort, et qui lui avait ensuite rendu visite au couvent.

Il avait encouragé son amour pour l'archéologie dès lors qu'elle avait montré une capacité hors du commun à retrouver à peu près tout ce que les autres égaraient. Puis encore quand il avait emmené quelques étudiants triés sur le volet en excursion sur un champ de bataille de la guerre d'Indépendance.

Son instinct avait soufflé à Serena de s'écarter du groupe pour gagner un bois voisin. Là, près des vestiges d'un muret de pierres, à un mètre de profondeur, elle avait déterré un coffret de la taille d'une boîte à chaussures. Il contenait quelques piécettes, une flûte et une lettre détaillant l'ignoble trahison du chef des Américains… chef dont l'histoire avait fait un héros. Si la missive était authentifiée, cela risquait de faire grand bruit.

Ce jour-là, Val lui avait offert une place dans sa compagnie privée de contrats archéologiques, la jouissance de l'une des deux maisons d'invités qui jouxtaient son manoir-musée, et une paie minable. Mais cette dernière n'avait aucune importance. Serena ne manquait de rien, en partie parce que Val pourvoyait à l'essentiel, et aussi parce qu'il la gardait tellement occupée par des voyages qu'elle n'avait pratiquement aucun temps libre.

Il avait quitté son poste à l'université tout de suite après… pour garder un œil sur elle, ce qu'il faisait beaucoup trop à son goût.

Alors, oui, elle avait tout : une vie merveilleuse et la carrière de ses rêves. Elle avait tout ce qu'elle désirait ou presque et ne craignait que deux choses. Les années de maladie à passer d'un hôpital à un autre lui avaient laissé une peur irrationnelle de la mort… irrationnelle, parce que aussi longtemps qu'elle serait protégée par la bénédiction, elle serait immortelle. Elle ne pouvait pas mourir, à moins de céder à l'envie parfois irrépressible d'avoir une vraie relation avec un homme. Et cela aussi l'effrayait.

Pour le moment, elle était forte, mais elle était terrifiée à l'idée de rencontrer l'homme de ses rêves un jour. Parce que aussi forte qu'elle puisse être, elle était curieuse et en manque, et la tentation savait se faire irrésistible.

— Je présume que mon voyage, l'hôtel et l'entrée dans les catacombes ont été arrangés ?

Val poussa vers elle une chemise posée sur son bureau.

— Tout est là-dedans. Un ex-Gardien du nom de Josh Nichols viendra à ta rencontre à Alexandrie. Il possède un objet dont tu auras besoin pour entrer dans la salle où, selon moi, est cachée la pièce de monnaie.

Posant son verre, elle prit le dossier et le feuilleta.

— Il sait qui je suis ? Enfin, je veux dire, ce que je suis ?

—Non.

Peu d'humains étaient au courant. Pour autant qu'elle sache, seule une poignée d'Anciens savait, dont Val et David.

—Qu'est-ce que je suis censée lui dire ?

—Rien du tout. Il a l'habitude que des gens viennent lui emprunter l'artefact, qui d'après nous est une sorte de clé.

Elle haussa les sourcils.

—Pourquoi ferait-on ça ?

—Il est dans sa famille depuis des siècles, mais nul ne sait avec certitude quelle est sa fonction, juste qu'il est associé aux catacombes, et chaque fois qu'une nouvelle section est dégagée, il redevient utilisable.

—Et maintenant que tu connais la cachette de la pièce, tu penses qu'il le sera pour moi ?

—Exactement.

—Très bien. Je vais y aller.

Prise de vertiges, parce que c'était peut-être la découverte de toute une vie, Serena se dirigea vers la porte.

—Serena. (La voix de Val l'arrêta net, et quand elle se tourna vers lui, son regard sombre la fit frissonner comme s'il était de mauvais augure.) Sois prudente.

—Toujours, mentit-elle.

—On ne l'est jamais assez. Ne l'oublie pas, Serena. Jamais.

Chapitre 4

L e pire, pour Wraith, ce n'était pas de s'éteindre à petit feu. C'était que le poison utilisé par l'assassin avait pratiquement tué sa libido.

L'incube avait toujours eu besoin de s'envoyer en l'air une dizaine de fois par jour en moyenne. Or, depuis qu'il s'était réveillé du sommeil artificiel dans lequel ses frères l'avaient plongé, une semaine auparavant, il pouvait s'estimer heureux quand il éprouvait du désir une fois tous les deux jours.

Ouais, mourir craignait vraiment. Du moins de cette manière. Il avait fait quelques vaillantes tentatives pour accélérer un peu le processus depuis qu'il s'était enfui de l'UG. Il s'était fourré dans des situations de merde dans plusieurs pubs réservés aux démons, mis à dos tout un nid de vampires, il avait même été jusqu'à interrompre la chasse de démons cinglenuits, et ce n'était jamais bon de s'interposer entre une dizaine de ces monstres et leur repas. Tous ces combats avaient été exaltants, brefs et sanglants. Wraith s'était toujours retrouvé en infériorité numérique, et pourtant il en était chaque fois sorti vainqueur, s'éloignant en boitant mais vivant.

Avait-il réellement gagné ou pas, telle était la question.

Eidolon l'avait appelé plusieurs fois par jour, et Wraith n'avait pas décroché. Il s'était pourtant rendu à l'UG la nuit précédente, et ce qu'il avait vu l'avait choqué.

L'hôpital était pratiquement désert, et alors que Wraith se tenait au milieu des urgences, un pan de plafond s'était effondré. Tous les démons qu'il avait croisés semblaient agités. Le bruit courait que des hordes avaient commencé à se rassembler au cœur de Sheoul, mais nul ne pouvait confirmer cette rumeur. D'ailleurs, il y avait toujours une armée de démons en train de se former quelque part, chaque fois qu'un seigneur décidait d'en attaquer un autre.

Wraith ne prit pas la peine de frapper à la porte de l'appartement d'Eidolon. Il l'ouvrit et entra, et aussitôt le furet de Tayla, Mickey, vint à sa rencontre, ses petites griffes cliquetant sur le parquet. L'animal grimpa le long de la jambe de Wraith jusqu'à sa taille, puis le démon le prit dans ses bras, et Mickey se blottit avec bonheur au creux de son coude.

—Salut, mon pote, dit Wraith. Où est mon frère?

Il se dirigea vers le bureau d'Eidolon, saluant Tayla et Gem au passage. Les deux jeunes femmes confectionnaient un dessert à base de chocolat dans la cuisine, mais elles avaient l'air sombre avec leurs grands verres de jus d'orange à la main. Étant à moitié déchiqueteuses d'âme, une espèce tropicale, elles avaient besoin d'une bonne dose de vitamine C, surtout quand elles étaient stressées.

Wraith se demanda combien de litres elles avaient déjà bus depuis leur réveil. Merde, Gem descendait cela comme de la vodka depuis que Kynan avait quitté l'hôpital pour retourner dans l'armée. Enfin. C'était un type bien, il avait souvent laissé l'avantage à Wraith, mais si les deux hommes devaient en venir aux mains, le démon tuerait l'humain sans hésiter.

—Eidolon est dans son bureau, avec Shade, l'informa Tayla.

Oh… génial.

C'était une réunion de famille. Les choses devaient vraiment aller mal.

Jurant entre ses dents, parce qu'il n'avait vraiment pas besoin de cela, il entra dans le bureau d'Eidolon. Shade était installé sur le canapé en cuir, Mango, le chien d'Eidolon, couché à ses pieds. Eidolon était assis à son bureau, le nez dans une revue médicale. Il leva la tête quand son frère ferma la porte, et pour la première fois depuis qu'il lui avait annoncé qu'il allait mourir, Wraith ne lut aucune tristesse dans ses yeux sombres.

—Quoi d'neuf? demanda Wraith en s'asseyant.

Mickey poussa un cri indigné et grimpa jusqu'à l'épaule de Wraith pour s'enrouler autour de son cou, comme une étole de fourrure.

—Je crois que nous avons trouvé le moyen de te sauver.

Son pouls s'accéléra, mais Wraith s'efforça de paraître calme. Ce qu'Eidolon venait de dire paraissait génial, mais le pli sérieux de sa bouche lui indiquait qu'il devait y avoir un piège.

—Explique.

—Tu vas devoir voler le charme qui protège une autre personne.

—Par charme, tu entends quelque chose comme un bracelet avec des breloques?

—Pas exactement, répondit Shade. Il s'agit d'une bénédiction qui protège son porteur de tout mal. Il faudra que tu la lui prennes.

Wraith regarda son frère, plissant les yeux.

—Quelque chose me dit que ce sera bien moins facile que de trousser les jupes d'une *orgesu*.

—Ça dépend sous quel angle on se place. (Shade changea de position, et son pantalon en cuir crissa contre les coussins.) Je veux dire, il s'agit de sexe.

—Bon, alors les choses ne sont pas si terribles. Où est le défi ?

Shade échangea un regard avec Eidolon avant de répondre :

—Eh bien… il faudra que tu séduises la fille. La bénédiction ne peut être transférée que par un acte sexuel. Consentant. Évidemment, puisque la fille ne peut pas être forcée.

—La séduction n'est pas un problème.

Bon sang, non ! Les femelles venaient toujours à lui de leur plein gré. Du moins l'avaient-elles fait jusqu'à ce qu'il ait déclenché sa *s'genesis* et que la dernière marque apparaisse sur sa joue, tel un avertissement à toutes les démones. Désormais, il devait avoir recours à des artifices pour s'envoyer en l'air.

S'il avait été comme tous les autres seminus matures de la planète, cela ne l'aurait pas dérangé le moins du monde.

Merci pour l'ADN humain, très chère mère.

Sa partie humaine haïssait de ne pas pouvoir avoir de rapport sexuel sous sa véritable forme, de devoir avoir recours à des subterfuges pour qu'une femelle couche avec lui. Mais sa partie démone en avait besoin.

—Attendez. (Wraith, qui caressait Mickey, se figea, une main au-dessus du dos de la bête.) Il y a un « mais », non ? Il y en a toujours un…

Eidolon hocha la tête. Il gagnait du temps. Enfin, il dit :

—Elle est humaine.

Wraith eut un mouvement de recul, et Mickey poussa un cri de protestation.

—Non.

—Wraith…

— J'ai dit non ! (Il lâcha une bordée de jurons en plusieurs langues.) Quel genre de sort tordu requiert qu'on baise pour transmettre une protection ?

À moins que…

Oh, merde.

— Elle est vierge, hein ? Par Hadès, c'est une foutue pucelle ?

Eidolon ne dit rien, ce qui confirma ses soupçons. Wraith bondit sur ses pieds.

— Ce n'est pas seulement non, mais putain non. En fait, laissez-moi vous énumérer toutes les manières dont je peux dire non.

Il commença à compter sur ses doigts, mais Shade se leva, avec lenteur, comme s'il craignait qu'un mouvement brusque l'effarouche.

— Du calme, frangin. Ce n'est pas si dramatique. Une fois que ce sera fait, tu seras protégé par la bénédiction, et le Conseil des seminus ne pourra pas te punir. Et quand bien même il le ferait, ce ne serait pas si terrible.

— Pas si terrible ? Il a fallu un jour entier à Eidolon pour s'en remettre quand il a pris la fleur de la hippie.

Il était interdit à la plupart des espèces de démons de déflorer des humaines, et Eidolon avait pris la virginité d'une fille par accident, environ cinquante ans plus tôt. Les anges gardiens étant de fichues commères, il avait été fouetté par les membres du Conseil des seminus.

Cependant, la réticence de Wraith à prendre une vierge n'avait rien à voir avec la punition, et ses frères le savaient bien.

— J'ai juré de ne plus jamais sauter une humaine, et encore moins une qui soit encore intouchée…

— Je sais, l'interrompit Eidolon, mais c'est une question de vie ou de mort.

Des flashs du passé lui traversèrent l'esprit, datant de l'époque où il était dans une cage, enfermé par sa mère maléfique. On avait jeté d'innocentes filles nues dans sa prison, après qu'elles avaient été brutalement violées par les vampires qui les avaient amenées pour lui. Les vampires, qui techniquement étaient humains, n'étaient pas concernés par l'interdit de déflorer une vierge de cette race. Ils avaient pris leur pied en le regardant devenir fou de désir, puis en se servant des jeunes femmes devant lui, avant de les lui passer et de s'asseoir pour observer.

Quatre-vingts ans plus tard, il avait encore des sueurs froides chaque fois qu'il y pensait. Accomplir sa *s'genesis* aurait dû l'aider à oublier. Il ne devrait plus s'en soucier. Mais pas de chance.

— C'est qui, cette fille ? Pourquoi est-elle protégée ainsi ? (Wraith faisait les cent pas, essayant désespérément de se calmer.) Et comment vous l'avez trouvée ?

Eidolon ferma le livre qu'il était en train de lire.

— C'est une longue histoire. Mais entre Gem, Reaver et les relations aegies de Tayla, nous avons été capables de localiser Serena.

Mickey reniflait l'oreille de Wraith, comme pour le réconforter.

— Je n'aurais pas cru qu'un simple soldat aegi puisse avoir accès à une telle information.

— Tay est bien plus que ça, et tu le sais.

Eidolon se renfonça dans son siège, l'air agacé.

En effet, Tayla était infiniment plus que cela. Elle dirigeait la cellule de tueurs de New York, et depuis qu'elle en avait pris le commandement, le nombre de morts chez les démons avait beaucoup diminué, ainsi que les violences faites par les créatures des ténèbres à des humains. Une trêve fragile avait été déclarée entre la cellule de New York et les démons pacifiques, ce qui permettait aux Gardiens d'avoir plus de temps pour se concentrer sur les races vraiment dangereuses. Cerise sur le gâteau, les gentils monstres acceptaient à présent de leur donner des informations. Jusque-là, la relation symbiotique avait plutôt bien fonctionné, mais avec les remous qui avaient récemment commencé à agiter le monde démoniaque, l'entente était de nouveau houleuse.

Wraith se passa une main sur la figure.

— Je n'aime pas ça. Il faut que je réfléchisse.

— Tu n'en as pas le temps, dit Eidolon. Et il y a autre chose que tu dois savoir, poursuivit-il en caressant d'un doigt la tranche dorée de l'ouvrage devant lui. Serena a été mordue par un mara avant d'être protégée. Une fois que tu lui auras pris sa bénédiction, sa maladie progressera rapidement, et elle mourra.

Wraith s'arrêta net.

— Quoi ? (Il regarda Shade, puis Eidolon, puis de nouveau Shade.) Tout ça, c'est des conneries ! Pas question que je le fasse.

— Il le faut…

— Non !

Eidolon se leva, renversant son fauteuil contre le mur, ce qui fit bondir Mango sur ses pattes.

— Alors, tu condamnes l'hôpital.

— De quoi tu parles, putain ?

Eidolon se pencha et s'appuya sur ses poings, posés sur la table, clouant Wraith avec la seule intensité de son regard.

— Nous l'avons bâti avec notre sang, nos larmes et notre sueur.

Littéralement. Quand les fondations avaient été posées, chacun d'eux avait donné un élément pour que l'hôpital soit fort, ensorcelé et indétectable par les humains. Wraith avait donné son sang, Eidolon ses larmes et Shade sa sueur.

— Ouais, et alors ?

Shade se frotta le visage.

— Je n'arrive pas à croire que nous ne l'ayons pas vu venir.

— Voir quoi ? demanda Wraith d'un ton sec, à bout de patience.

— Nos forces vitales sont liées à l'UG, répondit Eidolon à mi-voix. Si tu meurs…

Ah, merde.

Wraith expira lentement.

— L'hôpital meurt aussi. C'est pour ça qu'il s'y passe des trucs étranges ?

— Oui.

Il en eut la nausée.

— C'est pour ça aussi qu'il n'y a plus que la moitié du personnel ?

Eidolon secoua la tête.

— Nos employés sont affectés par ce qui perturbe le monde démoniaque. Ils ne viennent plus faire leurs gardes. Ou ils démissionnent. Ils sont terrifiés. C'est le chaos. Et bizarrement, ça coïncide avec l'entrée en scène de l'humaine protégée par une bénédiction.

— Merde, souffla Wraith.

Il se fichait d'à peu près tout, mais l'hôpital lui avait donné un but quand il n'en avait eu aucun et qu'il avait été prêt à s'autodétruire. Non pas qu'il ait vraiment changé, mais il s'était beaucoup assagi. S'il était encore en vie, c'était grâce à ses frères et à l'UG.

Plus important, celui-ci comptait plus que tout pour Eidolon et Shade. Tout, sauf leurs compagnes respectives, et les petits de Shade. Wraith pouvait bien se foutre de vivre ou de mourir, mais il n'avait pas le droit de laisser l'hôpital être détruit parce qu'il se refusait à baiser et tuer une humaine.

C'était vraiment une piètre excuse pour un démon.

Il était temps de tourner le dos aux traumatismes de son enfance. S'il ne faisait rien, il laissait sa mère gagner. Elle avait souhaité sa mort dès qu'il était venu au monde, à cause des horreurs que son père lui avait infligées. Wraith ne pouvait pas vraiment l'en blâmer : elle était une humaine en train de se transformer en vampire quand l'incube l'avait violée, puis il l'avait gardée à peine en vie grâce à ce même don que possédait Shade. Pendant neuf mois, il l'avait emprisonnée dans une horrible stase, la violant et abusant d'elle jusqu'à la naissance de Wraith.

Elle était devenue folle, ce qui n'avait rien de surprenant. Le père de Wraith était parti dès qu'il était né, comme tout démon seminus le faisait… même s'ils abandonnaient généralement la femelle juste après la conception.

Sa mère avait terminé sa transformation, devenant vicieuse et cruelle en plus d'être folle, et elle avait reporté toute sa haine sur Wraith. Il avait lutté pour survivre, et même si, adulte, il avait fait des tas de choses vraiment stupides dans le but de se faire tuer, quelque chose au plus profond de lui continuait à se battre.

Alors, merde. Il allait vivre. Il allait trouver l'humaine et lui prendre sa virginité, puis passer à autre chose.

Et quand il serait protégé par la bénédiction et invincible, il pourrait commencer à éliminer les vampires comme il l'avait toujours désiré depuis qu'il s'était évadé de sa cage. En commençant par le Conseil des vampires.

Oh, oui. Que la fête commence !

Le plan de Wraith pour séduire Serena se heurta aussitôt à un obstacle de taille.

Le manoir huppé où elle vivait était protégé contre les démons.

Pendant des heures, Wraith fut forcé de se terrer dans les bois qui bordaient l'immense propriété bien entretenue, avant qu'enfin un homme d'une cinquantaine d'années en sorte. Quand celui-ci eut chargé ses bagages dans le coffre de sa Mercedes et qu'il se fut mis au volant, Wraith frappa : il traversa l'allée pavée et se glissa sur la banquette arrière.

—Qu'est-ce que…

L'homme eut le souffle coupé quand le démon lui passa un bras autour de la gorge. Cela ne l'empêcha pas de se débattre et de lui flanquer un coup au menton avant que Wraith ait pu lui prendre la tête entre ses mains. Puis il utilisa son don de seminus pour envahir l'esprit de sa victime et le sonder.

L'homme, Valeriu, possédait des défenses mentales qui arrêtèrent Wraith, mais pas pour longtemps. Ce dernier apprit bientôt que Serena était partie pour l'Égypte la veille, et qu'elle était censée recevoir une sorte de clé d'un nommé Josh dans… merde, une heure.

Vite, Wraith donna de nouveaux souvenirs à Valeriu, pour qu'il ne s'interroge pas sur le fait d'avoir été attaqué sur son propre terrain. Quand il eut fini, il le plongea dans un profond sommeil. Même si l'humain devait se demander pourquoi il s'était endormi au volant, il ne se souviendrait pas de leur rencontre.

Wraith se glissa hors du véhicule et courut vers la Porte des Tourments la plus proche. Il devait intercepter ce Josh. Il savait à présent que la clé que Serena cherchait était également celle qui l'ouvrirait à lui.

Serena avait toujours aimé l'Égypte, et Alexandrie était sa ville égyptienne préférée. Connue sous le nom de Perle de la Méditerranée, elle recélait de magnifiques quartiers résidentiels et d'élégants jardins et possédait une atmosphère méditerranéenne plutôt qu'arabe.

Serena avait passé la journée à essayer de localiser le premier des deux objets dans une ancienne salle voûtée, sous la cité. Alors que le soleil se couchait, elle le trouva enfin, ou du moins l'endroit où il reposait. Les heures de visite de Kom-el-Chouqafa l'obligèrent à remettre ses recherches au lendemain. Val s'était débrouillé pour lui obtenir un accès aux zones interdites des catacombes, mais apparemment les horaires n'étaient pas négociables.

D'un autre côté, si Val avait raison, elle aurait besoin d'une clé pour y accéder, et elle était déjà en retard à son rendez-vous avec Josh, à l'hôtel.

Serena prit un taxi, mais comme toujours, la circulation n'était qu'un chaos de voitures, de charrettes tirées par des ânes, de vélos et de piétons. Les rues étroites, les accidents sans gravité et les feux de signalisation qui ne fonctionnaient pas rendaient leur progression lente. Les pharaons auraient pu bâtir une pyramide dans le temps qu'il fallait au véhicule pour parcourir un pâté de maisons.

Agacée, affamée et nerveuse après avoir vu plusieurs personnes manquer de se faire écraser, elle sortit du taxi à plusieurs rues de son hôtel, se disant qu'elle y serait plus vite à pied.

Vêtue de manière classique, avec sa blouse blanche et son pantalon cargo beige, elle n'attirait pas beaucoup l'attention, même si ses cheveux blonds la désignaient comme une « étrangère ». Aucune femme n'arpentait seule ces rues, mais Serena était plus en sécurité que si elle avait voyagé avec une armée de gardes du corps.

Les trottoirs craquelés et irréguliers ne lui posaient aucun problème tandis qu'elle marchait, le visage caressé par la brise légère venant du port. Tout autour d'elle, échoppiers et restaurateurs vantaient leurs produits, qui allaient des vêtements aux légumes frais en passant par des pigeons rôtis qui embaumaient l'air d'une odeur épicée.

Droit devant, un homme avançait vers elle, sa *dishdasha* brune flottant autour de ses chevilles, sa *taqiyah* blanche absorbant les ombres du soir et les pâles lumières des constructions alentour. Il marchait tête baissée, mais il la releva quand il arriva devant la jeune femme, et elle haleta de surprise. Il était beau. Si beau que cela en était presque douloureux. Il émanait de lui une clarté comme celle du soleil se reflétant sur le dôme doré de la mosquée du sultan Omar Ali Saifuddin, et ses traits étaient si parfaits qu'ils auraient pu avoir été dessinés avec un pinceau en poils de chameau.

— Serena.

Elle ne prit pas le temps de s'étonner qu'il connaisse son prénom, parce que sa voix musicale l'avait envoûtée. Elle n'en reconnut pas l'accent, mais il lui semblait familier, et étrangement ancien.

— Oui, souffla-t-elle.

Et il esquissa alors un sourire qui ramollit entièrement le cerveau de la jeune femme.

Il jeta un regard furtif autour d'eux, et Serena remarqua alors que la rue grouillante de vie était à présent déserte. Ses instincts d'autoprotection et de survie étaient rouillés, mais ils frémirent à cette constatation, comme s'ils se réveillaient d'un profond sommeil. La sensation était étrange, mais Serena la reconnut immédiatement : une menace planait.

Pourtant, elle n'avait pas peur. Rien ne pouvait lui faire de mal, même si elle toucha machinalement le pendentif sous son chemisier. C'était une habitude stupide, mais elle n'aurait pas pu s'en défaire, sa vie en aurait-elle dépendu. Bizarrement, le bijou lui sembla chaud contre sa peau.

—Salut.

Une autre voix masculine et profonde se fit entendre derrière elle, et Serena se tourna vers le nouveau venu. Il était vêtu d'un jean délavé et d'un tee-shirt Guinness et portait un sac à dos sur une épaule. Il était grand, environ un mètre quatre-vingt-quinze, avec des cheveux blonds qui lui tombaient jusqu'aux épaules et un tatouage qui s'étendait des doigts de sa main droite à son visage, où des spirales noires reliaient sa mâchoire à sa tempe.

Serena fut frappée par le danger qui émanait de cet homme. Elle le sentit à la manière dont son corps se réchauffait, sa peau la picotait et son pouls s'accélérait.

—Ou-oui ?

Bécasse.

Non seulement elle avait bégayé, mais elle semblait à bout de souffle, comme une Renfield devant son premier vampire.

L'homme à la *dishdasha* se tourna vers l'autre et dit :

—Laisse-nous.

Son ton impérieux la fit sursauter, mais le blond se contenta de lever les mains.

—Hé, mec, je suis censé être là. C'est quoi, ton problème ?

Elle le dévisagea.

—Josh ?

—Ouais. Je me rendais justement à l'hôtel pour vous rencontrer.

Il adressa un regard appuyé à Dishdasha, et bon sang, pourquoi Val ne lui avait-il pas dit que son copain était aussi sexy qu'une star de cinéma et aussi baraqué qu'un marine ?

—Cet abruti vous a importunée ?

—Euh…

Encore une réponse intelligente. Seigneur, elle était vraiment stupide.

L'air sembla crépiter d'animosité, et Serena éprouva de nouveau cette sensation de danger, ce qui lui donna la chair de poule et redoubla les battements de son cœur. Il se passait quelque chose, mais quoi, elle l'ignorait. Tout ce qu'elle savait, c'était que deux hommes incroyablement beaux se regardaient en chiens de faïence, et elle était la cause de leur dispute.

Au plus profond d'elle-même, quelque chose de primaire et de féminin en fut tout excité, prenant le pas sur son cerveau, qui criait que c'était anormal et que cela n'augurait rien de bon. Après un long moment durant lequel la tension fut palpable, l'homme à la *dishdasha* inclina la tête et se tourna vers Serena.

— Je m'appelle Byzam al Majid. Val m'a envoyé vous assister dans vos recherches.

Josh ricana.

— Vous allez le croire ? Ce type est un escroc, ça saute aux yeux.

C'était une bien étrange situation. Elle ne pouvait pas le nier. Mais elle savait que si Val avait demandé à quelqu'un de la rejoindre, il l'aurait appelée pour l'en informer.

Souriant poliment, elle serra plus fort son sac contre elle.

— Sans vouloir être grossière, monsieur al-Majid, vous comprendrez sans doute que je dois contacter Val à ce sujet.

— Bien sûr. (Il la salua et commença à reculer.) Je reste en contact.

Elle éprouva un étrange soulagement alors qu'il se fondait dans la nuit… avant de se rappeler qu'elle était désormais seule avec l'autre homme. Celui dont émanaient une grande force érotique et une sensualité farouche.

Déglutissant avec peine, elle leva la tête vers lui et vit que l'un des coins de sa bouche charnue était relevé sur le sourire le plus suffisant qu'elle ait jamais vu. Elle baissa les yeux sur ses larges épaules qui semblaient tester l'élasticité de son tee-shirt et se permit d'admirer son torse puissant et sa taille mince, faite pour qu'une femme y enroule les jambes autour.

Val avait dit que Josh était un ex-Gardien, et elle pouvait l'imaginer tirer parti de son physique de guerrier pour combattre les démons et satisfaire les besoins d'une femme au lit.

Il ne portait pas d'alliance…

Normalement, elle aurait profité de l'occasion pour flirter et laisser son côté sauvage s'amuser un peu. Mais il lui suffisait de rester debout près de lui, pour être envahie par un sentiment de danger. Elle ne doutait pas un instant qu'il soit une menace, à la fois animale et mortelle… contre tout ce qui faisait d'elle une femme. Surtout sa virginité.

Oh, oui, cet homme était terrifiant, et Serena était loin d'imaginer à quel point…

Chapitre 5

W raith s'autorisa à se délecter de sa victoire un instant, sans tomber dans la suffisance. Rien n'était encore joué. Néanmoins, la preuve de l'attirance de Serena flottait tout autour de lui : l'odeur musquée de son excitation mêlée à celle, mélange de vanille et d'amande, qui était apparemment la sienne. Oh, oui, la jeune femme avait envie de lui.

Au temps pour ne pas se montrer suffisant.

Mais, hé, il ne pouvait pas changer sa nature profonde.

La nuit avait englouti Byzam – *quel nom de merde* – mais Wraith continua à ouvrir l'œil.

— Nous devrions y aller avant qu'il revienne. Quelque chose clochait chez ce type.

Serena plissa les yeux, mais quand elle parla, ce fut sur un ton taquin.

— Comment savoir si vous n'êtes pas tout aussi dangereux ?

Il lui adressa un clin d'œil, usant de son charme.

— Vous ne le pouvez pas.

— Au moins, vous êtes honnête.

— Pas aussi souvent que je le devrais.

Elle haussa un sourcil.

— C'est bon à savoir. Je vais tâcher de m'en souvenir, même si vous êtes un ami de Val et un ex-Gardien.

Un ex-Gardien. Cela avait été une révélation intéressante. Wraith avait dû quitter Val trop vite pour lui soutirer tous les détails, mais quand il avait rejoint le vrai Josh à son hôtel, il lui avait consacré un peu de temps pour apprendre à mieux le connaître. Puis il lui avait fait croire qu'il avait déjà rencontré Serena et devait rentrer à la maison. Avec un peu de chance, ce dernier avait déjà quitté l'établissement et était à bord d'un avion pour l'Italie.

Serena allait être toute à lui.

Le regard de Wraith descendit jusqu'au col en V de son chemisier, qui était boutonné de façon bien trop pudique à son goût. Puis il continua son inspection, admirant sa taille très fine et des hanches qu'elle devait juger trop larges, mais qui excitaient le mâle et l'incube en rut qu'il abritait en lui. Le corps de Serena était fait pour satisfaire les désirs d'un homme, et pour porter ses rejetons.

Elle aurait droit à la première partie du programme, pas à la seconde. Il pouvait sentir si une femelle était féconde, et Serena n'était pas en train d'ovuler. D'ailleurs, aucun seminus qui se respectait n'aurait pensé à l'engrosser. Les enfants nés d'une union avec n'importe quelle autre race de démon étaient des seminus pur sang, mais s'ils étaient enfantés par une mère humaine, ils n'étaient que des sang-mêlé et d'aucune utilité pour la pérennité de leur espèce.

À contrecœur, Wraith ramena le regard jusqu'au visage de la jeune femme et essaya d'oublier ce qu'elle était.

—Chérie, vous êtes vraiment trop sexy pour faire confiance à un homme.

Le rire de Serena déchira la nuit et le frappa comme un coup de poing. Il aima ce son si féminin, si doux, qui le laissa avec un sentiment de vulnérabilité… qu'il n'apprécia pas du tout.

—Vous êtes un beau parleur, il faut le reconnaître. Quelque chose me dit que vous laissez des tas de cœurs brisés dans votre sillage.

Il traça une croix sur le sien.

—Je promets d'être très sage jusqu'à l'hôtel.

Elle pouffa et se remit en marche.

—Seigneur... merci, Josh.

—Mes amis m'appellent Wraith.

Elle fit la grimace.

—Wraith ? Quel surnom horrible ! Je vous appellerai Josh.

Super. Vraiment super. Comme si ce n'était pas déjà assez pénible de devoir se montrer gentil, il devait à présent le faire tout en se faisant appeler Josh.

Wraith resta sur ses gardes tandis qu'ils marchaient jusqu'à l'hôtel. Il ignorait qui était ce Byzam et pourquoi il s'était trouvé là, mais une chose était certaine : il n'était pas humain. Autrement dit, il ne voulait aucun bien à Serena. Peut-être désirait-il lui aussi lui subtiliser sa bénédiction, ou bien avait-il appris la raison de sa venue en Égypte, et souhaitait-il s'accaparer ses futures trouvailles. L'un ou l'autre, il était un obstacle pour Wraith. La dernière chose dont il avait besoin, c'était que quelqu'un interfère dans ses plans.

Son regard retourna se poser sur la silhouette mince et gracile de Serena. Ses seins étaient un peu petits à son goût, mais il n'avait pas besoin de bien l'aimer. Il ne désirait qu'une seule chose d'elle, après tout. Néanmoins, il allait devoir passer plusieurs heures en sa compagnie, alors il avait bien le droit de se rincer l'œil. Et elle n'était pas désagréable à regarder. Loin s'en faut !

Elle n'était pas très grande, un mètre soixante-cinq environ, avec des cheveux blonds et ondulés ramenés en une queue-de-cheval qu'elle avait passée dans le trou de sa casquette de base-ball beige. Ses longs cils formaient un écrin à ses yeux marron, pailletés d'or. Ses pommettes hautes ajoutaient un peu de caractère à son visage rond, et sa bouche pulpeuse se soulevait toujours plus du côté droit que du gauche quand elle souriait.

—Vous séjournez dans le même hôtel que moi ? demanda-t-elle, alors qu'ils s'arrêtaient au coin de la rue très passante.

Il adorait sa voix un peu rauque et terriblement sexy qui sonnait comme s'ils venaient de passer un bon moment au lit.

—Oui. Je suis arrivé cet après-midi. J'ai déjà signé le registre.

—Vous vivez en Italie, n'est-ce pas ?

Elle dut crier pour se faire entendre par-dessus le tintamarre d'un klaxon.

Il hocha la tête, se remémorant ce qu'il avait extrait de l'esprit de Josh, et dit :

—Je suis originaire de l'Ohio, mais je me suis installé à Pérouse il y a six mois.

Il ne savait pas pourquoi Josh avait fait cela, aussi espérait-il qu'elle ne lui poserait pas la question.

—J'adore l'Italie.

Encore cette voix… Le sourire de Serena se fit rêveur, et Wraith se prit à souhaiter qu'elle cesse de faire cela, parce qu'il avait très envie de l'embrasser.

Ce qui était dingue. Il n'avait jamais ressenti cela avant, pas une fois en cent ans. Et pourtant, il mourait d'envie de poser ses lèvres sur celles de la jeune femme.

Elle l'observait, les yeux brillant de curiosité, et il se demanda si elle ressentait le courant qui passait entre eux. Quand son regard glissa jusqu'à sa bouche, il la vit tituber un peu, et il sut que oui.

Comme dans un état second, il se rapprocha d'elle. Grâce à ses sens de vampire, il sentit son doux parfum et entendit son pouls s'emballer. Le sien devint erratique alors qu'il se penchait. Sa peau le picota d'anticipation, jusqu'à ce qu'une odeur immonde de chair brûlée vienne lui chatouiller les narines.

Il sursauta, tiré de son moment de folie. Oh, il l'embrasserait. Après tout, Tayla lui avait fait la leçon sur tout ce que les humaines aimaient, et elle avait insisté sur le fait que les baisers faisaient partie de la séduction. Mais sauter sur Serena dans la rue n'était sans doute pas la solution.

—Vous sentez ça ?

Il pivota sur les talons, se tournant vers la source de la puanteur. Là-bas, derrière le camion garé entre deux boutiques fermées, des yeux… rouges et lumineux.

—Je ne sens rien…

—Restez là.

Il s'élança vers le danger, prêt à se battre, l'adrénaline envahissant son système nerveux.

La créature cachée derrière le véhicule se mit à gronder, et Wraith eut la chair de poule. C'était un *khnive*, un démon traqueur. Il devait accomplir la volonté de son maître jusqu'à ce que le sort qui les liait se rompe.

—Qu'est-ce que c'est ?

Wraith se figea en entendant Serena. Elle se tenait juste derrière lui.

—Je vous ai dit de rester où vous étiez.

—Depuis quand vous me donnez des ordres ?

Elle était sexy et pleine d'esprit, un mélange à la fois admirable et agaçant.

—Ne bougez pas.

Il courut vers la créature, qui hurla et se précipita vers une bouche d'égout. Si elle lui échappait, elle irait révéler à son maître qu'elle avait vu Serena.

—Oh, non, pas question.

Wraith attrapa la bête par sa queue de rat. De la taille d'un mastiff, elle ressemblait à un opossum que l'on aurait écorché. Elle fit volte-face, faisant claquer ses dents aiguisées comme des rasoirs.

—Vilain monstre…

D'un mouvement du poignet, il la jeta au sol. Elle y atterrit maladroitement sur le flanc, et il entendit un os craquer, mais cette blessure ne l'arrêta pas. Elle l'attaqua, abomination aux yeux de feu, la bave aux lèvres…

Un sac à dos faucha le démon en pleine face, et le *khnive* glapit et recula en se griffant un œil, d'où dépassait un crayon. Serena frappa de nouveau la créature, qui voulut la lacérer de ses griffes enduites de venin. Mais cette dernière ne réussit pas à l'atteindre, en dépit de leur proximité.

Des lumières vives aveuglèrent Wraith. Un véhicule fonçait sur eux. Le conducteur devait être ivre, parce qu'il zigzaguait et tapait dans les trottoirs.

—Serena!

Wraith lui enroula un bras autour de la taille et ils s'écrasèrent ensemble sur la charrette vide d'un vendeur. Ils entendirent un bruit de freins, et un crissement de pneus. Le pick-up percuta le camion derrière lequel le *khnive* s'était caché, et la créature bondit à l'arrière quand il passa, prenant de la vitesse dans la pente.

Serena échappa à Wraith, courut et sauta adroitement à l'arrière du véhicule avec le démon.

Incroyable. Cette fille n'avait aucun instinct de conservation. Wraith s'empressa de la rejoindre et se réceptionna près d'elle tandis qu'elle rouait la créature de coups. Jurant tout haut, il contourna le démon pour lui passer un bras autour de la gorge et lui briser la nuque. Le *khnive* glissa au fond du plateau du pick-up.

Ils heurtèrent un nid-de-poule, et Wraith tomba en arrière. Il se retint d'une main et attrapa Serena de l'autre. Des klaxons retentirent ; ils approchaient d'une intersection très fréquentée. Merde. Il plongea sur Serena alors que le chaos se déchaînait autour d'eux. Le pick-up fonça dans un bus et deux voitures l'emboutirent, l'une à l'arrière, l'autre enfonçant la portière du conducteur, envoyant le véhicule faire un tête-à-queue dans la cohue. Ils entendirent un fracas de tôles froissées et de vitres brisées, suivi par un chœur de cris humains perçant le voile de fumée et de vapeur qui s'élevait autour d'eux.

—Ça va ?

Il aida Serena à se relever. Elle avait l'air un peu sonnée, et elle avait perdu sa casquette, mais elle lui adressa quand même un sourire penaud.

—Oui, très bien. (Elle se secoua pour faire tomber des débris de verre de ses cheveux.) Ce genre de trucs m'arrivent tout le temps.

—Vos petits copains doivent vous adorer.

Des sirènes hurlaient dans le lointain.

—Fichons le camp d'ici avant que les gens commencent à se poser des questions. Ou qu'un avion s'écrase sur votre tête, une merde dans ce genre.

Sans lui lâcher la main, il sauta en bas du pick-up, et ils coururent, slalomant entre les voitures accidentées et la foule. Serena sembla n'avoir aucun problème à suivre la cadence, sa foulée aussi gracieuse que celle d'une gazelle en fuite. Le prédateur en lui aurait voulu lui donner la chasse, la mettre à terre. L'homme en lui désirait la prendre brutalement pendant qu'elle était sous lui.

Mais pour le moment, tout ce qu'il pouvait faire, c'était tenir les autres à distance.

Ils ne ralentirent pas avant d'avoir atteint l'hôtel. Il l'arrêta juste devant la porte.

—C'était quoi, cette chose? demanda Serena, haletante, tout en jetant un coup d'œil par-dessus son épaule.

Elle semblait craindre de la voir réapparaître, alors que la créature avait déjà commencé à se désintégrer avant qu'ils abandonnent le pick-up.

—Je suppose que si je vous dis que c'était un chien enragé, vous ne me croirez pas?

—Non. Je sais que c'était un démon.

—Un traqueur. (Il l'observa avec attention, se demandant ce qu'elle pensait pouvoir lui dire.) À votre avis, qu'est-ce qu'il cherchait?

Elle leva le menton et le regarda droit dans les yeux.

—Aucune idée. Mais merci de l'avoir tué. Je suis contente que vos talents d'Aegi ne soient pas rouillés.

Bien. Il avait gagné sa gratitude. Tayla lui avait conseillé d'être gentil, mais peut-être que ce serait encore mieux s'il tuait des monstres pour elle. D'autant que ce serait davantage dans son caractère. Et bien plus amusant.

La compagne de son frère lui avait assuré que les humaines aimaient les hommes polis, alors il ouvrit et tint la porte à Serena, libérant des arômes de café et d'agneau épicé venant du restaurant. Il lui emboîta le pas et… Hé! Elle avait un joli petit cul, très joli même.

—J'ai besoin d'un verre, dit-elle en montrant le bar. Vous vous joignez à moi? Ensuite, nous pourrons parler affaires. Vous avez l'artefact, hein?

—Dans ma chambre.

—Parfait.

Elle lui adressa un sourire, et il sentit un frisson tout au fond de lui. Étrange. Aucune femelle ne lui avait jamais fait ce genre d'effet. Elles faisaient réagir une tout autre partie de son anatomie.

Peut-être était-ce un nouveau symptôme dû au poison. En plus d'affecter sa libido en la rendant presque inexistante, il lui arrivait d'avoir la nausée, des vertiges, et parfois, ses muscles et ses organes étaient pris de crampes tandis qu'ils mouraient lentement.

Cette nécrotoxine corrosive, c'était le pied.

— Je ne dirais pas non à un whiskey.

L'alcool n'avait aucun effet sur Wraith, à moins qu'il le boive dilué dans le sang d'un humain. Il lorgna la gorge de Serena. Il ne se nourrissait pas de femelles humaines, mais il aurait aimé s'attacher au long cou gracieux de la jeune femme pour étancher sa soif, installé entre ses cuisses, peut-être…

— Rectification : j'ai besoin de bien plus qu'un seul verre.

— Une femme comme je les aime.

Wraith aurait pu aimer cette nana, s'il s'était autorisé à éprouver ce genre de sentiment. Ce qui n'était pas le cas.

Trouve une excuse pour la toucher.

Encore un conseil de Tayla, qui avait insisté sur le fait d'aller tout en douceur. De commencer par des contacts légers et innocents.

Eh bien, il n'était pas doué pour cela. Il bondissait sur sa proie et prenait tout ce dont il avait envie… cela, c'était son style !

Se maudissant intérieurement, il lui présenta son bras à la manière d'un gentleman pour l'escorter. À sa grande surprise, elle plaça sa main menue au creux de son coude, l'autorisant ainsi à la conduire jusqu'au bar, où un Égyptien d'âge moyen les accueillit en faisant la grimace devant le *dermoire* de Wraith.

Celui-ci aurait bien aimé lui fourrer la tête dans le cul, mais il réussit à se contrôler et commanda un double whiskey, sans glace.

—Je prendrai la même chose, dit Serena.

À contrecœur, Wraith éprouva aussitôt de l'admiration pour la jeune femme. Il s'était attendu à ce qu'elle boive un truc sucré, à base de fruits.

Cette fille ne cessait de l'étonner, et il ne savait pas si c'était une bonne ou une mauvaise chose.

Il lui posa la main sur le genou.

Elle la prit et la remit sur sa cuisse à lui.

Descendu en flammes.

Comme s'il n'existait pas, Serena appuya les coudes sur le bar pour jouer avec sa serviette et adressa un large sourire au barman quand celui-ci posa son verre devant elle.

Merde.

Quand elle souriait, elle irradiait une sensualité à damner un saint, et il sentit le désir courir dans ses veines. Et tendre son jean.

Il détestait avoir ce genre de réaction pour une humaine. Cela lui donnait l'impression d'être sale, et il réprima violemment ses pulsions, même si elles étaient censées l'aider à arriver ses fins.

Wraith avait prévu de la rencontrer, de l'emmener quelque part et de la culbuter sans même qu'ils aient à échanger leurs noms. Il était un putain d'incube, après tout. Pour lui, le sexe était sans effort. Aucune femelle n'était capable de lui résister. Il aurait dû deviner que celle qui devait justement lui céder à tout prix serait celle qu'il serait obligé de séduire.

Il s'était mal préparé à la situation, ce qui était inacceptable. En général, il passait des semaines, sinon des mois, à faire des recherches en prévision de ses missions. Il n'aimait pas particulièrement cela, mais mieux valait connaître un maximum de détails pour éviter de passer trop de temps à tourner en rond, temps bien mieux employé à courir derrière les filles. Les coups vite faits bien faits, entre deux portes, c'était l'idéal à ses yeux.

Mais avec Serena, ce ne serait pas simplement «je rentre, je sors»... même s'il y aurait un peu de cela aussi.

—Je n'aurais pas cru que vous aimiez les alcools forts, dit-il, alors que le barman le servait à son tour.

Elle avala son whiskey d'un trait et poussa son verre vers l'Égyptien pour qu'il le remplisse de nouveau.

—J'adore la sensation de brûlure.

La brûlure. Ouais, eh bien, c'était l'effet qu'elle lui faisait.

—Vous devez vous dire que ce n'est pas très féminin.

Il secoua la tête, le sang battant à ses tempes. Encore un coup de ce foutu poison.

—Je pense que c'est super sexy.

—Eh bien, quel charmeur. (Elle fronça les sourcils.) Vous allez bien ?

—Oui.

Il passa le pied dans l'une des bretelles de son sac à dos et le tira vers son tabouret. Ses médicaments étaient dedans, et il préférait les garder à portée de main.

—J'ai une légère migraine.

—Cette créature ne vous a pas blessé, hein ?

Elle posa la main sur le côté du visage de Wraith, faisant courir ses doigts dans ses cheveux. Son crâne le démangea et son corps se tendit, et il inspira en sifflant. Serena ramena vivement son bras en arrière.

—Désolée. Je ne voulais pas vous faire mal.

—Ça va, répondit-il d'une voix rauque, ce qu'il trouva humiliant. J'ai de l'aspirine.

C'était une piètre réponse, mais elle hocha la tête et se mit à caresser du bout du doigt le bord de son verre de nouveau plein, presque amoureusement.

— Quand est-ce que vous repartez, Josh ?

Josh.

Bon sang, il n'allait pas s'en remettre. Wraith but son verre cul sec, appréciant la saveur fumée de l'alcool et la chaleur au fond de sa gorge, comme elle l'avait fait. Puis il fit signe au barman de le resservir.

— Quand j'en aurai envie. J'ai décidé d'en profiter pour prendre des vacances. Disons que c'est l'une des choses que je veux faire avant de mourir.

Elle avala une autre dose de whiskey, et il ressentit un douloureux élan de désir.

— C'est la première fois que vous visitez l'Égypte ? lui demanda-t-elle.

— Non.

Il était venu dans ce pays des centaines de fois. C'était une véritable caverne d'Ali Baba en ce qui concernait les trésors dont Eidolon faisait collection.

— Mais c'était toujours pour le boulot, jamais… pour le plaisir.

— Ah. Qu'est-ce que vous faites dans la vie ?

C'était le genre de situation dans laquelle il devait bien jouer ses cartes. S'il lui donnait trop d'informations, elle deviendrait soupçonneuse, surtout si cela ne correspondait pas à ce qu'elle avait entendu dire au sujet du vrai Josh. Mais il devait l'appâter, la ferrer en lui montrant qu'ils avaient des intérêts communs.

— Mes frères et moi dirigeons un centre médical où nous pratiquons des traitements non traditionnels. Je suis chargé de la collecte.

— Vous réclamez l'argent à vos patients ?

— Non, je rassemble les ingrédients et les objets mystiques que les médecins utilisent parfois pour guérir.

— Tout ça sonne très New Age.

— On peut dire ça comme ça. (Il se pencha en arrière sur son tabouret pour tendre les jambes, laissant son mollet effleurer «accidentellement» celui de Serena… la chaleur qui émanait d'elle remonta droit jusqu'à sa bite.) Qu'est-ce qui vous amène en Égypte? Quelque chose qui a un rapport avec l'artefact en ma possession, bien sûr.

Serena bondit presque de son siège.

— Val ne vous a rien dit?

— Juste que vous avez besoin de la clé. Je suppose que vous cherchez quelque chose dans les catacombes?

— C'est possible.

Wraith l'étudia par-dessus son verre.

— Vous êtes si évasive, murmura-t-il en le reposant sur le comptoir. Pourquoi?

— Eh bien…

Théâtrale, elle posa les avant-bras sur le bar et se pencha pour lui murmurer d'un ton de conspirateur:

— Je ne suis pas sûre de devoir révéler ce genre de chose à la concurrence. Je ne voudrais pas que vous me subtilisiez le trésor juste sous le nez.

Oh, il allait le faire, mais pas sous son nez. Pour cela, il serait sous elle, ou bien au-dessus. L'un ou l'autre, il n'avait pas de préférence.

— Aucun danger. Je suis en vacances, et si je ne suis pas payé, je ne fais pas le boulot. (Il lui adressa un regard sévère.) Pourquoi est-ce que vous vous baladez toute seule en Égypte? C'est dangereux, vous savez? Comme ce qui s'est passé ce soir nous l'a démontré.

— C'est l'hôpital qui se fout de la charité.

Il haussa les épaules.

— Je peux me débrouiller tout seul.

— Et vous croyez que j'en suis incapable ?

Il esquissa un large sourire, trouvant drôle de faire comme s'il ignorait tout alors qu'il savait pertinemment qu'elle ne craignait rien, grâce à la bénédiction.

— Vous avez prévenu Val que des démons sont à vos trousses ?

Ses yeux lancèrent des éclairs.

— Ils ne sont pas…

— Foutaises ! J'ai bien vu comme le *khnive* vous regardait. Pourquoi ?

— Je n'en ai pas la moindre idée.

— Dans ce cas, je crois que Val doit être informé de la situation, répondit-il. Il serait furieux s'il savait que vous étiez en danger.

— Vous n'avez pas le droit de le lui dire !

Sa panique lui donna l'ouverture qu'il attendait.

— Alors, j'ai une proposition à vous faire. Vous me laissez vous accompagner dans votre chasse au trésor, et je ferme ma grande gueule.

— Pas question.

Il but une gorgée de whiskey.

— Alors, je crois que vous ne voulez pas la clé tant que ça.

Ses joues s'empourprèrent de colère.

— C'est du chantage !

— Ouais.

— Pourquoi ?

— Je suis intrigué, répondit-il, et il ne mentait pas. Il ne m'arrive pas souvent de rencontrer quelqu'un qui fait le même boulot que moi. Je veux dire, d'accord, il y a les archéologues, mais ils font tout avec une telle lenteur. Avec tellement de prudence.

Il lui retira son verre de la main pour prendre ses doigts et étudier ses ongles : ils étaient courts, carrés et durs, pas le moins du monde manucurés. Ils étaient pratiques plutôt que jolis.

— Mais vous, vous n'êtes ni lente ni soigneuse, n'est-ce pas ? Vous aimez la chasse. La poursuite. Vous adorez vous lancer dans l'action. Utiliser vos mains. Vous voulez la poussée d'adrénaline. Ressentir sa brûlure.

Tandis qu'il parlait, il éprouvait tout cela, parce qu'il en avait fait l'expérience maintes fois quand il courait pour trouver de la nourriture, une partenaire ou un ancien artefact.

Le rouge monta lentement des joues de Serena jusqu'à la racine de ses cheveux. Elle aussi était excitée. Sexuellement. Il s'attendait à ce qu'elle nie, mais elle se pencha avec agressivité, une lueur malicieuse au fond de ses yeux couleur chocolat.

— Vous avez tort sur un point, ronronna-t-elle.

Il inclina le buste, et leurs visages ne furent plus qu'à quelques centimètres l'un de l'autre.

— Lequel ?

— Je n'*aime* pas ça, dit-elle, la voix haletante et rauque, sexy à en mourir. J'*adore* ça.

Son regard était rivé à celui de la jeune femme, et son cœur battait la chamade.

— Alors, on dirait qu'on a bien plus de choses en commun que je le croyais.

Repoussant sa main, elle se rassit normalement et l'étudia, l'air bien plus calme qu'il ne l'était.

— Je ne comprends toujours pas pourquoi vous voulez m'accompagner.

— Comme je l'ai déjà dit, j'ai du temps libre. Et pourquoi n'aurais-je pas envie de l'employer aux côtés d'une personne que je trouve si intéressante ? Et très séduisante.

Dieux, il aurait tout aussi bien pu lui lire de la poésie, tant ces flatteries lui étaient étrangères. Étrangères, mais sincères.

Une ombre passa sur le visage de Serena, une émotion qu'il ne réussit pas à identifier.

—Écoutez, soupira-t-elle, il faut que je vous prévienne que je ne suis pas libre.

—Aucun problème. Moi non plus.

Elle haussa les sourcils.

—Vous êtes marié ?

—Non.

—Une petite amie ?

—Non plus.

—Un petit ami, alors ?

Il frémit. Tout seminus attiré par les mâles avait un sérieux problème, puisqu'ils ne pouvaient atteindre l'orgasme qu'avec une femelle. Et s'ils n'en avaient pas plusieurs fois par jour, ils mouraient.

—Vous gelez.

—Alors quoi ? (Elle grimaça.) Je ferais peut-être mieux de ne pas poser la question.

—Ça dépend. Je vous le dirai, mais ce sera donnant donnant.

Wraith connaissait ses raisons, mais il voulait savoir comment elle expliquait cela aux hommes et lire en elle ce qu'elle ressentait au sujet de son célibat. Pour sa part, il ne pouvait pas lui dire la vérité, à savoir qu'il avait passé les quatre-vingts dernières années de sa vie à attendre d'accomplir sa *s'genesis* pour être libre de culbuter autant de femelles que possible. Et ce sans jamais avoir d'attaches ni d'autres préoccupations que celle de chercher sa conquête suivante.

Les choses n'avaient pas tourné comme prévu.

Il espérait que cette aventure aurait une fin plus heureuse.

CHAPITRE 6

L e barman s'était éclipsé comme les gens de sa profession le faisaient toujours quand des clients étaient en pleine conversation. Serena resta silencieuse un moment, réfléchissant à ce qu'elle allait pouvoir répondre à Josh. Après tout, elle lui avait demandé de s'expliquer sur les raisons qui le poussaient à dire qu'il n'était pas libre sentimentalement, donc il n'était que justice qu'elle fasse de même. Mais elle s'était toujours arrangée pour garder secret le fait de devoir rester vierge, se disant que cela ne regardait personne.

Les hommes qui savaient voyaient cela comme un défi, ou ils la prenaient pour une allumeuse et avaient tendance à se montrer désagréables.

Une fois, une seule, elle s'était laissée aller à croire qu'elle pouvait avoir une relation durable, pensant qu'elle saurait gérer une intimité sans relations sexuelles. L'expérience avait été un désastre.

Matthew était en dernière année à la fac et travaillait à mi-temps pour Val tout en préparant son diplôme d'archéologie. Ils s'étaient rapprochés pendant les mois passés à bosser côte à côte, et elle avait prétendu pouvoir vivre une histoire avec lui sans qu'ils couchent ensemble. Et pendant un temps, ils s'étaient bien débrouillés, allant à des dîners, des pique-niques, au cinéma et se balader dans les bois comme un couple normal. Ils se tenaient par la main, s'étreignaient. Et s'embrassaient.

Mais elle avait fini par vouloir bien plus. Leurs caresses étaient devenues de plus en plus poussées, allant aussi loin qu'ils l'osaient et y trouvant tous deux autant de plaisir que possible, mais il leur avait manqué quelque chose. Une nuit, après une fête de Noël bien arrosée, elle avait failli céder au désir de faire l'amour.

Cela avait été un réveil brutal, surtout quand Matthew avait commencé à parler mariage. Comment pourrait-elle lui expliquer que même après leurs noces elle devrait encore rester vierge ?

— Si vous n'avez pas envie d'en parler, vous n'êtes pas obligée, Serena.

Josh faisait tourner le whiskey dans son verre. Serena se secoua pour se libérer du passé. Elle n'avait pas envie de repenser à cela.

— Bien. Enfin, je veux dire… hum… ça va. Je me sens juste idiote quand je dois le dire à quelqu'un.

— Dire quoi ?

— Que je veux rester vierge, bafouilla-t-elle.

Là, c'était fait. Elle finit l'alcool d'un trait.

— Et ?

— Vous n'allez pas me demander pourquoi ?

— Quelle importance ? Je veux juste me joindre à vous dans votre chasse au trésor, pas vous mettre dans mon lit. (Il lui adressa un clin d'œil.) Même si, je ne vous mentirai pas, ça me fait fantasmer.

L'idée qu'il puisse l'avoir toute à lui, nue, dans sa tête, excita terriblement la jeune femme. Mais cela ne changeait rien au fait que c'était bien le seul endroit où il l'aurait jamais.

— Pourquoi devrais-je vous croire, quand vous m'assurez être réglo ?

— Qu'est-ce qui vous fait croire le contraire ? demanda-t-il. (Elle dut paraître sceptique, parce qu'il ricana.) Si je voulais m'envoyer en l'air, je serais dans un bar branché à Rome, pas à Alexandrie, en Égypte. Vous ne croyez pas ?

Son honnêteté la désarçonna.

— Je suppose.

— Alors, vous allez me laisser vous accompagner ?

Il la regardait droit dans les yeux, et elle voyait déjà poindre une lueur de victoire dans ses iris si bleus. Il croyait qu'elle allait accepter… et, Seigneur, c'était tentant ! Surtout s'il était sérieux en prétendant rapporter la présence des démons à Val. Mais elle n'était pas du genre à se laisser manipuler ou séduire, même si le type en question était beau comme un dieu.

— Je ne pense pas, non, rétorqua-t-elle. Je travaille mieux seule.

Son visage exprima un tel choc qu'elle faillit éclater de rire. Cet homme n'était pas habitué à être rejeté, et il devait être piqué au vif.

Serena jeta un coup d'œil à sa montre et éprouva une légère déception en voyant qu'il était déjà tard. Entre le démon, l'accident de pick-up et sa discussion avec Josh, elle avait passé une excellente soirée.

— Il faut que j'y aille. Je dois me lever tôt demain matin.

— Laissez-moi au moins essayer de vous convaincre sur le chemin de votre chambre.

Il se leva avec grâce, telle une panthère après sa sieste. Puis il lui tendit la main, et pendant un long et ridicule moment, elle hésita.

— Vous êtes sérieux quand vous dites vouloir m'accompagner, hein ?

Elle mit enfin sa main dans la sienne, et il l'aida à se lever.

Il la regarda avec une telle intensité qu'elle recula d'un pas, mais il raffermit sa prise et la ramena contre son corps musclé.

— Quand je dis quelque chose, je le fais.

Son pouce lui caressait les doigts en mouvements circulaires et paresseux, et elle sentit son souffle rester coincé dans sa gorge. Elle avait une conscience aiguë du contact entre eux.

— Et quand je veux quelque chose, je l'obtiens toujours, ajouta-t-il.

Oh… Seigneur.

Son ton grave et séducteur résonna jusqu'au plus profond d'elle-même, au creux de son ventre. Et ses yeux semblaient lui dire : « Je vais te mettre dans mon lit et t'emmener au septième ciel. »

— Vous êtes très sûr de vous, hein ?

— Comme on ne peut être sûr de rien dans ce monde de merde, mieux vaut être sûr de soi.

Il lui lâcha la main, pour poser la sienne sur son épaule dans un geste apparemment innocent qui la remua dangereusement.

— Allons-y.

Le chemin jusqu'à l'ascenseur lui sembla durer une éternité. Serena était très sensible à la présence de Josh, à la façon qu'il avait de la toucher et de l'effleurer accidentellement quand ils se rentraient doucement dedans en marchant. Quand ils atteignirent la cabine, son cerveau était si embrouillé qu'elle dut se concentrer pour se souvenir du numéro de sa chambre.

Dès que les portes se refermèrent, Serena regretta de n'avoir pas pris l'escalier. L'espace clos semblait contenir difficilement l'énergie érotique qui émanait de Josh, au point que l'air en était complètement saturé et que la peau de Serena la picotait. Tandis qu'il lui caressait négligemment l'épaule dans un mouvement de va-et-vient, l'atmosphère s'alourdit encore. Elle était vierge, mais loin d'être innocente ou naïve, et elle savait reconnaître de la tension sexuelle quand elle en voyait… ou plutôt quand elle en ressentait.

Il attendit qu'elle sorte la première, puis il la rejoignit, ses longues enjambées le ramenant aussitôt à sa hauteur. Une partie secrète et malicieuse de la jeune femme aurait voulu qu'il marche devant elle, pour lui permettre d'admirer son derrière parfait serré dans son jean usé.

—Vous avez le pas léger, dit-elle.

Elle se sentit stupide de n'avoir rien trouvé de mieux, et pourtant, c'était la vérité. Il se déplaçait comme un félin.

—Je suis un chasseur, répondit-il, avant de s'arrêter soudain dans le couloir désert.

Surprise, Serena se figea. La dernière fois qu'il s'était immobilisé si brutalement, un démon la guettait.

—Qu'est-ce qu'il y a ?

Il avait baissé les yeux, et ses cheveux lui dissimulaient son expression.

—Josh ?

Il releva la tête, et elle vit une lueur prédatrice brûler dans ses yeux bleus.

—J'ai envie de t'embrasser. Je *vais* t'embrasser.

« *Quand je dis quelque chose, je le fais.* »

Cette déclaration inattendue la laissa bouche bée, et Serena n'émit pas un son tandis qu'il s'avançait. Ses pieds restèrent enracinés au sol, alors que son cœur cognait dans sa poitrine et que son cerveau lui intimait l'ordre de fuir ou de se battre. Mais elle ne ferait ni l'un ni l'autre, parce qu'elle en était soudain incapable.

Il lui posa les mains sur les épaules, sa prise ferme et implacable alors qu'il la poussait contre le mur.

—Tu en as envie, n'est-ce pas ?

Serena aurait voulu répondre « non », mais cela aurait été un mensonge. Jamais elle n'avait autant eu envie de quelque chose, ce qui faisait de lui l'être le plus dangereux de la planète.

— Oui.

Son sourire fut celui d'un mâle triomphant quand il retira ses mains pour les poser à plat de chaque côté de la jeune femme, la mettant en cage, sans plus la toucher. Elle devait incliner la tête en arrière pour le regarder, et elle se demanda s'il la voyait telle qu'elle se sentait, comme une souris prise au piège.

Josh se pencha avec lenteur, jusqu'à ce qu'il soit appuyé sur ses avant-bras. Il était si près qu'elle sentait la chaleur de son corps et le bruit de sa respiration par-dessus les battements assourdissants de son propre cœur.

Il fondit sur elle et captura sa bouche. Serena sentit ses genoux se dérober et fut reconnaissante d'être adossée au mur, parce qu'elle était certaine que sinon elle serait tombée à la renverse. La panique lui enserra la poitrine, comme une barre de fer. Non, elle ne pouvait pas faire cela. Quelque chose lui soufflait qu'elle ne serait plus jamais la même après…

Il prit ses lèvres, sans la moindre douceur ni aucun remords, férocement. Comme s'il faisait cela tout le temps… et sans doute était-ce le cas.

— Ouvre-toi à moi.

C'était un ordre prononcé d'une voix rauque et puissante, et elle obéit sans se poser de question. En un instant, il glissa sa langue dans sa bouche pour effleurer ses dents, son palais, puis la langue de Serena dans une caresse mouillée.

Le corps de la jeune femme en devint douloureux de désir, et elle se tendit vers lui. Mais il ne la toucha pas ; le seul contact entre eux, c'étaient leurs lèvres. Il la séduisait uniquement avec sa bouche, lui donnant un avant-goût de tout ce qu'elle ratait dans la vie.

Seigneur, elle voulait plus, tellement plus. Tout de suite.

Malgré cela, elle s'entendit murmurer :

— Je ne peux pas…

Josh s'écarta un peu. Il était à la fois trop loin et pas encore assez.

— Je te fais peur, souffla-t-il. Mais tu n'as pas peur de moi. Tu crains que ce baiser te donne envie d'aller plus loin.

Il lui effleura les lèvres brièvement, mais avec tant de passion qu'elle haleta.

— Ne t'inquiète pas, Serena. Si je te voulais, là, maintenant, tu le saurais déjà. Je glisserais mes mains sous ton chemisier pour te caresser les seins. Je te pincerais les tétons, juste un peu, pour qu'ils durcissent et que je puisse les exciter avec ma langue.

Oh, oui… !

Soudain, elle vacilla, mais il la retint, se pressant contre elle pour la clouer au mur.

— Et je ne m'arrêterais pas là.

Il lui mordilla un peu l'oreille, et elle frissonna et sentit un liquide chaud couler entre ses cuisses.

— Je laisserais une de mes mains descendre jusqu'à ta taille, mais je n'aurais sans doute pas la patience de déboutonner ton pantalon, alors je l'arracherais. D'une manière ou d'une autre, je me fraierais un chemin. Je trouverais ce doux endroit entre tes jambes avec mes doigts et je jouerais avec jusqu'à ce que nous ayons l'un et l'autre le souffle court. Tu serais alors prête et mouillée quand je me mettrais à genoux pour te goûter avec la bouche.

Elle émit un petit cri, à mi-chemin entre un couinement et un gémissement, alors qu'elle l'imaginait en train de lui prodiguer les délicieuses caresses qu'il décrivait. Personne ne lui avait jamais parlé ainsi, et l'effet s'en faisait ressentir au creux de ses reins, la faisant fondre de désir.

— S'il te plaît…

Elle laissa sa phrase en suspens, ne sachant pas si elle le suppliait de se taire ou de poursuivre. Son esprit était embrumé et son corps s'était liquéfié. Il était temps de renverser la situation.

Passant la jambe autour du mollet de Josh, elle tira tout en poussant contre son torse. Cela le prit par surprise, et elle le fit pivoter, le plaquant contre le mur à son tour… même si elle eut l'impression qu'il aurait pu l'en empêcher s'il avait voulu. La respiration de Josh était régulière, alors que la sienne était haletante. Serena aurait pu croire que rien de tout cela ne l'avait affecté, mais son regard était brûlant, et quand elle baissa les yeux, elle put voir la preuve impressionnante de son excitation derrière la braguette de son jean.

—Écoute, il faut s'arrêter là, croassa-t-elle. Tu as beau être canon, je peux te résister…

Josh l'attira brutalement contre lui pour l'embrasser encore, d'une manière à la fois douce et possessive, et elle en eut de nouveau le souffle coupé et le vertige. Il passa sa cuisse musclée entre celles de Serena, puis il empoigna les hanches de la jeune femme pour la maintenir en place pendant qu'il commençait un mouvement de va-et-vient.

La pression était incroyable, et Serena sut sans l'ombre d'un doute qu'elle pourrait jouir ainsi. Sans peine. Et peut-être devrait-elle se laisser faire. Le plaisir montait de son sexe et l'inondait tout entière, et elle se frottait à lui, prenant ce qu'elle voulait…

Il mit fin à leur étreinte, rompant leur baiser pour la regarder avec un petit sourire en coin.

—Qu'est-ce que tu disais, au sujet de me résister ?

Son désir inassouvi, sa colère devant l'arrogance de Josh et sa propre faiblesse se mêlèrent, et elle fut soudain furieuse.

—Donne-moi la clé ! ordonna-t-elle d'un ton cassant.

Il haussa les sourcils.

—Viens la chercher dans ma chambre.

—Quelle partie du mot «vierge» tu n'as pas compris? Je ne changerai pas d'avis. Jamais. (Elle recula pour ne pas avoir à se tordre le cou pour le regarder.) Et ne t'avise pas de me faire du chantage avec la clé pour que je couche avec toi, parce que je peux te jurer que ça n'arrivera pas!

—Ça, je le sais bien, répondit-il, lui prenant la main pour la porter à ses lèvres et lui mordiller le bout des doigts. Mais on pourrait faire d'autres trucs. J'en ai envie, comprends-moi bien. Quant à l'artefact, si tu le veux, laisse-moi t'accompagner sur le terrain.

Agacée par sa façon de la manipuler, elle se dégagea vivement.

—Parfait. Tu viendras avec moi. Mais pour le reste? Tu serais incapable d'apprécier ces «autres trucs», comme tu dis. Un type comme toi, se contenter de caresses? Pitié!

C'était la pire chose à dire, et elle s'en rendit compte dès qu'elle vit la lueur de désir dans le regard de Josh s'intensifier… c'était celle du défi, du combat.

Elle venait de le provoquer, et soudain, elle eut peur en se demandant si elle ne serait pas la première des deux à céder.

Tandis que Wraith regardait Serena fuir dans le couloir, son corps vibrait comme s'il s'était fait un junkie… sauf que la sensation était bien meilleure. C'était comme la super dope qui coulait dans les veines d'un cadre de Wall Street ou d'une star de Hollywood. Alors, oui, c'était mieux… et pire aussi. Parce qu'il n'allait pas pouvoir satisfaire ses besoins. Pas encore. Il avait cru qu'il lui suffirait de rencontrer Serena, de la culbuter et de repartir… mais il s'était trompé. Même si elle était affectée par les phéromones d'incube qu'il émettait, comme tout individu de son espèce, il avait l'impression que le poison influait sur leur puissance. Ce qui craignait.

D'un autre côté, la toxine lui permettait d'être excité sans éprouver le besoin irrépressible de s'envoyer en l'air s'il ne voulait pas souffrir le martyre, ce qui était toujours un sujet d'inquiétude pour ceux de sa race. Les démons seminus ne pouvaient pas atteindre l'orgasme en se masturbant, et une fois stimulés, ils devaient en avoir un s'ils ne voulaient pas subir une véritable agonie, voire mourir.

Dieux, elle était chaude comme la braise. Et elle savait se défendre. Il était plus que possible qu'elle soit son égale de bien des manières. Mais la vie de Wraith était en jeu, et il comptait se battre jusqu'à la victoire. La résolution de Serena était grande, mais puisque la Faucheuse, ou l'un de ses griminions, était sur ses talons, la sienne l'était tout autant. Et là, il devait s'assurer qu'elle croie qu'il avait envie d'être avec elle, pas de lui prendre sa fleur.

Cependant, il était très clair que se montrer doux et gentil ne fonctionnerait pas, et pas seulement parce que ce n'était pas son style, mais parce qu'elle ne croyait pas un instant qu'il soit un enfant de chœur. Il allait devoir être lui-même s'il voulait avoir la moindre chance de la séduire.

Il devait simplement réaliser cet exploit sans s'attacher à elle, ce qui ne devrait poser aucun problème. Les tortures l'avaient débarrassé depuis longtemps de la capacité d'aimer.

D'accord, il admettait à contrecœur tenir à ses frères, et ses belles-sœurs n'étaient pas trop mal. Et il y avait Gem, qui était plutôt cool pour une demi-humaine, mais de là à dire qu'il l'aimait bien… ce serait exagéré.

Wraith continua à observer Serena tandis qu'elle gagnait sa chambre. Il ignorait ce qui se passait dans la tête de la jeune femme, mais pas les pensées qui se bousculaient dans son propre crâne. Il avait aimé l'embrasser, et il voulait le refaire. Il essaya de se convaincre que son désir venait de la nécessité, du besoin de la séduire, mais alors, pourquoi sa respiration s'accéléra-t-elle et lui brûla-t-elle la gorge quand Serena se retourna pour le foudroyer du regard ?

Il le soutint, et malgré la distance, elle reçut le message. L'éclat dans ses yeux la trahit quand elle comprit ses intentions : le lendemain, elle serait sienne.

C'était une nuit de réjouissance. La nouvelle lune faisait sortir les créatures des ténèbres, et on ne comptait plus les morts. Et c'était encore pire à présent que les services de renseignements de l'armée avaient découvert qu'une bataille se préparait. La confrontation entre le Bien et le Mal mettrait en péril la vie des humains qui peuplaient la planète.

Kynan Morgan avait toujours été sensible aux marées de la nuit, et la vibration dans son sang lui disait que celle qui arrivait serait mauvaise. Son estomac était noué alors qu'il descendait de sa voiture, dans le parking de l'Underworld General, sachant que les urgences seraient bientôt pleines.

Cela lui manquait de traiter les traumas, de fonctionner à l'adrénaline pour sauver une vie, et il se demanda une fois de plus pourquoi il avait passé les dix derniers mois dans une installation de l'armée pour y être sondé et ausculté. Il aurait dû être de retour au sein de l'Aegis pour combattre les démons et remettre les Gardiens sur pied.

Ou il aurait pu revenir travailler à l'UG pour sauver des démons.

Peu importe, il n'était plus tiraillé entre les deux mondes. Il travaillait pour l'un et l'autre, parce que aucun n'était entièrement bon ni mauvais, et il avait découvert que ceux qui voulaient le bien, quelles que soient leurs origines, désiraient tous la même chose : la paix.

Il marchait entre les véhicules pour approcher de la porte automatique quand il vit Gem sortir. Son cœur fit un bond et se mit à battre la chamade.

Elle était encore plus belle que dans son souvenir. Elle avait changé de coiffure ; ses cheveux étaient toujours noirs et tombaient jusqu'à ses omoplates, mais les mèches bleues avaient cédé la place à du rose, ce qui lui allait bien.

Elle se dirigea vers sa Mustang rouge, faisant tourner les clés autour de son doigt. Kynan avait prévu d'aller la trouver après avoir parlé à Eidolon, mais que diable. Il ouvrit la bouche pour l'interpeller, puis la referma vivement quand un grand mâle approcha d'elle. D'où sortait-il, celui-là ? Ses courts cheveux sombres lui rappelèrent Eidolon, mais sa tenue en cuir, jusqu'à ses mains gantées, lui évoqua davantage Shade. Quant à l'aura de danger, c'était Wraith.

Il ne put entendre ce qu'ils se disaient, mais Gem sourit, ses dents très blanches contrastant avec son rouge à lèvres noir. Kynan avait embrassé cette bouche, et il avait eu l'intention de faire bien d'autres choses avant qu'ils soient interrompus par l'unité du X qui avait déboulé dans l'appartement de la jeune femme. Les militaires lui avaient à peine laissé le temps de lui dire au revoir.

Cela faisait presque un an. La semaine précédente, Kynan en avait eu assez. Le X avait déterminé qu'il descendait d'un ange déchu, et les rangers étaient persuadés qu'il avait un rôle à jouer dans une prophétie, et pour cela, ils avaient pris leur temps.

« Et celui qui est né des anges et des hommes mourra de la main du Mal et portera quand même le fardeau du Ciel… »

Quel ramassis de conneries ! Était-ce trop demandé de vouloir qu'une prophétie ait un sens ?

Il avait quitté le X avec deux objectifs en tête : récupérer Gem et être réinstallé dans ses fonctions de Régent.

En ce qui concernait l'Aegis, cela ne s'était pas passé comme prévu. Ils n'avaient pas apprécié qu'il ait délaissé l'organisation après la mort de sa femme pour travailler dans un hôpital pour démons. Mais avec la menace qui se profilait, sans parler de son sang d'ange déchu et de la prophétie, ils avaient accepté de lui donner une seconde chance.

À condition qu'il utilise ses liens avec certaines créatures pour découvrir ce qui se tramait dans le monde démoniaque.

En d'autres termes, ils voulaient qu'il devienne leur espion.

Alors, non, sa rencontre avec les Aegis ne s'était pas passée comme prévu. Mais il lui restait un espoir de se rattraper avec Gem.

Kynan se dirigea vers elle et s'arrêta en trébuchant presque quand il vit l'autre type la prendre par la main et la conduire à son Hummer.

Ayant l'impression d'avoir été renversé par un camion, il regarda, impuissant, le connard ouvrir la portière pour Gem et sa main effleurer ses fesses par accident.

Un accident, mon cul!

Gem adressa un large sourire à l'inconnu. Elle lui sourit!

« Dis-lui de ne pas m'attendre. »

Le message qu'il avait confié à Runa pour qu'elle le transmette à Gem lui revint en mémoire. Quand les X l'avaient emmené, il ignorait quand – ou si – il reviendrait, et il avait voulu que Gem soit heureuse.

Mais peut-être pas tant que cela finalement.

Il ressentit la pulsion de réduire en bouillie monsieur Main-Baladeuse, au point que même Eidolon ne pourrait pas le remettre en un morceau. Gem serait sans doute très impressionnée.

Hé, bébé, je te veux tellement que je suis prêt à tuer tous ceux qui t'approcheront, même si je t'ai rendu ta liberté!

Bon sang, il était bon pour la camisole…

Jurant tout haut, il vit Gem partir avec l'autre type, qui était sans doute un démon. La porte qui donnait sur le parking abandonné appartenant au monde des humains s'ouvrit dans un éclair de lumière, et le Hummer dut céder la priorité à l'une des ambulances noires de l'UG qui arrivait tous gyrophares allumés.

La situation allait devenir chaotique. Kynan préférait repasser le lendemain pour voir les seminus, Tayla et Gem. Surtout cette dernière, parce que ce n'était pas fini. Ça non, alors.

CHAPITRE 7

S erena fut réveillée à 3 heures du matin par quelqu'un qui frappait. Groggy, elle se leva et se traîna jusqu'à la porte. Elle avait un mauvais pressentiment. Elle savait qu'elle n'aurait pas dû ouvrir, mais pour une raison inconnue, elle ne put s'en empêcher.

Josh se tenait sur le seuil, le tatouage sur son visage ondulant comme des vagues à la surface de l'eau. Ses yeux brillaient d'une lueur dorée. Soudain, Serena comprit qu'elle n'était pas réveillée. C'était un rêve. Rêve dans lequel l'homme le plus sexy qu'elle avait embrassé la regardait comme s'il était un lion et elle une antilope. Elle songea d'abord que, comme cette pauvre bête, elle devrait prendre ses jambes à son cou. Sauf qu'elle voulait être attrapée.

—Tu es à moi, dit-il d'une voix qui gronda à travers elle comme une caresse à l'intérieur de ses muscles.

Il ne lui vint pas à l'idée de protester. Pas alors que c'était ce qu'elle avait attendu et espéré toute sa vie… et cette nuit, cela se réalisait enfin. Ou du moins, cela devenait vrai dans ses songes, et c'était bien le seul endroit où tout lui était permis.

Quand il s'avança vers elle, elle referma les bras autour de son propre buste et recula, comprenant avec un peu de retard où il la conduisait.

Vers le lit.

—Josh…

—Wraith. Dans tes rêves, tu m'appelleras Wraith.

Il retira son tee-shirt, et… oh, oui, elle l'appellerait comme il voudrait, à condition qu'il continue à se déshabiller. Son torse était glabre et ses muscles roulaient sous sa peau. Et ses abdos… Seigneur, ils auraient pu avoir été sculptés dans le marbre égyptien le plus fin.

Le creux de ses genoux entra en contact avec le matelas, et elle s'assit avec maladresse. Quand elle baissa les yeux sur son corps, elle haleta. Son short et son débardeur avaient disparu. À leur place, elle portait un caraco et des jarretelles écarlates avec des bas noirs… et pas de culotte. Elle voulut se couvrir, mais Josh… Wraith… peu importe… la renversa sur le lit et lui maintint les mains au-dessus de la tête.

—Ne me cache jamais ton corps. Je veux te regarder. (Il effleura les lèvres de Serena, puis il l'embrassa dans le cou.) Tu es si belle. Tu as si bon goût.

Elle se mit à trembler et sentit le matelas s'enfoncer sous elle tandis qu'il lui caressait la hanche.

—N'aie pas peur, murmura Wraith contre sa peau. Je serai doux.

Doux ? Non. Elle avait attendu trop longtemps. Soudain, ses craintes s'envolèrent, parce que ce n'était pas réel, même si tout avait l'air vrai. Elle avait une chance de s'envoyer en l'air, et elle n'en aurait peut-être pas d'autre.

Elle se trémoussa jusqu'à ce qu'elle ait réussi à dégager ses jambes, qu'il maintenait sous les siennes, pour que l'érection de Wraith frotte contre son sexe.

—Vas-y. S'il te plaît. Je veux le faire avant de me réveiller.

Il releva la tête, ses yeux brillant toujours d'une lueur dorée.

—Ne t'inquiète pas. Nous avons tout notre temps. (Il effleura le bas de son caraco du bout des doigts et commença à le remonter.) Et j'ai envie de faire durer le plaisir.

Elle libéra une main et la baissa pour s'attaquer à la ceinture de son jean.

— C'est mon rêve, gronda-t-elle, et je te veux maintenant!

Elle souligna ses paroles en baissant la fermeture Éclair. Il siffla entre ses dents quand elle passa les doigts sur son gland.

— Tu es une petite gourmande, hein? (Sa voix était voilée par l'appréciation alors qu'il refermait la main sur l'un de ses seins.) Voyons à quel point… ah, oui…

Il trouva son téton dur et sensible, prêt à recevoir toute son attention.

Elle se cambra, cherchant son contact. Souriant avec malice, il se concentra sur sa poitrine, et soudain, le caraco disparut, la laissant nue sous son regard avide.

— Oh, oui, je vais les téter, murmura-t-il. Les mordiller… peut-être les mordre…

— Oui…

Elle se tortillait sous lui; elle avait tellement besoin qu'il fasse ce qu'il disait.

Mais il posa sa bouche sur sa gorge, et elle frissonna quand il lui égratigna la peau du bout des dents. Avec lenteur, il descendit, la mordillant ou la léchant parfois. Serena se consumait de désir, et elle ne fut soulagée que lorsqu'il prit le bout de son sein entre ses lèvres.

Mais ce ne fut que temporaire. Sa langue darda pour titiller le téton dressé alors qu'il aspirait sa chair et lui caressait la poitrine. Serena en eut le souffle coupé, et elle haleta et se cabra sous lui. Seigneur, si cela n'avait pas été un rêve, elle aurait été humiliée par la manière dont elle s'accrochait à l'une des cuisses de Wraith pour se frotter contre lui, au bord de l'orgasme.

Elle s'agrippait à ses larges épaules, et quand elle enfonça ses ongles dans sa peau, il lâcha un râle sensuel, l'encourageant à continuer.

— C'est ça, murmura-t-il contre sa peau. Prends ce que tu veux.

Il changea de position et fit descendre l'une de ses mains le long de son ventre pour la plonger entre ses cuisses.

— Oh merde… tu es mouillée. Complètement trempée.

Il explora sa fente avec les doigts, et chaque fois qu'il remontait jusqu'à son clitoris, il le faisait rouler entre le pouce et l'index, l'amenant sans cesse au bord de l'extase.

Il était cruel. Doué. Rusé. Elle voulait tout et plus encore.

Tout en s'occupant toujours de ses seins avec la langue, il glissa un doigt en elle, et ils grognèrent tous les deux. Il commença à remuer sa main en rythme, lentement, excitant l'entrée du vagin de Serena, tout en continuant à décrire des cercles sur son clitoris avec le pouce. Il lui embrassa l'oreille, puis lui mordilla le lobe.

— Tu aimes qu'on te touche ainsi ?

Elle donna un coup de reins et se mordit la lèvre pour ne pas crier.

— Oui, répondit-elle. Oh, oui !

— Bien. Parce que je veux te toucher partout.

Serena se déchaîna, ivre de désir tout en étant incapable d'exprimer ce qu'elle voulait. Elle était prise dans un maelström de plaisir si intense qu'elle était incapable de penser. Ou même de respirer.

— C'est ça. Laisse-toi aller, Serena.

Il ajouta un deuxième doigt et les bougea plus vite, mais son pouce cessa de faire des cercles. Il appliqua une pression vibrante, juste au bon endroit, et lui ordonna :

— Laisse-toi aller.

Elle obéit, et dans un cri, il captura sa bouche. Des couleurs explosèrent derrière ses paupières alors qu'elle jouissait. Avant même qu'elle ait eu le temps de souffler, il finit de descendre sa braguette et la pénétra sans ménagement.

Elle savait que cela aurait dû faire mal, pas seulement à cause de la rupture de son hymen, mais parce qu'il était énorme et pas du tout attentionné. Mais c'était un rêve, un rêve parfait et merveilleux qui paraissait si réel qu'elle se demanda si elle serait courbatue au matin.

Serena attrapa Wraith par les épaules, sentant ses muscles bandés sous sa peau lisse, et referma ses cuisses autour de sa taille pour le prendre encore plus profond, où une douleur exquise pulsait.

—Tu ne veux toujours pas que j'y aille en douceur ?

—Non. S'il te plaît… bouge en moi.

C'était si bon, si juste, et quand il commença à la pilonner, les vestiges de son premier orgasme se transformèrent en prémices du suivant.

—Oh… merde.

Il rejeta la tête en arrière, les tendons de son cou saillant comme des cordes, la bouche ouverte sur un râle d'extase, ses canines s'allongeant pour devenir des crocs.

Des crocs ?

Il la regarda de nouveau, ses yeux la transperçant comme deux lasers dorés.

—Je suis un vampire, Serena.

Il donna un coup de reins si violent que la jeune femme se cogna la tête contre le bois de lit, mais cela n'avait aucune importance. Elle était toute aux sensations qu'elle éprouvait, à son plaisir et à son étonnement… waouh, Wraith était un vampire ! C'était hyper cool.

—Tu veux me mordre ? Je veux dire… tu vas le faire ?

Par pitié, dis « oui ».

—Putain, oui, je veux te prendre en moi, comme tu m'as pris en toi. (Il lui lécha le cou en une brève caresse humide.) Ça te fait peur ?

Elle ressentit une certaine gêne, parce qu'elle n'était pas effrayée du tout. Cela n'en disait-il pas long sur elle ?

— Non, gémit-elle. Pas du tout.

Il renifla sa gorge, à l'endroit où il avait goûté sa peau.

— Tu savais que certains vampires peuvent jouir quand on leur caresse les crocs ? Tu ferais ça ? Faire aller et venir tes doigts le long des miens jusqu'à ce que je jouisse ?

— Oui… !

Elle aurait voulu les toucher, les lécher… mais il ne lui en laissa pas le temps. La seconde suivante, il s'était jeté sur elle et ses crocs pénétraient sa chair. Elle ne ressentit aucune douleur quand il commença à lui sucer le sang, rien qu'un incroyable plaisir.

L'orgasme l'emporta, si intense qu'il en fut presque douloureux. Wraith se joignit à elle, son corps convulsant, sa bouche aspirant si fort qu'elle en eut le vertige. Mais c'était bon, et alors qu'il retombait sur elle, elle ne s'imagina pas ne plus jamais connaître ce genre de bonheur.

— Je ne veux pas que ce rêve se termine, murmura-t-elle en lui passant les doigts dans les cheveux.

Elle sentit la caresse chaude et humide de sa langue sur la morsure, puis il releva la tête pour la regarder avec des yeux tristes.

— Moi non plus.

Il sembla surpris de son propre aveu, puis il disparut, et elle se retrouva seule.

Serena était réveillée. Vraiment, cette fois. Elle s'assit dans son lit et plaqua une main tremblante sur sa gorge. Elle ne ressentit aucune douleur. Aucune trace de blessure. Mais son corps la picotait et son sexe pulsait comme si elle venait de jouir. Les rêves érotiques pouvaient-ils provoquer des orgasmes ? Apparemment, parce que le sien avait été intense et réaliste, et elle était trempée.

Surtout, elle désirait à présent encore plus la seule chose qu'elle ne pourrait jamais avoir.

Le sol sembla se dérober sous Wraith. Il tomba à genoux en grognant devant la porte de la chambre d'hôtel de Serena. Il avait beau s'y retenir d'une main, ce support ne l'aidait pas beaucoup. Il arrivait à peine à faire entrer de l'air dans ses poumons, ses crocs lui faisaient mal et sa bite était si dure qu'elle aurait pu se briser.

Respire, fils de pute. Respire.

Un élancement terrible lui traversa les testicules et irradia dans son aine. Wraith se plia en deux et attendit que la douleur passe. C'était l'inconvénient quand on pouvait entrer dans la tête de quelqu'un et lui faire croire tout ce qu'on voulait. Ce don particulier à certains seminus devait normalement être utilisé pour rendre une femelle réceptive au sexe, et cela fonctionnait très bien… sauf qu'il était censé se trouver dans la même pièce que ladite femelle, quitter sa tête et sauter dans son lit pour que l'acte imaginaire devienne réalité.

Mais il était devenu la victime de sa faculté, ce qui ne lui était encore jamais arrivé. Il avait été tellement pris par les images qu'il implantait dans le cerveau de Serena qu'il avait non seulement été au bout du jeu érotique, mais il lui avait également révélé sa nature de vampire. Et lui demander si elle lui branlerait les crocs ? Il ne pouvait pas plus jouir ainsi que de sa propre main !

Ça doit être le poison.

Celui-ci le rendait malade. Et faible.

Wraith avait mal. La douleur l'élançait. La pulsion d'assouvir ses besoins était si forte qu'il était un danger pour lui-même et toute femelle qui aurait la mauvaise idée de croiser son chemin. Il n'avait que deux options : aller à la recherche d'une partenaire ou ramper jusqu'à sa chambre pour s'injecter le médicament censé étouffer sa libido qu'Eidolon avait développé pour qu'il puisse remplir sa mission. Son frère avait testé la drogue, et même si elle n'avait eu aucun effet sur lui, il était persuadé qu'elle agirait sur Wraith, étant donné sa faiblesse actuelle.

Il le fallait. Eidolon supposait que pour séduire Serena, Wraith devrait les amener elle et lui à un niveau d'excitation à peine tolérable. Et s'il devait chaque fois s'excuser ensuite pour trouver une femelle à se faire, la jeune femme deviendrait vite soupçonneuse.

De son côté, Wraith avait cru qu'il mettrait Serena dans son lit avant d'éprouver cette fameuse douleur débilitante. Mais il avait sérieusement sous-estimé la volonté de la jeune femme à s'accrocher à sa virginité.

Sans parler de sa bénédiction.

Et de sa vie.

Pris de vertiges, il se remit debout tant bien que mal et réussit à regagner sa chambre, à l'autre bout du couloir. Une fois à l'intérieur, il fouilla dans son sac à dos pour retrouver la trousse en Nylon qu'Eidolon avait bourrée de flacons de médicaments et de seringues déjà remplies de toutes sortes de produits pour soulager la douleur et la nausée que Wraith ressentait tandis que le poison lui rongeait les organes…

Il trouva la fiole de liquide supposé agir sur sa libido et d'une main tremblante s'injecta deux centimètres cubes dans la cuisse. Presque instantanément, le besoin irrépressible de sexe disparut, même s'il aurait bien aimé tirer un coup quand même. Les instants qu'il avait passés en Serena n'arrêtaient pas de le hanter, comme un film passant au ralenti et dont chaque détail semblait aussi vrai que s'ils avaient été réels. Il se rappelait son odeur, son goût, son contact.

Il n'avait jamais eu envie de coucher avec une humaine. Pas comme cela. On l'avait forcé à le faire, et il avait failli en prendre une – la femme de son ami Kynan – dans un accès de folie, mais il ne s'était jamais permis de se sentir attiré par l'une d'entre elles. Comment aurait-il pu, après ce qu'il avait enduré... après ce qu'il avait été obligé de leur faire ? Il y avait beaucoup trop de mauvais souvenirs et de cauchemars tapis en lui.

Il jeta la seringue dans la poubelle et tituba jusqu'à la salle de bains pour prendre de l'eau. Quand il se regarda dans le miroir, il lâcha le verre, qui se brisa.

Son symbole personnel avait encore changé. Oh, il s'agissait toujours d'un sablier, et il était toujours retourné. Mais un peu plus de grains de sable étaient tombés au fond, marquant le temps qui lui manquait.

Chapitre 8

— Il s'enfonce !

Gem s'écarta de la tête de son patient, qu'elle venait d'intuber avec le matériel adéquat pour un mâle sora, et commença à lui faire un massage cardiaque.

— Appelle Shade, ordonna-t-elle d'un ton cassant.

Sans attendre, Chu-Hua, l'infirmière guai qui avait l'air d'un sanglier sur deux pattes, sauta sur l'interphone.

— Ça ne fonctionne pas !

— Merde ! Alors, va le chercher !

Chu-Hua s'empressa d'obéir, et Gem jura entre ses dents. Le matériel tombait en panne dans tout l'hôpital, toujours dans les moments les plus critiques… c'était la loi de Murphy en action. Wraith avait intérêt à se faire cette humaine, et vite !

— J'ai un pouls, annonça Shawn, le médecin vampire qui l'assistait, sans prendre la peine de cacher son soulagement.

Le sora était tombé sous les coups de stang d'un Aegi, et aucun soignant n'aimait voir un démon mourir de la main de l'ennemi.

— Il faut le transférer en chirurgie pour réparer ce trou dans ses tripes. (Gem appuya sur le bouton de l'interphone avant de se rappeler qu'il était hors service.) Quelqu'un sait si le bloc est prêt ?

Chu-Hua revint.

— Je n'ai pas pu trouver Shade, mais le docteur Shakvhan est prête au bloc deux.

Il ne fallut pas plus de quelques instants à Gem pour conduire le patient, dont la peau normalement rouge vif était à présent couleur brique et terne, en salle d'opération. Elle se porta volontaire pour assister la chirurgienne, mais Shakvhan et Reaver feraient du très bon boulot sans elle. Gem était faite pour travailler aux urgences, shootée à l'adrénaline, à traiter les plaies et les bosses. Les procédures médicales mineures étaient bien plus dans ses cordes que la chirurgie, qui requérait énergie, endurance et patience, sans parler d'une main sûre.

Épuisée, elle jeta sa blouse et ses gants ensanglantés et retourna aux urgences. Elle venait de travailler seize heures d'affilée, et elle ne voyait pas le bout de sa garde. L'hôpital était en sous-effectif, et bien entendu, les tueurs avaient été très actifs.

Le seul moment de répit qu'elle avait connu depuis que les Enfers étaient devenus dingues, c'était la veille, quand un démon beau comme un dieu prénommé Lore l'avait invitée à prendre un café. Apparemment, il se rendait à l'hôpital parce qu'il désirait faire une carrière médicale. Il l'avait interrogée sur l'histoire de l'UG et avait posé mille questions sur le personnel… il avait écouté tout ce qu'elle avait bien voulu lui dire.

Après, elle l'avait invité au *Vamp*, une boîte de nuit gothique où elle aimait aller, et il avait dit oui. Ils avaient passé la soirée à s'adonner à des danses très «*dirty*», même s'il n'avait jamais ôté ni sa veste ni ses gants.

Elle se demanda s'il dissimulait des cicatrices sous ses vêtements, ou bien quelque trait démoniaque propre à son espèce, comme des écailles ou des épines.

La prochaine fois qu'elle le verrait, peut-être aurait-elle la chance de le voir nu.

Il était temps qu'elle oublie Kynan et recommence à sortir.

Quand on tombe de cheval, il faut remonter, non ?

Et avec les vibrations dangereuses et érotiques qui émanaient de Lore, c'était peut-être justement l'étalon idéal à chevaucher.

Et cette fois, ce serait elle qui donnerait le rythme.

Les portes de l'entrée des ambulances s'ouvrirent, la tirant de sa rêverie. Elle espéra qu'il ne s'agissait pas d'un nouveau patient.

— Salut, Gem.

Kynan Morgan entra dans le service des urgences comme en terrain conquis. Il s'arrêta à un mètre à peine, si près d'elle qu'elle sentit l'odeur de cuir de sa veste et celle, virile et épicée, qui lui chavirait le cœur. Elle dut se rattraper à un chariot pour ne pas tomber.

Avec ses cheveux en bataille qui lui donnaient envie d'y passer les doigts, ses yeux bleu marine, sa peau bronzée et lisse et ses muscles saillants, Kynan était plus beau que jamais. Sous son jean, son tee-shirt noir et sa veste, il cachait un puissant corps d'athlète qu'elle trouvait à mourir. Elle l'avait vu quand il avait l'habitude de venir consulter à l'hôpital humain où elle travaillait, à l'époque où elle le prenait juste pour un homme marié qui recueillait des gosses des rues pour les remettre dans le droit chemin.

La vérité – sa femme et lui dirigeaient la cellule locale de l'Aegis – n'avait pas changé les sentiments de Gem pour Kynan. D'accord, il avait tué des démons, mais son cœur s'en fichait. Surtout après que Lori était morte et qu'il avait quitté l'Aegis pour venir travailler à l'UG. Elle avait cru avoir une chance avec lui.

Idiote.

— Qu'est-ce que tu fais ici ? Depuis quand est-ce que tu es revenu ?

Et pourquoi son cœur battait-il ainsi, comme s'il était excité de voir Kynan, alors que celui-ci l'avait brisé ?

Elle se souvenait du jour où Runa, dont le frère travaillait pour les X, l'avait invitée dans la maison qu'elle partageait avec Shade. Elle lui avait tendu une Margarita, puis elle avait dit : « Kynan m'a transmis un message pour toi. Je suis désolée… mais il te demande de ne pas l'attendre. »

Seigneur, elle avait été dévastée. Et elle avait quand même attendu… jusqu'à la nuit dernière, quand elle avait rencontré Lore à la fin d'une très mauvaise journée. Elle était épuisée et inquiète pour Wraith. Et pour couronner le tout, Runa avait amené les bébés à l'hôpital dans la matinée.

Gem était très heureuse pour Shade et Runa, mais leur bonheur lui avait fait l'effet d'un coup de poignard. Kynan était parti, sans doute pour de bon, et elle n'était pas sûre d'avoir des enfants un jour. Elle en voulait, mais elle était à moitié démon, coincée entre deux mondes, et elle refusait de soumettre un enfant à ce par quoi elle était passée.

— Je suis rentré hier soir, dit-il de sa voix rocailleuse, résultant d'une blessure qu'il avait reçue des années plus tôt quand il était infirmier dans l'armée, en Afghanistan.

— Pourquoi tu es ici ?

Elle essaya de contrôler ses espoirs, parce que même si elle voulait entendre qu'il était revenu pour elle, elle les avait vus être piétinés si fort qu'elle devait se montrer réaliste. Même si elle avait du mal à l'être quand son parfum l'entourait et l'étreignait comme un amant.

— Je ne peux pas entrer dans les détails pour l'instant, mais il faut qu'on parle.

— Je crois que tu m'as tout dit dans le message laissé aux bons soins de Runa.

Elle pivota sur les talons avec l'intention de le planter là comme il l'avait fait avec elle.

Et cela aurait été un excellent plan s'il ne l'avait pas attrapée par le bras pour la retourner vers lui.

— Pourquoi est-ce que tu réagis comme ça ?

— Pourquoi ? demanda-t-elle, incrédule. Pourquoi ? Parce que tu m'as brisé le cœur ! Une dizaine de fois. Et je suis enfin arrivée à la conclusion que j'en avais assez de te servir de paillasson.

— Je veux seulement parler, Gem.

Bien sûr. Parler. Il ne pouvait pas lui en demander plus, n'est-ce pas ? Pas lui, monsieur Kynan Je-suis-un-brave-type Morgan. Monsieur Parfait. Si elle parvenait à se calmer une seconde et à être honnête avec elle-même, elle pourrait admettre que son honneur, sa pureté et sa gentillesse avaient été bien plus qu'égratignés par les trahisons auxquelles il avait dû faire face deux ans plus tôt. Il avait traversé une période d'obscurité. Il avait été blessé et avait laissé les plaies s'infecter.

Elle le savait, parce que la déchiqueteuse d'âme tapie en elle les avait vues. Elle l'avait aidé à guérir, tout en restant prudente, parce que chaque fois qu'elle était blessée, en colère ou jalouse, elle était saisie d'une pulsion irrépressible d'exploiter les faiblesses et la douleur d'autrui. C'était comme une drogue puissante.

Et en cet instant, son démon intérieur voulait sortir.

— Navrée, Kynan, dit-elle, mais tu ne peux pas revenir dans ma vie après tout ce temps et t'attendre à ce que je tombe à tes pieds. (Elle le contourna, le frôlant au passage, pour se réfugier à l'intérieur de la salle de repos ; elle voulait mettre de la distance entre eux.) Je n'ai plus de sentiments pour toi. Laisse-moi tranquille.

La seconde suivante, Kynan la poussait contre le mur et la clouait sur place avec son corps puissant, lui laissant à peine assez d'espace pour respirer. Remuant entre ses cuisses, il plaqua sa bouche sur celle de Gem. Elle était si furieuse, si folle de rage… alors pourquoi avait-elle agrippé les pans de sa veste pour le rapprocher d'elle autant que deux personnes habillées pouvaient l'être ?

Il l'embrassa avec passion, et quand il eut fini, ils étaient tous les deux à bout de souffle.

— On ne dirait pas que tu m'as oublié, dit-il.

— Va te faire foutre.

— Peut-être serait-il judicieux de trouver un endroit plus privé avant que ça devienne une réalité ? demanda une voix grave et posée.

Ils tournèrent la tête vers Eidolon.

Grognant tout haut, Gem laissa sa tête retomber contre le mur. Il n'y aurait pas de partie de jambes en l'air, mais elle était baisée.

Pris en flagrant délit.

Kynan s'écarta de Gem et fit face à Eidolon. Le démon paraissait avoir été traîné derrière un cheval, et Kynan se demanda ce qui pouvait bien se passer. L'hôpital semblait en sous-effectif ; et étaient-ce des lézardes qu'il apercevait sur les murs ?

— Salut, Eidolon. Il faut qu'on parle. Tes frères sont dans les parages ? Et Tayla ? (Il coula un regard à Gem, qui lui en renvoya un tout bonnement assassin.) Toi aussi, Gem.

— Oh, alors quand tu disais que tu voulais parler, ce n'était pas seulement à moi, hein ?

— On aura une conversation, promit-il. En privé. Mais les affaires d'abord.

Eidolon fit signe à Kynan et à Gem de le suivre dans la salle de repos. Une fois à l'intérieur, les deux hommes s'enfoncèrent dans les coussins du canapé ; Gem préféra rester près de la cafetière, place généralement occupée par Wraith.

—Où sont les autres? demanda Kynan.

Eidolon regardait le ventilateur accroché au plafond.

—Shade est avec Runa. Et Tay est au boulot.

—Et Wraith? Il est sorti chercher les ennuis?

—Non, ça, c'est déjà fait, répondit Eidolon à mi-voix.

Et, incrédule, Kynan l'écouta lui raconter les ennuis qu'avaient Wraith et l'hôpital.

—Merde, dit Kynan d'une voix encore plus rauque que d'ordinaire.

Il fut un temps, juste après qu'il l'avait vu boire le sang de Lori, où Kynan aurait volontiers tué le seminus de ses propres mains. Ky adorait sa femme, et la trahison de celle-ci l'avait anéanti. Mais il avait appris à apprécier Wraith, ainsi que ses frères, et cette histoire devait être un coup dur pour eux.

—Oui, et pour couronner le tout, il est fort probable que Shade et moi ayons un second assassin aux trousses. Nous n'en avons pas encore la preuve, mais nous restons sur nos gardes.

Il se passa la main dans les cheveux.

—Bien, maintenant que tu sais tout sur le dernier épisode de l'Underworld General… qu'est-ce que tu veux? Qu'est-ce que tu fais ici?

Gem croisa les bras et tapa du pied. Ses yeux verts lançaient des éclairs, mais ses deux couettes noir et rose adoucissaient son expression.

—Vous devez savoir qu'il se passe quelque chose dans le monde des démons.

—Et t'as trouvé ça tout seul, Sherlock? marmonna Gem.

Eidolon lui jeta un regard exaspéré avant de se tourner de nouveau vers Ky.

—Oui, c'est ce que nous avons cru comprendre.

—Tu sais ce dont il s'agit ?

—Pourquoi ?

—Les Aegis m'envoient. Ils veulent toutes les informations que je pourrai obtenir. À part Tayla, je suis le seul d'entre eux à avoir des contacts dans le monde démoniaque, et Tay ne peut rien dire sans griller sa couverture.

Gem ricana.

—Ils comptent sur toi pour soutirer des infos aux démons… pour qu'ils puissent les combattre ?

Kynan réprima un soupir.

—Allons, Gem. Quoi qu'il se prépare… ce sera mauvais. Il vaut mieux essayer de tout arrêter plutôt que de l'affronter.

—Je suis d'accord, répondit Eidolon en posant les pieds sur la table basse. Mais pour le moment, nous ne savons pas grand-chose. Certains disent que l'heure du Retour a sonné. D'autres pensent que les démons vont simplement prendre la Terre aux humains en montant en force de Sheoul. D'autres encore croient que les humains vont assaillir le monde démoniaque. Ceux que l'idée d'une guerre ne réjouit pas se mettent à l'abri. Nous perdons des membres du personnel tous les jours.

Les yeux du seminus luisirent… l'hôpital était son bébé, et le fait qu'il tombait en ruine et que ses employés désertaient leur poste était comme un poids sur ses épaules.

—Qu'en pensent les humains ? demanda Eidolon. Tout ce que Tayla peut me dire, ce sont des rumeurs.

Comme si Kynan savait quoi que ce soit. Seul le Sigil avait connaissance de la vérité, et encore, celle-ci ne pouvait être que partielle si même des démons n'en savaient pas davantage.

—Quel serait le pire scénario ? L'Armageddon. Ce que vous appelez le Retour. Et au mieux ? Une attaque. Les dirigeants et leaders religieux du monde entier deviennent dingues dans les coulisses à force de vouloir limiter les dégâts, parce que personne ne veut que la vérité au sujet des démons éclate au grand jour. Ce serait le chaos total.

Gem prit un jus de fruit dans le frigo.

— Tu as dit que les Aegis t'ont envoyé ici. Pourquoi n'es-tu plus avec l'armée ?

— J'en ai eu marre de servir à rien. Ils étaient d'accord pour que je parte, à condition que je retourne au sein de l'Aegis.

— Je suppose que tu ne peux pas utiliser tes contacts dans les X pour obtenir des infos sur les Sentinelles, dit-elle.

— Je croyais que Wraith était déjà sur une piste ?

Eidolon hocha la tête.

— Oui, mais nous sommes presque certains qu'il existe un lien entre la jeune femme qu'il suit et ce qui se passe dans le monde démoniaque. Reaver ne nous a pas tout dit, mais nous avons senti les premiers signes d'un soulèvement au moment même où le sort qui la dissimulait a été levé.

Intéressant.

— Je vais essayer de me renseigner.

Le biper d'Eidolon sonna. Il regarda l'appareil et se leva.

— J'ai un patient qui arrive. Les tueurs ont été très actifs, dernièrement.

Il gagna la porte d'un pas étrangement lourd, en contraste avec sa démarche habituelle. Il traînassait.

— Content de t'avoir revu. Si tu t'ennuies, on aurait bien besoin d'un coup de main.

Il partit, laissant Kynan seul avec Gem.

— Il faut que j'y aille, dit-elle en s'écartant du comptoir.

Kynan lui bloqua le passage.

— Pas si vite.

— J'ai dit non.

116

—Accorde-moi une heure, Gem. C'est tout ce que je te demande.

—Tu me diras pourquoi tu es parti, absolument tout?

—Absolument tout.

Elle lui adressa un bref hochement de tête.

—Viens chez moi ce soir à 18 heures. (Elle l'écarta de son chemin.) Ne sois pas en retard.

CHAPITRE 9

Serena venait de jeter son sac à dos sur son épaule quand on frappa très fort à la porte de sa chambre.

—Serena! Ouvre!

Josh. Pas très emballée à l'idée de le revoir, elle ouvrit avec une sensation de déjà-vu quand elle le découvrit sur le seuil. Comme la nuit précédente, il portait un jean, mais par-dessus son tee-shirt du *Hard Rock Café*, il avait enfilé un blouson en cuir usé qui soulignait sa virilité. Elle sentit sa respiration devenir laborieuse.

Le rêve qu'elle avait fait était encore si frais, si réel dans sa mémoire, qu'elle sentit son visage s'empourprer. Elle était gênée comme on devait l'être au matin après une nuit sans lendemain avec un inconnu… enfin, elle s'imaginait que c'était ce que ressentait une femme dans cette situation.

—Tu as intérêt à avoir l'artefact, dit-elle.

Ne prêtant aucune attention à ses paroles, il la prit par la main et la tira dehors.

—Nous devons partir. Tout de suite.

—Qu'est-ce que…

—Il y a un démon dans l'hôtel.

—Merde, souffla-t-elle.

—Bref. Suis-moi, marmonna-t-il. Nous prenons l'escalier.

Un grondement sourd se fit entendre dans le lointain, comme s'il venait de dehors, mais le sol à l'autre bout du couloir commença à onduler… vers eux.

Josh pivota dans un mouvement fluide digne d'un félin. La moquette se détacha et claqua comme un fouet, laissant une fissure de plusieurs mètres de long dans l'un des murs.

— Merde. (Josh recula, comme s'il reconsidérait la situation.) D'accord… cours !

Ils piquèrent un sprint jusqu'à la cage d'escalier. Josh ouvrit la porte à la volée et poussa Serena à l'intérieur, qui dévala les marches deux par deux. Le bâtiment tout entier trembla, et elle perdit l'équilibre, atterrissant avec maladresse sur le palier du deuxième. Serena ne se fit pas mal, car la bénédiction la protégea, mais elle ne l'aida pas à paraître gracieuse. Au-dessus, Josh coinçait la porte, luttant contre une créature qui essayait de l'enfoncer en y laissant de grandes fentes.

— Sauve-toi !

Elle ne le pouvait pas. C'était mal. La bête était à ses trousses, pas à celles de Josh, et Serena savait qu'il ne pouvait rien lui arriver. Il était en danger, pas elle.

— Pas sans toi ! cria-t-elle. Ne discute pas ou je remonte !

Ses jurons lui parvinrent. Il hésita, puis il sauta en bas de la volée de marches et atterrit avec légèreté à côté d'elle. Quel athlète ! Elle était admirative, n'ayant jamais rien vu de tel.

Pour ne pas être en reste, elle l'imita, gagnant le palier suivant puis se tournant vers lui avec un large sourire.

— Frimeuse, grommela-t-il.

Et il bondit.

Ils enfoncèrent presque la porte en arrivant au rez-de-chaussée et déboulèrent dans le hall. Où c'était la panique. Les gens essayaient de ne pas tomber, terrifiés par les secousses. Josh et elle s'élancèrent et sortirent sous le soleil aveuglant. Un peu plus bas dans la rue, un homme ouvrait la portière d'un taxi.

—Navré, mon pote, dit Josh en l'écartant pour pousser Serena sur le siège arrière. Urgence médicale. Ma femme va accoucher.

L'inconnu cligna des yeux et en resta bouche bée, sans doute parce que Serena avait l'air aussi enceinte qu'un bâton de sucette. Il recula alors que le taxi s'engageait dans la circulation, manquant de peu de percuter un bus. Le cœur de la jeune femme cognait contre ses côtes, et elle était un peu secouée, mais elle donna des indications au chauffeur tout en s'efforçant de ne prêter aucune attention aux coups de klaxon et à la chaleur que dégageait Josh, assis à côté d'elle.

—J'aimerais vraiment savoir pourquoi tu es un vrai aimant à démons, lui dit-il.

—J'aimerais vraiment savoir ce qu'était cette chose.

—Aucune idée.

Il se retourna pour regarder par la vitre arrière, et elle sentit la menace qui émanait de lui. Il était toujours en mode combat, et elle comprit que le verre ne l'arrêterait pas s'il devait passer à l'action.

—Comment tu as su que c'était dans l'hôtel ?

—Je l'ai senti en sortant dans le couloir.

Elle l'étudia, un peu distraite par le tatouage sur son cou, un sablier dont le sable semblait s'écouler.

—Tu as un odorat incroyable.

—Un vestige de mon entraînement d'Aegi. (Il se rassit face à la route et écarta les jambes pour que son genou touche le sien.) On dirait qu'on s'en est débarrassés. Tout s'est bien passé, pendant la nuit ?

Très.

—Qu'est-ce que tu veux dire ?

—Aucune visite démoniaque ?

— Oh. Non. Tout a été calme.

— Tu as bien dormi ?

Elle sentit son cœur lui remonter dans la gorge, ce qui était stupide, parce que Josh ne pouvait pas savoir, pour son rêve érotique.

— Pourquoi ?

Il la regarda de la tête aux pieds, prenant tout son temps, puis revint plonger ses yeux dans ceux de Serena.

— Je me demande juste si tu as rêvé de moi.

— Pourquoi diable aurais-je fait un truc pareil ? Parce que tu m'as embrassée ? Ce n'était même pas un baiser terrible.

Menteuse.

Il l'avait laissée douloureusement stimulée.

— Je suppose que tu as connu mieux ?

Jamais.

— Évidemment !

— Dans ce rêve que tu prétends ne pas avoir fait ?

— Tu es vraiment imbu de ta personne, hein ? dit-elle, vexée.

Il haussa les épaules.

— Hé, tout homme veut qu'une femme magnifique fantasme sur lui la nuit.

Magnifique ? Il lui passait de la pommade, mais même si elle savait pourquoi il la flattait ainsi, dans un effort pour l'amener à céder à ses avances, elle ne s'en sentit pas moins tout émoustillée. Mais on pouvait jouer ce jeu à deux.

— Très bien, répondit-elle en battant des cils. J'avoue : j'ai rêvé de toi.

Il haussa un sourcil.

— C'était bien ?

Il se pencha pour lui murmurer à l'oreille :

— Dis-moi.

Elle en eut la chair de poule.

— C'était dingue, souffla-t-elle. J'ai rêvé que tu étais un vampire. Un vampire très sexy.

— Hum. (Il lui mordilla le lobe délicatement.) Tu as un faible pour les buveurs de sang ?

Plus qu'un simple faible. Elle s'y intéressait déjà avant de savoir que ces créatures existaient vraiment, dévorant tous les essais et fictions qu'elle avait pu se procurer. Elle avait même passé des mois dans plusieurs pays d'Europe, dont la Hongrie, l'Allemagne et la Roumanie, sur les traces de Dracula et des origines de Vlad Tepes.

— Ils me fascinent.

Josh recula.

— Ce sont des monstres. Il n'y a rien de fascinant chez eux.

Elle regarda dehors alors qu'ils dépassaient la colonne de Pompée, le plus haut monument d'Alexandrie, mais cette fois il ne réussit pas à l'émouvoir.

— Je croirais entendre Val.

— Sans doute parce qu'il a raison.

Il détourna les yeux vers les palmiers qui bordaient la rue. Par-delà les arbres, les bâtiments modernes contrastaient avec les édifices plus anciens aux façades criblées de trous, entre lesquelles Serena apercevait la Méditerranée.

— Rassure-moi, tu n'es pas une de ces cinglées qui s'habillent comme un personnage d'Anne Rice pour traîner dans les bars fréquentés par les vampires ?

Elle essaya de ne pas se tortiller, parce qu'elle avait bien fait cela. Une seule fois. Et c'était dans le seul but de faire des recherches. Vraiment.

— T'en es une, hein ? (Josh l'attrapa par les épaules pour la forcer à lui faire face ; ses yeux brillants la transpercèrent.) Ne t'approche pas de ce genre d'endroits, Serena. Il y a des gens qui ne sont pas… normaux. Ils sont dangereux. Je ne veux pas que tu sois blessée. Ou pire. Parce qu'il y a pire.

Son expression se fit hantée et aussi sinistre que sa voix, et Serena sentit un frisson lui parcourir l'échine.

— Je sais, répondit-elle. Et je suis prudente.

Sans crier gare, il l'embrassa avec passion.

— C'est le pire mensonge que j'aie jamais entendu, murmura-t-il contre sa bouche.

Son baiser se fit plus doux, ses lèvres comme du velours sur celles de Serena, comme pour s'excuser, puis il se renfonça dans son siège. Elle savait qu'elle aurait dû être irritée par son insistance arrogante à vouloir lui donner des conseils, et elle était encore un peu agacée qu'il lui ait fait du chantage pour pouvoir l'accompagner. Mais, Seigneur, elle avait été si seule pendant tellement longtemps que c'en était presque douloureux.

Peu importait que Val soit toujours si attentif, ou qu'elle s'entoure de tas de gens, elle éprouvait un manque que rien ne pouvait combler, pas même son boulot. Elle comprenait l'ombre qui avait hanté le regard de sa mère. À l'époque, elle était beaucoup trop jeune pour avoir la moindre idée de ce qui la faisait pleurer parfois, quand Patricia se croyait seule, mais plus Serena se rapprochait de Josh, plus tout devenait clair.

La seule personne qui redonnait toujours le sourire à sa mère, c'était Val. Le cœur de Serena cogna plus fort dans sa poitrine quand un soupçon s'insinua soudain dans ses pensées. Sa mère… avait été amoureuse de Val ?

Val était marié, mais il ne vivait qu'à quelques kilomètres de chez elles. Serena ne se rappelait aucun geste équivoque, mais le visage de sa mère s'éclairait toujours quand son Gardien venait lui rendre visite.

—Hé, dit Josh, posant un doigt sous le menton de Serena pour lever sa tête vers lui. Nous sommes arrivés. Où étais-tu?

Le taxi s'était garé sur le trottoir, et elle s'en était à peine rendu compte. Apparemment, partir sur les chemins du passé avait été plus chaotique que les rues d'Alexandrie.

—J'étais ailleurs.

Josh paya le chauffeur et tendit la main vers le sac à dos de la jeune femme. Elle se dit que puisqu'il l'avait forcée à accepter sa présence, il pouvait bien le porter. Grognant, il le passa sur son épaule avec le sien.

—Qu'est-ce que tu transportes dans ce truc? Il pèse une tonne!

Elle sortit du taxi en riant, contente d'avoir pensé à enfiler un pull léger pour se protéger de la fraîcheur matinale.

—Des cartes, des outils, de l'eau et des en-cas.

—Tu es l'une de ces personnes toujours bien préparées, hein?

Il avait l'air de penser que c'était un défaut.

—Peut-être. J'ai aussi une flasque. Je ne m'en sépare jamais.

Il haussa un sourcil.

—Whiskey?

—Bien sûr.

—Une femme comme je les aime!

Il fourra la main dans sa poche et en sortit une paire de lunettes de soleil. Plissant les yeux à cause de la luminosité, il les mit.

—Je suppose que ça prouve que je ne suis pas un vampire.

Seigneur, il était parfait. Même l'aura de danger qui l'entourait mettait en émoi ses bas instincts féminins, parce qu'il était le genre d'homme qui protégeait ce qui lui appartenait, et ce qu'elle refusait de lui donner…

Enfin, elle voulait bien tout lui céder, sauf sa virginité.

—Ce n'était qu'un rêve, marmonna-t-elle.

—Je t'ai mordue?

Elle déglutit, le souvenir plus brûlant encore que le soleil égyptien.

—Oui.

Le regard de Josh se perdit par-dessus les palmiers qui marquaient l'horizon.

—Tu as aimé ça? demanda-t-il.

—Oui, murmura-t-elle, rejouant dans sa tête l'instant où ses crocs lui avaient transpercé la peau.

Que Dieu lui vienne en aide, oui, elle avait aimé cela.

—Il faudra que je m'en souvienne. (Il se tourna vers elle, un sourire sinistre et sensuel aux lèvres, et elle en eut le souffle coupé.) Parce que n'en doute pas, Serena. Je mords.

Serena s'empressa de gagner l'entrée des catacombes, et Wraith resta un peu en arrière, principalement pour s'assurer qu'il n'y avait pas de danger, mais aussi pour admirer la vue. De ses bottes de randonnée à son pantalon cargo en toile vert olive, en passant par son tee-shirt ajusté, Serena était le péché incarné, en costume d'aventurière. Elle avait ramené ses cheveux en queue-de-cheval, et le démon ne pensait qu'à une chose : l'enrouler autour de son poing pendant qu'il l'embrassait. Qu'il la déshabillait. Et qu'il allait et venait en elle à grands coups de reins, comme dans son rêve.

Plus tard, il la prendrait encore, il boirait son sang, puis il la ferait de nouveau sienne. Et encore. Il pourrait passer des jours avec elle…

Wraith sentit son ventre se nouer. Il ne pourrait pas mettre son plan à exécution, parce que sans la bénédiction, Serena n'aurait pas tout ce temps devant elle. Il y avait une date d'expiration sur sa vie, et c'était lui qui l'y avait apposée.

Il chassa cette pensée. Songer aux conséquences de ses actes était un gaspillage de temps et d'énergie. Et en plus, en quoi serait-ce différent de ce qu'il avait toujours fait ?

Cela ne l'était pas.

Elle se tourna pour le regarder par-dessus son épaule, un sourire sensuel sur ses lèvres pleines.

Ce n'était pas différent.

Il ne fallut pas longtemps à Serena pour obtenir l'accès à une zone interdite des catacombes de Kom-el-Chouqafa. L'homme à qui elle s'était adressée avait d'abord hésité à laisser entrer Wraith, jusqu'à ce qu'il lui explique qu'il était l'assistant de la jeune femme. Il devait admettre que l'Égyptien s'était surtout laissé séduire par Serena, qui avait flirté avec lui effrontément. Pour une raison obscure, Wraith n'avait pas aimé cela.

Il resta collé à elle tandis qu'ils longeaient les couloirs caverneux ornés d'art égyptien et romain. Même s'il avait été un peu partout en Égypte et au Moyen-Orient, il n'avait encore jamais mis les pieds dans cet endroit. En tant que démon, il pouvait sentir les ondes malveillantes, et plus ils approchaient du hall de Caracalla, plus celles-ci devenaient fortes. Il n'avait pas étudié l'histoire des lieux, mais il sentait jusque dans la moelle de ses os qu'une tragédie s'était jouée entre ces vieilles pierres.

— Il existe plusieurs tombes dans le hall de Caracalla, dit Serena à mi-voix, pour que leur guide ne l'entende pas. La plupart n'ont pas été entièrement explorées, ni dégagées. Celle qui m'intéresse se situe dans une zone fermée au public, mais nous avons reçu la permission de nous y aventurer.

Wraith siffla tout bas.

— Val a le bras long.

Selon lui, l'Aegis était bien trop puissant. Il montra leur guide de la main, alors que celui-ci s'engageait dans un escalier.

—Il va rester avec nous tout le temps?

—J'espère bien que non.

Wraith connaissait plus d'une façon de se débarrasser de l'importun, s'il décidait de s'incruster, mais après son incursion dans l'esprit de Serena la nuit passée, il n'était pas pressé de réutiliser son don. Il ne lui était encore jamais arrivé d'avoir besoin de récupérer, mais à cause du poison et de sa lente agonie, il était bien plus faible qu'il n'aurait dû l'être.

D'autant qu'il n'avait rien mangé depuis la veille.

La nuit précédente, après avoir embrassé Serena, il s'était nourri d'un vendeur local, et en se levant, il avait pensé aller prendre son petit déjeuner au restaurant de l'hôtel, mais ces temps-ci, il avait de plus en plus de mal à garder la nourriture solide. Son estomac ne semblait plus tolérer que le sang et le whiskey. Même le café ne lui disait plus rien.

Plus de café… Il aurait pu tout aussi bien déjà être mort!

L'étroit escalier débouchait sur une salle carrée, aux murs découpés d'ouvertures arrondies, qui se poursuivaient chacune par un tunnel en briques. Serena lui fit signe de la suivre, et ils prirent l'une des entrées sur leur droite. La tombe avait été entourée avec des cordes. Leur guide se tint à l'écart, les regardant avec suspicion quand ils se glissèrent dessous.

La pièce était comme toutes les autres datant de l'Antiquité: sombre, poussiéreuse, et l'air semblait avoir été filtré à travers un cadavre desséché.

C'était l'odeur de l'aventure, et l'adrénaline coulait déjà dans les veines de Wraith.

Il se tourna vers leur guide pour lui parler en arabe.

—Pourquoi est-ce que cette salle est interdite aux visiteurs? (Quand l'homme se contenta de regarder droit devant lui sans répondre, il lui agita la main devant les yeux.) Hé-oh!

Serena lui pinça la taille, et il grogna. Quand il croisa son regard, celui-ci disait : «N'en fais pas notre ennemi!» Sans doute était-ce sage. Mais c'était aussi très barbant.

Wraith laissa la jeune femme le conduire jusqu'à une pièce plus petite, dans un coin. Portant l'index à ses lèvres, elle l'invita à ne pas faire de bruit, avant de se glisser dans une cavité obscure. Wraith se pencha pour poser son sac près d'elle et se déplaça un peu pour garder un œil sur l'Égyptien. Derrière lui, Serena fouilla dans ses affaires. Un instant plus tard, il l'entendit commencer à creuser.

Au bout de quelques minutes, leur guide bâilla, jeta un coup d'œil à sa montre et, après avoir lancé un dernier regard soupçonneux à Wraith, s'en alla.

—Rien, marmonna Serena. Il n'y a rien ici.

—Tu as besoin d'aide?

—Pourquoi pas.

Il la trouva agenouillée devant une ouverture de la taille d'un poing dans le mur de calcaire. Sur le sol, plusieurs pierres avaient été extraites, ainsi qu'une petite brique couverte d'écritures et de gravures usées par le temps. Il ne reconnut pas la langue utilisée.

—Tu étais censée trouver quelque chose dans ce trou?

—C'est ce que je pensais.

Wraith s'accroupit près d'elle en s'efforçant de ne pas se laisser distraire par son odeur féminine de peau qui avait pris le soleil.

—Qu'est-ce que ça dit?

—C'est une sorte de prière.

Elle s'assit, repliant une jambe sous elle, et regarda la brique. Quelques fines mèches de cheveux s'étaient échappées et tombaient sur sa joue bronzée. Wraith les écarta, prétexte pour la toucher. Elle le récompensa d'un sourire ravageur, avant de s'intéresser de nouveau à l'objet.

—Écoute, en l'an deux cent quinze, l'empereur Caracalla s'est mis en colère contre les citoyens d'Alexandrie et a apparemment fait massacrer vingt mille d'entre eux. La plupart des morts ont été enterrés ici. La prière demande que les âmes des chrétiens puissent trouver leur chemin à travers celles des païens qui les entourent.

Cela expliquait le sentiment malveillant qu'il ressentait comme des fourmis sur sa peau.

—Pourquoi une telle cruauté ?

Elle fit courir un doigt sur le texte, presque amoureusement. Il l'imagina en train de caresser son *dermoire*, d'en tracer les lignes avec ses mains, sa langue… Il étouffa un grognement.

—Il existe des tas de théories, mais Val pense que les Égyptiens l'avaient insulté dans une pièce satirique, au sujet de certains de ses actes, comme le meurtre de son frère.

Parler de fratricide étant bien trop proche de sa propre réalité, il préféra changer de sujet. Si seulement elle voulait bien cesser de tripoter la brique…

—Tragique, mais quel rapport avec l'objet que tu cherches ?

Elle lui coula un regard en coin, comme si elle hésitait à répondre, mais elle finit par hausser les épaules.

—D'après certains textes gnostiques, des humains seraient bénits par les anges.

—Tu parles des Sentinelles.

—J'ignorais que l'Aegis au complet était au courant de leur existence.

—Ce n'est pas le cas, répondit-il, mais on avait pensé à moi pour le Sigil, alors j'ai pu avoir accès à des informations confidentielles.

Il ne savait pas si c'était vrai, mais cette histoire parlerait en faveur de « Josh ».

—Très bien, alors tu sais qu'ils ne peuvent pas être tués, mais ils peuvent se donner la mort. Et la légende raconte qu'un de ces humains bénis a sacrifié sa vie pour être enterré avec les chrétiens massacrés. Il pensait pouvoir guider leurs âmes vers le Paradis.

—Qu'est-ce qui a bien pu lui faire croire ça ?

—Il était apparemment en possession d'une pièce investie de pouvoirs spéciaux.

—Et tu croyais qu'elle était cachée derrière cette brique ?

—Je l'avais espéré. (Elle se rembrunit.) Si elle est ici, je la trouverai. Je trouve toujours ce que je cherche.

Elle haussa un sourcil impertinent à son adresse.

—Un peu comme toi, qui obtiens toujours ce que tu veux, ajouta-t-elle.

—Tu ferais bien de t'en souvenir. (Il lui fit un clin d'œil, puis il tendit la main pour l'aider à se relever.) Réfléchissons un moment. Un être protégé par une bénédiction et en possession d'un artefact magique ne ferait jamais rien à la hâte, comme fourrer ledit artefact derrière une brique. Il le laisserait dans un endroit spécial, sans doute là où la bonne personne pourrait le dénicher. Tu as tâtonné au fond du trou ?

—Oui, mais je cherchais un objet…

Elle se pencha en avant pour enfoncer la main dans la crevasse.

Joli cul !

Le pantalon de Serena lui moulait les fesses comme une seconde peau, et Wraith sentit son sang affluer vers son sexe. Il ne distinguait aucune marque de culotte. Pas la moindre.

—Je sens quelque chose… une sorte de creux.

Elle tira la langue, comme pour mieux se concentrer, et il rajusta son érection douloureuse d'une main.

— Tout va bien ?

Sa voix était un peu rauque, mais Serena ne sembla pas s'en apercevoir.

— J'essaie de le faire tourner… ou peut-être devrais-je le pousser… merde. Il ne se passe rien. C'est peut-être le moment d'utiliser ta clé.

Wraith fouilla dans son sac à dos pour en tirer la sculpture en os qu'il avait dérobée à Josh.

Serena lui prit le disque ovale, un pendentif romain incrusté de joyaux au bout d'une cordelette en cuir. Puis elle l'inséra délicatement dans le trou. Il entendit un déclic, suivi d'un autre, beaucoup plus fort. Mais il ne se passa rien. La déception se peignit sur les traits de Serena, et merde, il aurait fait n'importe quoi pour qu'elle retrouve le sourire.

Il n'eut pas le temps d'analyser la bizarrerie de ce sentiment qui lui était jusqu'alors étranger, parce qu'un grondement fit trembler le sol, provoquant une chute de grains de sable et l'apparition d'un nuage de poussière. Un démon ? Non, la présence malfaisante qu'il sentait ne s'était pas renforcée.

Une ouverture venait d'apparaître dans le mur du fond.

Une porte.

— Eurêka, souffla Serena. Je crois bien qu'on l'a trouvé.

Elle se rua vers la fissure, mais Wraith l'attrapa par le bras avant qu'elle ait pu écarter davantage la dalle de pierre.

— Attends. Laisse-moi faire. C'est peut-être un piège.

— Raison de plus pour que je m'en charge, l'assura-t-elle.

— Pourquoi ? Tu es l'une de ces personnes sous protection angélique ?

Le regard de Serena étincela, mais elle se rattrapa aussitôt avec un sourire éblouissant.

— Ne sois pas ridicule. C'est juste que je suis plus petite que toi, alors j'offre moins de surface d'impact.

— Allez, fais-moi plaisir.

Elle était protégée et presque invincible, mais il vivait pour ce genre de choses. Sans compter le fait qu'il était en train de mourir, alors il n'avait plus rien à perdre.

— Josh…

Il poussa la pierre avant qu'elle ait pu finir sa phrase et grimaça quand une bouffée d'air confiné lui chatouilla les narines. Le hall de Caracalla avait retenu son souffle durant tous ces siècles. La vision nocturne de Wraith lui permit de voir clairement ce qu'il y avait à l'intérieur ; Serena alluma une lampe torche. La galerie grossière était pleine de poussière et de toiles d'araignées et s'enfonçait lentement, comme l'indiquait le sol en terre battue.

Les murs étaient martelés, encore marqués par les outils qui les avaient creusés, et dénués de toute ornementation, preuve que cette zone avait été condamnée juste après sa construction.

Le passage aboutissait dans une caverne pas plus grande que l'une des salles d'examen de l'UG. Celle-ci était vide, à l'exception d'une colonne grossière au centre et d'une jarre en terre cuite dans un coin. Serena écarta Wraith pour s'agenouiller devant le récipient brun, sans fioritures. Elle enfonça la main dedans avec prudence et en sortit une bourse en cuir de la taille d'un poing.

Il l'entendit ravaler un cri et vit un éclat doré quand elle en tira une pièce en or. L'excitation de la jeune femme lui fit l'effet d'un courant électrique lui picotant la peau. Wraith savait exactement ce qu'elle ressentait. Il n'était vivant que lorsqu'il baisait, combattait ou chassait, et chercher des reliques était tout aussi enivrant.

—C'est la pièce ? demanda-t-il en s'accroupissant près d'elle.

—Oui. Oh, oui !

Elle la fit tourner entre ses doigts, puis elle s'arrêta pour passer le pouce sur le côté pile, où des mots étaient gravés. Et voilà qu'elle recommençait à caresser des objets ! Le *dermoire* de Wraith se tortilla, comme s'il désirait la même attention.

—« Que ce qui est ouvert se ferme. Que ce qui est fermé le reste », lut-elle.

—Bon sang, je déteste toutes ces conneries énigmatiques.

Les yeux de Serena brillaient quand elle rangea la pièce dans la bourse en cuir.

—J'adore ça. Résoudre le mystère, trouver la signification cachée… il n'y a rien de plus jouissif !

—Oh, moi, je vois bien quelque chose de tout aussi bon, dit-il, lorgnant sa bouche. Quelque chose qui te donnerait l'impression d'être tout aussi sale. Et couverte de sueur…

Dieux, il était vraiment en rut. Qui aurait cru que chercher des trésors enfouis pouvait être aussi aphrodisiaque ?

—Tu es désespérant !

Il tendit la main pour tracer la lèvre inférieure de la jeune femme du bout du pouce.

—J'ai déjà entendu ça une fois ou deux.

Serena mit la bourse dans son sac à dos.

—Oh, je n'en doute pas, dit-elle, pince-sans-rire.

—Ordures pilleuses de tombe !

La voix masculine et musicale résonna dans la caverne, et Wraith sentit un courant démoniaque sous-jacent.

Il bondit sur ses pieds et pivota dans un seul mouvement. Byzam se tenait à l'entrée de la salle cachée. Il portait une djellaba noire, dissimulant son corps et ses cheveux, mais son visage à la beauté surnaturelle était visible dans les plis

133

du vêtement. Wraith eut la chair de poule, ce qui ne lui était pas arrivé lors de leur première rencontre.

Byzam n'était pas l'un de ces petits démons malfaisants. La Mort elle-même devait y réfléchir à deux fois avant de se dresser en travers de son chemin.

Serena se leva et épousseta calmement son pantalon.

— J'admets être davantage une chasseuse de trésors qu'une archéologue, dit-elle d'un ton calme. (Elle ne semblait pas imaginer que l'homme qui s'était glissé derrière eux puisse être une menace.) Alors, j'ai l'attitude d'une mercenaire : si je trouve un truc, il m'appartient. Mais me traiter d'ordure ? C'est un peu fort !

Byzam se déplaça dans un trait de lumière que même la vue perçante de Wraith eut du mal à suivre. En un clin d'œil, il tordit le bras de Serena dans son dos et poussa la jeune femme face contre le mur.

Poussant un rugissement qui fit tomber de la poussière du plafond, Wraith se jeta sur le démon, l'envoyant percuter la colonne. Un bruit sec comme un coup de feu retentit quand celle-ci se fendit, puis des bouts de pierre se détachèrent autour de la fissure laissée par le corps de Byzam.

— Fous le camp d'ici. Maintenant ! feula Wraith, nez à nez avec l'autre mâle.

Byzam se pencha, si près que Wraith put sentir son haleine fétide quand il murmura :

— Je sais ce que tu cherches, seminus.

Le démon ramena la tête en arrière, puis flanqua un coup de boule à Byzam.

— Parce que tu veux la même chose.

L'enfoiré sourit malgré ses lèvres ensanglantées, mais il garda la voix basse quand il dit :

— Elle ne te donnera pas sa bénédiction, alors retourne donc en rampant dans le trou d'où tu es sorti.

Wraith montra les crocs.

— Si je te revois, je te saigne à blanc.

— Quand tu me reverras, tu m'appelleras Dieu. Mais pour l'heure, tu peux m'appeler Byzamoth.

Il s'inclina devant Serena et s'en alla. Wraith s'élança à sa poursuite, mais Byzamoth semblait s'être volatilisé. Wraith resta debout à l'extérieur de la salle un moment, en attendant de se calmer. Il fallait que ses crocs se rétractent et que ses yeux, qui flamboyaient toujours d'une lueur rougeâtre, redeviennent bleus.

Quand il retourna auprès de Serena, elle l'attendait, le sac sur l'épaule, le teint blafard.

Elle avait été secouée, et pour être honnête, Wraith aussi. Sa protection avait-elle échoué ou bien n'agissait-elle que si la jeune femme était en danger de mort, auquel cas Byzamoth n'avait pas eu l'intention de la tuer ?

Une odeur de sang humain flottait dans l'air, ténue. Serena avait donc été blessée. Il se dirigea vers elle, lui attrapa le poignet et lui remonta la manche, découvrant quatre marques en forme de croissant de lune, d'où perlaient des gouttes écarlates. La faim le tenailla et il sentit ses crocs pulser et sa bouche saliver. Merde.

Le cœur battant, il la lâcha et se força à reculer d'un pas.

— Tu es blessée, dit-il d'une voix rauque.

Dieux, il avait envie d'elle comme il n'avait jamais eu envie d'aucune femme, démone ou humaine. Il désirait la lécher de son bras jusqu'à sa gorge, planter ses crocs dans sa chair et la prendre comme il l'avait fait dans leur rêve. Il boirait son sang tout en allant et venant en elle…

— Je survivrai, répondit-elle d'une voix plus forte qu'il ne s'y attendait, étant donné la situation. Qu'est-ce qu'il t'a dit ?

Il prit le temps de remettre ses idées merdiques en ordre.

— Son vrai nom est Byzamoth. Il voulait la pièce.

135

C'était assez proche de la vérité, excepté que Serena était le trésor que le démon convoitait. Et pour une raison quelconque, cela mettait Wraith en rogne que le fils de pute traite la jeune femme comme un simple trophée.

Pourtant, il ne se comportait pas mieux. Et depuis quand éprouvait-il de la culpabilité ? Sans pitié, il fit appel à une émotion qui lui était bien plus familière.

La fureur.

— Alors, c'est ce qu'il cherche depuis le début ? (Elle fronça les sourcils.) Comment a-t-il bien pu découvrir son existence ? Et comment as-tu pu le convaincre de partir ?

— J'ignore comment il a su pour la pièce, mais je lui ai dit que je le massacrerais s'il s'approchait encore de toi.

Elle porta la main à son pendentif, et il sentit de nouveau l'odeur de son sang. Elle allait le tuer.

— Donc, il n'est pas humain.

— Ça ferait une différence, s'il l'était ?

Sa voix lui sembla dure, même à ses propres oreilles. Elle ne méritait pas sa colère, mais il était furieux contre Byzamoth, Roag, l'assassin qui l'avait empoisonné et lui-même, oh, et le monde entier. Et il en avait assez d'être gentil.

— Ça en ferait une pour toi ? demanda-t-elle.

— Non. C'est une menace. Point.

— Tu n'as pas eu une vie facile, hein ?

Elle avait parlé doucement, mais ses paroles résonnèrent dans la salle minuscule et à l'intérieur du crâne de Wraith.

— Pourquoi, la tienne a été protégée ?

Les mots quittèrent sa bouche avant qu'il ait saisi l'ironie de ce qu'il disait.

Serena sourit… Il connaissait bien cette expression. C'était celle qu'affichaient Tayla et Runa devant Eidolon et Shade quand elles voulaient faire plaisir à ses frères. Elle pouvait lui donner une tape sur la tête, tant qu'elle y était.

— Oui. J'ai toujours eu de la chance.

— Il arrive que la chance tourne, Serena.

— Tu es donc pessimiste ?

— Non, réaliste.

Elle s'avança vers lui et lui flanqua un coup de poing dans le biceps.

— Reste avec moi, chéri, et tu apprendras à être optimiste.

Aucune chance, mais c'était l'ouverture qu'il attendait.

— Oh, je n'ai pas l'intention de m'en aller.

Elle lui tendit le pendentif romain qu'il avait volé au vrai Josh.

— Je n'ai plus besoin de toi.

— Oh, si, la détrompa-t-il. Tu as des démons à tes trousses, et j'ai des années d'expérience passées à les combattre.

Il se demanda comment elle allait pouvoir se sortir de cette impasse, mais à son grand étonnement, elle se contenta de dire :

— Je vais à Assouan. Si tu crois pouvoir me suivre, tu es le bienvenu.

Elle lui enfonça l'index dans la poitrine, puis tourna les talons et partit en roulant des hanches. Quand elle arriva à la porte, elle se retourna pour lui adresser un sourire impudent par-dessus l'épaule.

— Alors, tu viens ?

Oh, oui, aller et venir jusqu'à l'explosion.

Cette pensée s'imposa sans effort, mais pour la toute première fois il en éprouva de la honte. Parce que, Dieux, elle valait bien mieux que cela, là, debout dans la lumière de sa lampe torche, les joues et le nez maculés de poussière. Elle dégageait une aura de pureté, une énergie bonne et saine qui semblait faire reculer l'obscurité et capturer la lumière. En tant que démon, il aurait dû la trouver repoussante, mais elle l'attirait, et même en cet instant, il se sentait combler la distance entre eux.

Il devait résister, parce que s'impliquer émotionnellement avec elle signifiait éprouver des regrets concernant ce qu'il devait faire pour rester en vie.

Wraith faillit éclater de rire. Il ne s'était jamais rien refusé, il n'avait jamais résisté à ses pulsions, ni rien regretté. Et soudain, il essayait de se contrôler, chose que même ses frères n'avaient pas réussi à lui faire faire.

Mais cette petite humaine pleine d'esprit le tenait par les couilles, et une partie de lui adorait cela.

«Par les cloches de l'Enfer», comme aurait dit Shade.

Oui, par les putains de cloches de l'Enfer.

CHAPITRE 10

« *Je n'ai plus besoin de toi.* »
C'était ce que Serena avait dit à Josh après le départ du démon, dans les catacombes ; mais c'était faux. Quelque chose clochait avec sa protection, parce que Byzamoth n'aurait jamais dû pouvoir la blesser.

Bien sûr, elle n'avait pas eu très mal, mais quand il lui avait tordu le bras derrière le dos, ses ongles s'étaient enfoncés dans la chair de Serena… faisant couler son sang. C'était une blessure mineure, mais qui n'aurait jamais dû arriver, et même si elle répugnait à l'admettre, elle avait un peu peur.

Josh s'était conduit comme un pro, comme un ex-Gardien supposait-elle. Et jusqu'à ce qu'elle découvre ce qui n'allait pas, elle aurait bien besoin de lui pour veiller sur elle.

Ils mangèrent un rapide morceau dans une petite cafétéria près de l'hôtel et se dépêchèrent de récupérer le reste de leurs affaires pour prendre le train de 17 h 20 à destination d'Assouan.

Ils avaient réservé chacun un compartiment individuel, avec un lit, et avaient convenu de se retrouver au restaurant pour dîner. Serena disposait de quelques minutes devant elle, aussi échangea-t-elle ses vêtements poussiéreux contre des propres, puis elle but deux gorgées de whiskey au goulot de sa flasque et profita du temps qui lui restait pour appeler Val pendant qu'elle captait encore un signal.

— Salut, dit-elle quand il décrocha.

— Serena ? C'est David.

— Oh. (Elle devait tendre l'oreille pour l'entendre par-dessus les grésillements de la ligne et les bruits du train sur les rails.) Val est là ?

— Oui, attends une seconde. Tu as la pièce ?

— Elle est dans mon sac.

— Bien. Garde-la avec toi, dit-il comme si elle était assez idiote pour se séparer de l'artefact. Voilà papa.

Elle entendit qu'ils se passaient le combiné.

— David dit que tu as l'objet, dit Val en guise de salut. Aucun problème ?

— Peut-être. Hier soir, un homme m'a accostée dans les rues d'Alexandrie. Il a prétendu que tu l'envoyais.

— Quoi ? Josh était censé te rencontrer, mais je n'ai jamais…

— Je sais, Val. Du calme. Je m'en suis débarrassée.

— Pourquoi tu ne m'en as pas parlé avant ?

— J'ai cru qu'il était parti pour de bon. (Elle prit une profonde inspiration ; Val allait sauter au plafond.) Mais aujourd'hui, il s'est pointé dans les catacombes… et il s'avère que c'est un démon.

Val manqua de s'étrangler.

— Tu vas bien ?

— Tu sais bien que oui.

Elle hésita, considérant ce qu'elle pouvait lui révéler. S'il apprenait que Byzamoth avait pu lui faire du mal, il enverrait toutes les cellules aegies les plus proches pour la ramener.

— Mais mon secret n'en est plus un, ajouta-t-elle.

— Qu'est-ce que tu veux dire, Serena ?

La voix de Val était basse. Il maîtrisait ses émotions. Pour la première fois, elle entendait le guerrier aegi qu'il était.

—L'illusion a été compromise, admit-elle. Je ne t'en ai pas parlé pour ne pas t'inquiéter. Elle est réparée, maintenant, mais pendant un temps, elle n'a pas fonctionné.

Elle espérait qu'il serait aussi facile de lui rendre sa protection.

—Tu dois rentrer. Oublie l'artefact d'Assouan.

—Je suis déjà dans le train.

—Tu descendras au Caire et prendras le premier vol pour New York.

Elle regarda par la fenêtre le paysage à la fois rude et beau, mélange de sable doré et d'arbres gracieux, et secoua la tête.

—Je suis en sécurité. D'autant que Josh est avec moi.

—Josh ? Pourquoi ?

—Allons, Val ! C'est un ex-Gardien. Qui d'autre serait plus désigné pour voyager avec moi ? (Elle put presque entendre la tête de Val exploser ; il était temps de mettre un terme à la conversation.) Waouh, la friture est terrible. Je vais devoir raccrocher. Je t'appelle dès que j'ai la tablette.

—Attends…

Elle coupa la communication en appuyant sur le bouton « raccrocher » avec le pouce. Pour plus de sûreté, elle éteignit son portable et gagna le wagon-restaurant.

Elle avait l'estomac un peu barbouillé à cause de son coup de fil tendu à Val et éprouvait une impatience fébrile à l'idée de retrouver Josh. Mais quand elle le vit lui sourire, de sa place à leur table, elle se demanda pourquoi elle était si anxieuse.

Quelque chose dans ce sourire dévastateur la faisait fondre à l'intérieur. Elle n'avait jamais été attirée par les tatouages, mais les traits sur son visage lui allaient bien, tout en arêtes dures et en lignes brisées. Une pointe embrassait la commissure de ses lèvres, et Serena s'imagina en train de poser la bouche dessus et de continuer jusqu'au bout de ses doigts.

Josh se leva, maladroitement, comme s'il le faisait après réflexion, et attendit qu'elle se soit assise pour reprendre sa place. Il avait un verre de whiskey à moitié vide devant lui et en avait commandé un pour elle aussi. Quelle charmante attention !

Elle le but cul sec.

— J'ai appelé Val.

— Tu lui as parlé des démons ?

Il avala une gorgée d'alcool, et tandis qu'elle le regardait déglutir, Serena songea pour la première fois que le cou d'un homme pouvait être très sexy. Peut-être aurait-elle un autre de ces rêves érotiques, et cette fois, ce serait elle la vampire.

— Oui, je lui ai tout dit. (Elle lui adressa un sourire empreint d'ironie.) Ton chantage ne tient plus la route.

Il répondit par un autre sourire, qui lui fit battre le cœur.

— Je n'en ai plus besoin. Maintenant, tu réclames ma compagnie pour le plaisir.

— Tu as conscience d'être vraiment impudent ?

— Je suis obligé de répondre à cette question ?

Il caressa le verre de ses longs doigts, et elle eut envie qu'il lui fasse la même chose. Au bout d'un moment, il le poussa vers elle.

— Je crois que tu en as encore plus besoin que moi. Qu'est-ce que Val a dit ?

— Il veut que je rentre.

— Et tu vas obéir ?

— Non, bon sang. Val est parano.

— Ou peut-être sage.

Elle leva les yeux au ciel.

— Tu ne vas pas t'y mettre !

Il se renfonça dans son siège. Son corps à damner une sainte semblait détendu, comme s'il n'avait aucun souci en ce monde, mais son regard toujours en alerte démentait son apparente décontraction. Elle eut l'impression que si un moucheron était entré dans le wagon, il l'aurait aussitôt remarqué.

— Alors, c'est quoi son histoire ? Pourquoi est-ce qu'il se comporte plus en père qu'en supérieur ?

Elle regarda le whiskey clapoter dans son verre à cause des mouvements du train.

— Lui et ma mère étaient amis. Après sa mort, il est resté en contact avec moi, et il a encouragé mon amour pour l'archéologie. Il est archéologue lui-même, expliqua-t-elle. Je suis allée à Yale, où il enseignait, mais j'ai vite découvert que l'université n'était pas mon truc. J'en avais ras le bol et j'étais prête à laisser tomber quand il m'a engagée pour travailler dans sa fondation privée. Il m'a offert de vivre dans sa propriété, et j'aurais été bête de refuser.

Josh plissa les yeux.

— Où est le piège ?

— Quel piège ?

Elle aurait juré entendre un grondement sourd venir de son côté de la table avant qu'il ne précise sa pensée.

— Aucun homme n'offre un toit à un beau petit lot dans ton genre sans exiger de contrepartie.

Un beau petit lot ? Elle rit.

— Crois-moi, il ne s'est jamais intéressé à moi. Pas comme ça. Tu l'as dit toi-même : il est comme un père pour moi.

— Pourquoi ? insista Josh.

Elle haussa les épaules.

— Sans doute parce que nous avons beaucoup en commun.

Elle était la seule de ses employés qui sache que David et lui étaient des Aegis, et il faisait partie de la poignée de gens qui connaissaient la vérité à son sujet.

— Et puis, il s'est toujours senti obligé de veiller sur moi, ajouta-t-elle.

— Qu'est-ce qu'en pense ton vrai père ?

— Je ne l'ai jamais connu.

— Il était du genre à laisser les femmes enceintes dans son sillage, et ta mère a eu la malchance de coucher avec lui ?

— Je me trompe ou ça sent le vécu ?

— Pas du tout.

Son ton soigneusement neutre le trahit. Il mentait, mais Serena décida de ne pas insister.

— Eh bien, non, tu te trompes. Ma mère ne pouvait pas concevoir naturellement, alors mon père était un donneur de sperme… littéralement. (Elle poussa de nouveau le verre vers lui, parce qu'à présent, c'était lui qui en avait plus besoin qu'elle.) Ma mère me manque. Et toi ? Tu as de la famille ?

— Deux frères, plus âgés, et trois neveux.

— Trois ? Waouh ! Je parie qu'ils sont adorables.

Il avala l'alcool d'un trait.

— Comment le saurais-je ?

— Ils habitent loin de chez toi ?

— Pas vraiment.

— Alors… tu veux des enfants ?

Quand il se contenta de regarder au fond de son verre vide sans répondre, elle murmura :

— Je suis désolée. C'est trop personnel.

— Ça va. (Le train avait ralenti ; il regarda un chevrier avec son troupeau.) Je ne serais pas capable d'élever un gosse.

— Bien sûr que si. Les enfants n'arrivent pas avec un mode d'emploi… tout le monde apprend sur le tas.

—Fais-moi confiance… je n'ai rien à faire dans la vie d'un petit.

Elle se rappela ce qu'il avait dit plus tôt.

—Ça a un rapport avec ton père ?

—Je n'en ai pas.

—Avec ta mère, alors ?

Il lâcha un rire amer.

—Elle n'était pas vraiment un modèle de parent aimant.

Serena prit sa main dans la sienne.

—Beaucoup de mères commettent des erreurs.

Il se dégagea, comme si soudain il ne supportait pas d'être touché.

—Tu en connais beaucoup qui enferment leur enfant dans une cage pour le torturer ?

Serena cessa de respirer.

—Dis-moi que cette cage était métaphorique.

—Non, elle était dans la cave. (Sa voix se réduisit à un grondement sourd et menaçant.) Et ma mère m'a fait subir toutes les tortures imaginables. Tout le monde s'est beaucoup amusé.

Serena ignorait quoi lui répondre. Elle ne pouvait pas croire que des choses aussi affreuses arrivaient vraiment. Sa propre vie avait été protégée… à l'exception de la mort de sa mère.

—C'est… horrible, réussit-elle enfin à articuler.

—Putain. (Josh se passa la main sur le visage.) Laissons tomber tout ça, hein ?

Sauf qu'il n'était pas facile d'oublier ce genre de confidence. Comment une mère pouvait-elle faire ce genre de choses à son enfant ? Comment un enfant pouvait-il s'en sortir indemne ?

—Parle-moi de tes frères.

—Pourquoi ?

Elle cligna des yeux.

—Pourquoi quoi?

—Pourquoi tu t'intéresses à eux? À moi?

—Parce que je t'aime bien.

Elle vit passer de la surprise et une autre émotion qu'elle ne réussit pas à identifier sur son visage avant qu'il ferme les yeux, comme s'il n'arrivait pas à décider si cet aveu était une bonne ou une mauvaise chose.

—Nous avons eu des mères différentes, répondit-il d'une voix si basse qu'elle le comprit à peine. Chacun est d'une mère différente.

—Et où diable était ton père?

Un jeune couple passa près de leur table, et Wraith attendit qu'ils se soient installés à l'autre bout du wagon pour poursuivre à mi-voix:

—C'est lui qui l'a poussée à me faire ce qu'elle m'a fait. Et son cl… sa famille l'a pourchassé et tué quelques mois après ma naissance.

Elle n'avait jamais été sans voix. Jamais.

—Écoute, d'habitude, je ne… (Il se tint le ventre à deux mains.) Je… oh, merde.

—Josh? Qu'est-ce qui ne va pas?

—Sans doute… un truc que j'ai mangé. (Il se leva tant bien que mal, et elle l'imita.) Je dois retourner dans ma chambre.

—Laisse-moi t'aider.

—Non, gémit-il. Je peux me débrouiller seul.

—Tu tiens à peine debout. Alors, ferme-la et laisse-moi t'épauler.

Elle vit le coin de sa bouche se relever dans un tout petit sourire, juste avant qu'il ne suffoque et manque de tomber.

—Je me tais, madame.

—Je suis sûre que c'est une première pour toi.

— Très drôle, haleta-t-il.

Le roulis du train ne l'aida pas à garder l'équilibre alors qu'elle le guidait jusqu'à son compartiment. Elle faillit céder sous le poids de Josh à deux reprises, et chaque fois il marmonna un « désolé », avant d'essayer de se redresser, ce qui l'envoya heurter un mur.

— Tu n'as vraiment pas l'air bien, Josh. Il y a peut-être un docteur à bord.

— Non !

Il cria presque, et quand il la vit tressaillir, il baissa la voix.

— Non, ça m'est… déjà arrivé.

Elle voulut protester, mais il semblait inébranlable, et puis ils étaient arrivés devant sa chambre. La main de Josh tremblait si violemment qu'il ne put en ouvrir la porte. Quand il jura tout bas et abandonna, se contentant de poser le front contre le battant, le cœur de Serena faillit se briser. Il y a quelques heures il aurait été assez fort pour l'enfoncer, mais soudain il était incapable de l'ouvrir normalement.

Sans un mot, Serena s'en chargea pour lui et l'aida à entrer dans le minuscule compartiment.

Les sièges avaient déjà été rabattus en lit, et il s'y écroula avec un bruit sourd. Un spasme violent parcourut son corps, suivi par des frissons.

— F-froid.

Elle lui toucha le front de sa paume. Il était brûlant. Comment avait-il pu passer d'à peine tiède à cela en quelques minutes ? Quelque chose n'allait vraiment pas. Elle s'empressa d'attraper une couverture et de le couvrir avec.

— Je reviens tout de suite. Je vais en chercher une autre dans ma chambre.

Il ne sembla pas l'entendre, mais le bruit de ses claquements de dents la poursuivit tout au long du couloir.

Wraith attendit que Serena ait refermé la porte derrière elle pour rouler en bas du lit sans la moindre grâce et tirer vers lui le sac en toile caché dessous. Son estomac se soulevait et ses muscles étaient si tétanisés qu'il pouvait à peine bouger. Ce putain de poison lui en faisait baver.

Il lui fallut une éternité pour tirer la fermeture Éclair et trouver sa trousse de secours. La moitié de ses médicaments atterrirent sur le sol, mais il n'y prêta pas attention. Il réussit à avaler les trois dont il avait besoin, un antalgique, un antibiotique et un antispasmodique. Le premier n'agirait pas sur la douleur, car les vampires ne pouvaient ingérer ceux-ci que filtrés à travers du sang humain, mais il ferait tomber la fièvre.

Il existait un moyen de traiter la douleur. L'une des infirmières humaines de l'UG s'était portée volontaire pour prendre une forte dose de Vicodin, et quand le médicament avait fait effet, elle l'avait laissé lui prélever autant de sang qu'il était possible à sa race d'en donner en une fois. Il le gardait dans plusieurs poches, prêtes à l'emploi, pour répondre à ses besoins.

Et en cet instant il en avait besoin, oui, terriblement… mais l'effort que cela lui aurait coûté pour ouvrir la glacière qui contenait le sang médicalisé et la demi-douzaine d'autres poches qu'Eidolon avait empaquetées pour lui était trop grand. Il fourra donc de nouveau le sac sous le lit en se demandant comment il allait remonter dessus.

La porte s'ouvrit et il grogna quand des bras chauds se refermèrent autour de lui. Il sentit qu'on le soulevait du sol, mais Serena ne pouvait pas le porter pour le recoucher. Il rassembla le peu de forces qui lui restaient pour hisser sa pauvre carcasse glacée sur le matelas. Il trouva humiliant de continuer de grelotter, même après qu'elle l'eut emmitouflé sous trois couvertures.

La douleur lui labourait le corps et lui lacérait le crâne. Le poison le dévorait vivant, tuant ses organes, exactement comme Eidolon l'avait prédit. Il entendit Serena parler, mais son ouïe avait tellement baissé qu'il ne comprit pas ce qu'elle disait. Le ton de sa voix suffit à l'apaiser, et il se concentra sur ce doux bourdonnement.

— Wraith ?

Son nom lui parvint comme de très loin.

Wraith ?

Dans ses rêves. Elle l'avait appelé Josh. Mais il aurait payé cher pour l'entendre prononcer son nom…

Dieux, s'il n'avait pas été à l'agonie, il aurait ri. Il devait être en train de délirer. Voilà pourquoi il se contenta de fermer les yeux et de profiter de la sensation quand il sentit le lit s'enfoncer et son corps chaud s'allonger contre lui. Elle était le feu qui fit reculer la glace, le soleil délicat qui l'aida à cesser de frissonner. Presque immédiatement.

Elle le caressa de l'épaule au bout des doigts, puis remonta, éloignant le froid et la douleur. Il ne saurait jamais combien de temps cela dura, mais quand il se réveilla, trois heures plus tard, elle était lovée contre lui. Il trouva ses légers ronflements réconfortants.

Serena était restée avec lui. Elle le connaissait à peine, et pourtant elle avait pris soin de lui, elle l'avait tenu dans ses bras, et elle dormait à présent dans son lit comme si c'était sa place.

Wraith faillit se remettre à trembler. Mais cette fois, le poison n'était pas en cause. À l'exception de ses frères, personne n'avait jamais rien fait d'aussi gentil pour lui. Et il soupçonnait Eidolon et Shade d'agir ainsi plus par devoir que par affection.

Doucement, pour ne pas la réveiller, il roula sur lui-même sur le lit étroit pour faire face à la jeune femme.

L'obscurité ne l'empêcha pas d'admirer la manière dont ses cheveux s'étalaient sur l'oreiller, tel un voile d'or. Elle était paisible dans son sommeil, sa respiration régulière et douce. Son nez se retroussait parfois, comme si elle sentait une odeur délicieuse.

Il pouvait pénétrer dans ses rêves et découvrir ses pensées, comme la nuit précédente, mais cela lui sembla soudain très mal. Une violation impardonnable.

Putain de merde.

Wraith s'était toujours foutu de ce qui était « mal ». La morale humaine ne s'appliquait pas à lui. Mais soudain, il hésitait à faire ce pour quoi il était né : pénétrer les pensées d'une femme et la séduire pour qu'elle lui cède.

Idiot.

Il allait envahir son esprit tout de suite. La rendre tellement folle de désir que lorsqu'elle se réveillerait, toujours dans un état proche de l'inconscience, elle s'offrirait à lui de son plein gré. Après tout, Wraith était un prédateur, et il était temps qu'il fonde sur sa proie.

Fermant les yeux, il se concentra et enfonça la barrière entre l'esprit conscient et le subconscient.

Il la trouva dans une chambre à coucher, et il eut la nette impression qu'il s'agissait de la sienne, dans la maison d'invité de Val. *Val.* Peut-être n'y avait-il rien entre le vieil homme et Serena, mais il avait toujours envie de lui arracher les membres et de le frapper avec. Serena était torride… il était impossible que Val ne s'en soit pas aperçu.

—Josh ?

Wraith sursauta. Il ne s'était pas encore mis en scène dans son rêve, et pourtant elle l'appelait ? Serena était agenouillée sur le lit, nue à l'exception d'une paire d'escarpins. Une porte s'ouvrit… et il entra. Pas lui, Wraith, mais celui qu'elle avait invoqué.

Putain de merde, elle rêvait de lui ! Sans qu'il ait besoin d'intervenir.

Alors qu'il regardait bouche bée, l'autre Wraith s'avança, nu, à travers la pièce, montrant les crocs, le sexe dur et prêt à baiser. Et cette petite vicieuse l'avait généreusement pourvu.

Ce qui, bien sûr, reflétait la réalité.

Serena vint à sa rencontre sur le lit, jambes écartées, la tête renversée en arrière, et «Wraith» n'attendit pas. Il la mordit dans le cou au même instant qu'il la pénétrait.

Ils firent l'amour sauvagement, et quand ce fut fini, Serena le tint dans ses bras.

Et il la serra contre lui.

Wraith sentit son ventre se nouer. C'était ce qu'elle voulait. Ce dont elle rêvait secrètement. Toutes ces choses qu'il ne pourrait jamais lui offrir.

Oh, il pouvait lui donner les meilleurs orgasmes de toute sa vie, mais les tendres câlins ensuite ? Non, tout ce qu'elle aurait, c'était l'étreinte glacée de la mort.

La culpabilité lui fit l'effet d'un coup de poignard, et la honte lui comprima la poitrine. Il sortit du rêve de Serena et se retrouva dans le compartiment.

Merde. La toxine n'affectait pas que son corps. Elle agissait aussi sur son esprit. Mais cela n'avait rien de bien étonnant. La vengeance de Roag ne consistait pas seulement à le tuer à petit feu. Oh, non. Son cher frère lui avait également donné une conscience.

Serena remua et bâilla. Elle était toute petite contre lui, et pourtant si forte. Il le sentait dans la fermeté de ses muscles, dans les courbes pleines de son corps, dans sa volonté inflexible. Et pourtant, elle possédait une vulnérabilité qui faisait ressortir ce côté protecteur dont il n'avait jamais eu conscience.

Il lui caressa la joue, traça le contour de sa mâchoire du pouce et effleura son long cou gracile. Son pouls battait sous ses doigts, et le sang de Wraith se mit à bouillonner de désir. Ses crocs commencèrent à s'allonger, anticipant l'instant où il les plongerait dans la chair de la jeune femme, sauf qu'il ne pouvait pas faire cela, et il s'efforça de se calmer. Serena avait un fantasme concernant les vampires, mais il doutait qu'elle réagisse bien devant un vrai membre de cette espèce.

Il ne put résister cependant, et posa les lèvres sur sa gorge. Un petit soupir échappa à la jeune femme, et ses seins vinrent frotter contre le torse de Wraith. Dieux, il aimait la sentir contre lui. C'était si mal. Et si bon.

Elle fit courir ses mains dans son dos pour masser les muscles de Wraith, qui avaient commencé à se nouer à ces pensées. L'intimité de ce geste innocent le choqua. Les femelles le touchaient d'habitude pour qu'il couche avec elles, pas pour lui donner du réconfort. La sensation l'envahit brutalement, le laissant hébété et tout chaud à l'intérieur… et foutrement ennuyé.

Il en avait assez de ces conneries sentimentales. Ils avaient besoin de s'envoyer en l'air. Surtout après ses confessions au wagon-restaurant, quand il lui avait parlé des traumatismes de son enfance comme un crétin.

Il lui posa la main sous les fesses et la ramena contre son érection. Puis il lui écarta les cuisses avec l'une des siennes et pressa ses doigts contre son sexe. Elle se raidit mais ne résista pas quand il ramena la jambe plus haut et lui imprima un mouvement circulaire.

—Oh, Seigneur, haleta-t-elle. C'est… Tu sais que je ne peux pas…

—Chut…

Il captura sa bouche et l'embrassa avidement, veillant à être l'agresseur, pour que la langue de la jeune femme ne frôle pas ses crocs.

—Laisse-moi te faire du bien.

Elle arqua le dos.

—Du bien… oui.

Il raffermit sa prise contre sa fente, à travers la jupe de la jeune femme.

—Je serai un vrai gentleman. Je te jure que seules ma bouche et mes mains te toucheront.

Il crut bon d'ajouter, dans un grognement plein de promesses:

—Je te jure également qu'elles ne te feront rien qui soit digne d'un gentleman.

Elle inspira vivement, et il sentit l'odeur de son désir, ce qui lui fit tourner la tête.

—Eh bien, dit-elle dans un grondement séducteur, j'espère bien que non.

Et elle l'embrassa.

Serena sentit la surprise de Josh dans la manière dont il se raidit, mais quand elle passa la langue sur sa lèvre inférieure, il l'attira plus fort contre lui.

Il émit un râle d'approbation quand elle tira sur sa jupe pour la relever et enroula une jambe autour de la sienne, mettant son sexe en contact avec l'énorme bosse derrière la braguette de son jean. Les sens de la jeune femme s'enflammèrent, et elle frissonna de plaisir.

Elle avait fait ce genre d'expérience avec d'autres hommes, testant sa volonté, repoussant les limites. Mais elle avait envie de tellement plus que ce qu'elle pouvait se permettre, et les caresses les plus poussées la laissaient sur sa faim.

Cela pouvait se terminer par un orgasme pour l'un comme pour l'autre, mais au bout du compte, elle savait que ce ne serait pas suffisant. Pas avec un homme comme Josh. Avec lui, elle voulait tout.

Aussi bon que ce soit de sentir Josh la caresser entre les jambes, avec une expertise la laissant pantelante, c'était un jeu dangereux… auquel elle ne devrait pas jouer.

—Non, croassa-t-elle. Non !

Elle le repoussa de toutes ses forces et se dégagea. Trop près du bord du matelas, elle tomba à la renverse et atterrit lourdement sur le sol. La panique la cloua à terre, et elle n'arriva pas à se relever, alors elle commença à ramper frénétiquement vers la porte, ses jambes se prenant dans sa jupe.

—Serena.

Josh la rattrapa par la cheville, et elle cria, à la fois surprise et affolée. Elle n'était pas effrayée par lui, mais par ce qu'elle risquait de faire avec lui.

—Laisse-moi tranquille !

Elle lui flanqua un coup de pied, qui l'atteignit au menton. Elle effleura la porte du bout des doigts…

Le corps lourd de Josh atterrit sur le sien, la plaquant au sol. Elle se força à respirer quand elle se rendit compte que sa protection ne l'avait pas empêchée d'être attrapée… et pas parce qu'elle n'avait pas fonctionné. Elle voulait qu'il l'arrête.

Elle avait de graves ennuis.

—Serena, répéta-t-il. (Sa voix ronronnante et sensuelle résonna jusque dans les parties les plus faibles de la jeune femme… celles qui mouraient d'envie qu'il la touche.) N'aie pas peur de moi.

Elle déglutit, puis elle se détendit entre ses bras, et il roula de manière qu'ils soient tous deux sur le flanc, son torse pressé contre le dos de Serena, la serrant doucement contre lui.

— Ce n'est pas de toi dont j'ai peur.

Josh lui effleura la joue du bout des lèvres, et son souffle tiède lui procura d'agréables picotements quand il dit :

— Alors de quoi ? (Il fit glisser une main vers le ventre de la jeune femme, pour entrelacer leurs doigts.) Dis-le-moi.

Elle sentit des larmes lui piquer les yeux.

— De ce que je veux.

— Et qu'est-ce que tu veux ?

Quand elle ne répondit rien, parce qu'elle avait la gorge trop serrée, il lui pressa la main pour l'encourager.

— Qu'est-ce que tu veux, Serena. Montre-moi.

Son désir monta en tourbillonnant, percuta sa prudence et la consuma. Lutter contre la force de la sensualité de Josh et son propre désir était vain, et elle se rendit… juste pour cette fois. Lentement, elle dirigea la main de Josh jusqu'à son entrejambe. Puis elle arqua le dos pour coller son sexe contre sa paume en un mouvement involontaire.

— Ça c'est une bonne fille, murmura-t-il, et il l'embrassa tout en attrapant sa jupe pour la remonter.

Son autre bras était coincé sous elle, mais sa main était libre de se faufiler sous le chemisier de Serena. Il la chatouilla lorsqu'il repoussa son soutien-gorge. Quand il prit l'un de ses seins et commença à en agacer le téton du pouce, elle lâcha une respiration qu'elle ne se souvenait pas d'avoir retenue.

— Oh, oui.

De son autre pouce, il frottait le tissu soyeux qui recouvrait son clitoris.

— Je veux faire ça avec ma langue. Je le ferai avec ma langue. Plus tard.

Mais Serena savait qu'il n'y aurait pas de plus tard. Cela ne pouvait arriver qu'une seule fois.

L'haleine brûlante de Josh sur la peau fraîche de son cou la tira de ses pensées déprimantes. Elle se concentra de nouveau sur les réactions de son corps et ses poumons qui inspiraient et expiraient l'air devenu lourd du désir qui crépitait entre eux. Josh fit descendre ses doigts jusqu'au bord en dentelle de sa culotte, et pressa son érection contre ses fesses, présence brutale et massive. Tout en glissant la main sous le sous-vêtement, il frottait son membre viril contre Serena. Pourrait-il jouir ainsi ? Peut-être devrait-elle le prendre dans sa main pour lui apporter quelque soulagement… Elle voulut rouler sur elle-même, mais il l'en empêcha, la maintenant dans sa position de ses bras forts.

—Arrête, murmura-t-il, se redressant sur un coude pour se pencher et l'embrasser. Détends-toi, laisse-moi te donner du plaisir.

Serena laissa sa tête retomber en arrière et entrouvrit les lèvres, et Josh en profita pour l'embrasser à pleine bouche en même temps qu'il la pénétrait avec l'index.

Elle gémit et remua les hanches pour se frotter contre sa paume qui appliquait une délicieuse pression contre son clitoris. Il la caressait, à l'intérieur comme à l'extérieur, entre ses jambes et dans sa bouche. La friction augmenta, créant une poussée de plaisir brûlante qui monta de son sexe à ses seins. Le corps de Serena se liquéfia, le sang dans ses veines approcha du point d'ébullition, sans que Josh faiblisse. Il continua à explorer sa bouche et son sexe, ajouta un deuxième doigt dans son vagin, étirant les parois et la remplissant tout entière.

Serena sentait qu'elle allait exploser, c'était imminent. Elle était perchée tout en haut, au bord de l'orgasme, cet endroit fabuleux où seuls Josh et elle existaient.

Il cessa d'aller et venir en elle et fit glisser ses doigts trempés le long de sa fente, la ramenant juste un cran en arrière. Elle poussa un cri de protestation, et elle le sentit sourire contre ses lèvres.

—J'adore les sons que tu émets, dit-il, accélérant le rythme de ses caresses longues et fermes, qui pourtant ne faisaient qu'effleurer l'endroit où elle avait le plus besoin de ses soins. Mais tu es si silencieuse. Fais du bruit pour moi. Quand tu vas jouir, dis mon nom. (Il passa le doigt sur son clitoris si délicatement qu'elle faillit se laisser aller, mais pas assez longtemps pour cela, et elle cria de frustration quand il lui refusa ce qu'elle appelait de tout son corps.) Dis-le. Dis-le maintenant.

—Oui… oh, oui… Josh… Josh !

Elle crut l'entendre marmonner un juron, mais elle devint aveugle et sourde quand un orgasme violent l'emporta, lui faisant décoller le bassin du sol. Il passa une jambe par-dessus la sienne pour la retenir et la plaquer contre lui, et la ramener gentiment à coup de légers tapotements à l'endroit le plus sensible.

Quand ce fut fini, elle se détendit, masse tremblante et frissonnante, mais Josh était toujours aussi dur et son pénis semblait pulser contre le postérieur de Serena. Elle se tortilla pour lui faire face et vit qu'il avait fermé les yeux, comme s'il souffrait. Elle le toucha, et il lui attrapa le poignet en sifflant.

—Non. (Sa mâchoire formait une ligne dure, et un tic agitait sa joue tant il serrait les dents.) Je ne peux pas… avoir d'orgasme comme ça.

—Oh, tu veux dire, avec la main ?

—Oui. (Il déglutit.) Juste un de ces stupides blocages sexuels.

Il lâcha une longue expiration saccadée.

—J'ai fait ça pour toi, ajouta-t-il. Pas pour moi.

Fermant les yeux, Serena posa le front contre le torse de Josh.

—Pourquoi?

—Parce que tu en avais besoin.

—J'aurais pu me donner un orgasme toute seule si je l'avais vraiment voulu.

—Pas comme celui-là, répondit-il avec une pointe de satisfaction, et elle retira son bras de sous lui pour lui flanquer un coup de poing dans l'épaule.

—Sérieusement.

—Mais je suis sérieux. (Quand elle le frappa de nouveau, il soupira.) Tu avais besoin de la connexion entre deux personnes.

Il lâcha un rire qui sonna un peu comme un grognement.

—Mon frère Shade dit que si on fait attention, si on écoute vraiment, on connaît les besoins d'une femme. J'ai toujours trouvé qu'il était vraiment arrogant.

—Shade?

—Un surnom.

Elle lui renifla le cou, s'enivrant de son odeur musquée et virile.

—Comme Wraith?

—En quelque sorte.

Elle posa une paume contre son torse et l'écarta un peu.

—Comment tu te sens?

Il prit sa main dans la sienne et la porta à ses lèvres pour lui embrasser le bout des doigts.

—Mieux, merci.

—Tu as dit que tu avais déjà été malade. Qu'est-ce que c'est? Tu es souffrant?

—Rien de grave.

Il recula un peu, et la température sembla chuter de plusieurs degrés dans le compartiment.

—Je suis inquiète.

—Pourquoi? (Josh s'adossa contre le lit, les pieds à plat sur le sol, les avant-bras posés sur ses genoux écartés; son regard aux paupières mi-closes était suspicieux.) Pourquoi le serais-tu pour un parfait étranger?

—Nous ne sommes plus vraiment des étrangers.

Il la regarda sans ciller.

—Tu sais ce que je veux dire.

—Non, vraiment pas. (Elle se tourna sur une hanche et lissa sa jupe, plus pour s'occuper les mains que pour la défroisser.) Nous ne nous connaissons pas depuis longtemps, mais nous avons traversé des moments très intenses. Plus que la majorité des gens en toute une vie. Je t'aime bien, Josh. Sans doute plus que je ne le devrais.

Il jura, ce qui la laissa confuse.

—Qu'y a-t-il de mal à ça? Tu préférerais que je te déteste?

—Non. J'ai besoin que tu m'aimes bien…

Il jura de nouveau.

—Je veux dire, merde. Juste, merde. (Il renversa la tête en arrière et regarda le plafond.) Arrête de t'inquiéter pour moi, d'accord?

—Pourquoi donc?

—Parce que c'est stupide, répondit-il d'un ton sec. Je n'ai pas besoin qu'on s'en fasse pour moi. Merde, mes frères sont suffisamment sur mon dos.

—Stupide? Merde? Ça t'ennuie que je m'inquiète pour toi? (Il ne répondit pas, et la fureur de Serena prit le dessus.) Je comprends que tu aies eu une enfance horrible, mais il y a des gens qui se soucient de toi, maintenant, et tu devrais en être reconnaissant.

—Tu ne sais rien de ma vie, et tu n'as pas envie d'en apprendre plus!

—Comment oses-tu? (Elle se leva tant bien que mal.) Comment oses-tu faire comme si ce que je ressens n'a aucune importance, comme si ce n'était rien?

Il lâcha un soupir agacé, comme si la situation l'ennuyait profondément.

—Je ne t'ai pas demandé de ressentir quoi que ce soit pour moi.

—Eh bien, excuse-moi d'être humaine. (Elle ouvrit la porte.) Je m'en vais, puisque je suis stupide et que mon inquiétude t'ennuie.

Josh jura.

—Serena, attends…!

Mais elle n'entendit pas la suite, en partie parce qu'elle avait déjà claqué la porte, mais aussi parce que son cœur battait si fort à ses oreilles que son rugissement noyait tout le reste.

Tout sauf la douleur.

CHAPITRE 11

On frappa à la porte de l'appartement de Gem à 18 heures précises. La table était mise, le filet mignon au romarin et les pommes de terre étaient au four, et le dessert, un gâteau à l'ananas fait maison, trônait sur le comptoir, luisant de glaçage et de perfection. Kynan ne verrait pas le coup venir.

Ses mains devinrent moites de nervosité alors qu'elle allait ouvrir. Elle avait mis ses vêtements les plus classiques et sexy : jupe noire au-dessus du genou ornée d'une très discrète tête de mort juste en haut de la fente arrière, un chemisier en dentelle couleur crème et des bottes à talons.

Elle allait lui faire regretter de l'avoir plaquée.

Sa résolution faillit voler en éclats quand elle le vit. Il était à tomber, comme toujours, avec son jean usé, son pull bleu et sa veste en cuir. Ses cheveux étaient ébouriffés et il sentait le savon.

Seigneur, elle aurait voulu lui sauter dessus, l'allonger sur le sol et le chevaucher deux fois avant le dîner. Résistant à la pulsion de s'humecter les lèvres, elle lui fit signe d'entrer.

— Waouh, dit-il en franchissant le seuil. Tu es très en beauté. (Il renifla l'air.) Ça sent bon.

— Filet mignon, répondit-elle en le conduisant à la cuisine. Tu veux boire quelque chose ? Une bière ? Un verre de vin ?

— Je ne bois plus.

Elle s'arrêta net devant la porte du réfrigérateur.

—Oh. D'accord.

Gem ne buvait pas non plus. Du moins pas beaucoup, et elle se dit que c'était ce qu'il pensait alors qu'il observait les tatouages qui ornaient ses poignets, ses chevilles et son cou. Les dessins magiques empêchaient la démone de montrer son vilain nez quand elle était en colère ou bouleversée, et l'alcool réduisait sa capacité à tenir la déchiqueteuse d'âme à distance et annulait le pouvoir des tatouages.

Elle se retourna lentement et prit une inspiration appréciatrice quand Kynan s'appuya d'une hanche au comptoir et croisa les jambes. Juste un instant, elle laissa son regard errer plus bas, sur son bassin étroit et ses longues jambes musclées, puis elle se reprit en secouant légèrement la tête et demanda d'un ton froid :

—Tu vas m'expliquer pourquoi tu es parti avec l'armée, ce jour-là ?

—Pas de préambule, hein ?

—Quel intérêt ?

Il soupira et regarda en l'air.

—Tu te souviens quand je t'ai dit que j'avais besoin de me retrouver ?

Elle hocha la tête.

—Juste avant que tes copains militaires entrent en force, tu m'as dit que tu retournais au sein de l'Aegis.

—C'était mon plan, mais l'armée a voulu que je revienne. Ils m'ont dit qu'ils croyaient que j'avais un rôle à jouer dans une prophétie.

—Tayla y a fait allusion, oui, ricana-t-elle. Tu sais que les prophéties sont toujours mystérieuses ? Et qu'il arrive rarement qu'elles se réalisent ?

—Oui, je sais. Mais il fallait que je découvre pourquoi ils me croyaient impliqué, et si cette histoire au sujet d'un ange déchu était vraie.

—Une histoire d'ange déchu ?

Il croisa son regard.

—Apparemment, j'en ai un perché dans mon arbre généalogique. Des générations en arrière. Sans doute remontant aux temps bibliques.

Eh bien, c'était plutôt cool.

—L'armée pense que c'est important ?

—C'est pour ça qu'ils voulaient que je rempile. Ils ne m'ont pas vraiment laissé le choix.

—Oh, je t'en prie, grogna-t-elle. Tu les aurais suivis, de toute façon. Toi et ton complexe du héros.

Gem se montrait un peu garce, pourtant il fourra les mains dans les poches de son jean et acquiesça.

—Je l'ai mérité.

—Et bien plus encore. (Au temps pour rester calme.) Comment as-tu pu me faire ça ? Je veux dire, je comprends pourquoi tu es parti, mais comment as-tu pu me dire que tu voulais de moi avant de tourner les talons et de me faire parvenir un message d'adieu par l'intermédiaire de Runa ? Tu ne pouvais pas t'en charger toi-même ? Tu parles d'un comportement de merde !

—Oui, eh bien, il t'a envoyée direct dans les bras d'un autre ! répondit-il sur le même ton.

—C'est ce que tu voulais... pourquoi ?

Soudain, il fut face à elle, les mains posées de part et d'autre de la jeune femme, la retenant prisonnière entre son corps, ses bras et le comptoir.

—J'étais dans un endroit horrible. Tu m'as terriblement manqué, et je me suis dit que si tu continuais ta vie, je pourrais me concentrer sur ce que je devais faire. Mais j'aurais dû savoir que je ne pourrais pas t'oublier. (Il souligna ses mots en frottant lentement son pénis contre le ventre de Gem.) La seule idée qu'un autre te faisait l'amour me tuait à petit feu.

— Bien. (Elle leva la tête vers lui.) Tu m'as blessée.

Il baissa sa bouche vers la sienne.

— Je suis désolé, dit-il contre ses lèvres. (Elle sentit une vague de chaleur se répandre en elle comme la foudre et se concentrer dans la région de son pelvis.) Je suis terriblement désolé.

Il l'embrassa, hésitant, et elle ne lui rendit pas son baiser. Du moins pas avant qu'il lui lèche la lèvre inférieure tout en poussant ses hanches contre celles de la jeune femme, la faisant haleter et s'ouvrir à lui. Il en profita aussitôt pour pénétrer sa bouche, les caresses humides et brûlantes de sa langue la forçant à participer.

Le feu commença à se propager dans ses veines, et elle se détendit, si bien que lorsqu'il commença à l'embrasser le long de la mâchoire, puis dans le cou, elle rejeta la tête en arrière et fondit complètement.

— Encore ? murmura-t-il contre sa peau.

Elle ne réussit qu'à lui répondre par un vague son qui voulait dire « oui ».

Gem en eut le souffle coupé quand il la souleva et se retourna pour l'asseoir sur la table, entre les assiettes et les bougeoirs.

Sans la moindre douceur, il lui releva la jupe jusqu'à la taille et déboutonna son jean. Mais il ne libéra pas son érection, focalisant toute son attention vers la culotte de la jeune femme. Le sous-vêtement se déchira quand il se prit dans l'une de ses bottes, mais Gem n'y prêta pas attention. Kynan avait cet effet sur elle, il lui faisait tout oublier, excepté ce qu'elle ressentait quand il la touchait.

Ayant besoin de son contact, elle l'agrippa par les épaules, mais il lui saisit les poignets d'une seule main et lui ramena les bras au-dessus de la tête. Il passa son autre bras autour de sa taille pour la renverser en arrière, faisant courir sa langue de sa gorge à son décolleté qui bâillait sur ses seins depuis qu'il l'avait à moitié allongée.

Il la regarda, la faim qui le dévorait et la lumière des bougies faisant briller ses yeux.

—Je vais te prendre ici, sur cette table, Gem. Tu crois pouvoir le supporter ?

—Oui, gémit-elle, resserrant les cuisses autour des hanches de Kynan pour presser son sexe contre sa queue, qu'il avait enfin libérée de sa prison de toile.

Elle pouvait tout supporter de sa part. Elle ferait l'amour avec lui n'importe où et n'importe quand, de toutes les manières qu'il voudrait.

Plus tard, elle se reprocherait sa faiblesse, mais pour le moment, elle voulait juste profiter de sa présence. Il lui caressait les bras, faisant glisser ses doigts à l'intérieur, si sensible, jusqu'à sa cage thoracique. Elle éprouva de délicieux picotements, qui s'intensifièrent quand il déboutonna son chemisier pour exposer sa poitrine à ses yeux et à ses mains ; elle ne portait pas de soutien-gorge.

Gem se mordit la lèvre pour ne pas crier quand il décrivit des cercles lents autour de ses tétons avec les pouces puis baissa la tête pour titiller leurs pointes dures avec la langue.

—Tu aimes ça, gronda-t-il. Dis-le. Dis-moi ce que tu veux.

—Mords-les, souffla-t-elle. Et entre en moi. J'ai besoin de te sentir.

Le corps de Kynan fut parcouru par un tremblement, comme s'il était soulagé qu'elle lui donne le feu vert. Une douleur vive la transperça quand il referma ses dents sur un bout de sein, pas trop fort, mais en appliquant assez de pression pour accentuer son plaisir quand il la pénétra, son érection distendant les parois de son vagin.

Elle l'enserra plus fort avec les jambes et arqua le bassin, le prenant aussi profondément qu'il pouvait aller. Pendant un instant, il se tint immobile, utilisant uniquement sa langue, ses dents et ses mains pour créer les sensations les plus exquises dans sa poitrine. Mais trop vite, et en même temps pas assez, il se redressa pour l'attraper par les hanches et la ramener tout contre lui. Les jambes de Gem pendaient de la table et seule une petite partie de ses fesses était encore perchée dessus.

Cette position vulnérable lui coupa le souffle. Elle avait la jupe remontée autour de la taille, les seins à l'air et les bras toujours au-dessus de la tête parce qu'elle n'osait pas les bouger. Pas alors qu'il la regardait avec cette expression impérieuse.

La chaleur des bougies lui embrasait la peau, tels de petits éclairs. Elle aurait tant aimé sentir la langue de Kynan la lécher ainsi, tourner autour de son nombril percé, tracer la rose à longue tige qui était tatouée sur sa cuisse, caresser entre ses jambes.

Mais elle ne pensait pas pouvoir lui demander cela. Peut-être était-elle pleine d'assurance quand il s'agissait de son boulot, mais son inexpérience en matière de sexe la rendait timide dans une chambre à coucher.

Fermant les yeux, elle ondula des hanches et sourit quand il siffla entre ses dents.

— Tu veux déjà jouir ? (Kynan écarta les lèvres de Gem du pouce et trouva son clitoris enflé, ce qui la fit crier.) Tu ne peux pas attendre, hein ?

Il donna un coup de reins, puis un autre, l'amenant au bord de l'extase.

— Seigneur, oui, haleta-t-elle.

— Je veux te donner des heures de plaisir. Chaque jour.

Sa voix était rauque et sexy, et elle se demanda quelle sensation cela lui ferait s'il parlait contre son sexe.

—Oh, oui… Kynan… maintenant.

Comme si un barrage venait de céder, il commença à aller et venir en elle, la faisant glisser d'avant en arrière sur la table. La friction lui brûlait le dos, de la cire lui giclait sur le ventre et les seins, et la passion allumait un brasier entre ses cuisses.

Le rythme de Kynan devint furieux, et les bruits humides de leurs corps en action déclenchèrent la plus primitive de toutes les réponses, chez l'homme comme chez la démone. Gem jouit si fort qu'elle renversa une bougie, s'éclaboussant les côtes de paraffine brûlante en même temps que Kynan déversait son sperme en elle.

Alors, elle se rendit compte qu'il n'avait pas mis de préservatif.

Dieu merci, elle prenait la pilule ! Elle n'était pas inquiète au sujet d'une éventuelle maladie. Elle craignait bien plus de tomber enceinte par accident. Un enfant qui naîtrait d'elle et d'un humain serait trois quarts humain, un quart démon, et pour beaucoup, une abomination.

Même si elle pouvait à peine respirer, elle réussit à se redresser sur les coudes. Kynan était toujours en elle. Il se tenait entre ses jambes, la tête basse, le torse montant et descendant au rythme de son souffle rapide. Son pull était remonté, révélant un holster. Il était armé, prêt au combat.

—Merde, dit-il. J'ai oublié de mettre une capote.

—Je prends la pilule.

—Je suis désolé. Je n'ai pas pu attendre. L'idée que ce… type… puisse te toucher…

—Quel type ?

—La nuit dernière, je t'ai vue avec quelqu'un dans le parking de l'hôpital.

Elle fut aussitôt envahie par l'amertume venant doucher sa béatitude post-orgasmique.

— Lore ? Alors, c'est pour ça ? Tu étais jaloux ?

À la lumière vacillante des bougies qui restaient, elle vit son expression s'assombrir.

— À quoi tu pensais ? Ce type est un démon !

— Ça ne te regarde pas ! (Elle le poussa assez violemment pour qu'il recule d'un pas, et elle faillit crier quand il glissa hors de son vagin, tant elle se sentit vide.) Tu as perdu le droit d'être jaloux quand tu m'as larguée !

— Ce n'est pas ce qui s'est passé !

Sa voix était dure, et il serrait les mâchoires, alors qu'il se rhabillait. Si vite qu'en quelques secondes elle aurait pu croire qu'elle avait rêvé, qu'ils n'avaient jamais fait l'amour comme des bêtes.

Sauf qu'elle était toujours exposée, à moitié nue. Avec maladresse, elle tira sur sa jupe pour la baisser et referma son chemisier pour cacher ses seins.

— Non ? C'est comme ça que je l'ai ressenti. Et ça ? (Elle les désigna tous deux d'un geste.) Ce n'était pas faire l'amour. Tu m'as baisée par pure jalousie. Il y a un an, ça m'aurait suffi, mais plus maintenant. Alors, va-t'en.

— Gem…

— Dehors !

Il la regarda en plissant les yeux, son corps tendu trahissant sa frustration. Pendant une seconde, elle crut qu'il allait protester, puis il se dirigea vers la porte et l'ouvrit. Elle n'aurait jamais cru qu'il pourrait lui faire encore plus mal que quand il lui avait fait ses adieux par l'intermédiaire de Runa. Mais alors qu'il refermait derrière lui, elle se rendit compte qu'elle avait eu tort.

Tellement tort.

Ça aurait pu mieux se passer, pensa Kynan en longeant le couloir à l'extérieur de l'appartement de Gem.

Il se passa la main sur le visage et essaya de se convaincre qu'il n'était pas le pire salaud au monde.

Menteur.

Il était venu dans l'intention de lui parler, la séduire et se montrer romantique… et il l'avait traitée comme une poupée gonflable. Il la voulait, il était jaloux, et il avait agi avec égoïsme et impulsivité.

Il pivota et regarda sa porte ; il était tenté d'y retourner pour s'expliquer. Et s'excuser. Mais elle était vraiment furieuse, et il doutait qu'elle lui en laisse l'occasion.

Quel enfoiré il était !

« Enfoiré » est encore trop faible, enfoiré.

Jurant entre ses dents, il se dirigea vers l'ascenseur. Il vivait chez Eidolon et Tayla. Il aurait préféré prendre une chambre d'hôtel, mais Tay avait insisté. Et il admettait qu'étant tous sous le même toit, cela leur permettait de comparer leurs notes et de discuter de ce qui se passait sur Terre et à Sheoul.

Il se demanda si Gem savait qu'il était l'invité de sa sœur.

Lui et son « complexe du héros ».

D'accord, c'était une critique méritée. Mais son but n'était pas de recevoir des accolades, de se glorifier d'avoir descendu un chaton coincé dans un arbre ou d'être parachuté en zone ennemie pour sauver des soldats blessés. Il se fichait de la reconnaissance. Il avait seulement besoin d'agir. De faire une différence.

Bien sûr, il aurait pu se contenter d'être ambulancier ou policier. Ou réintégrer l'armée et remettre sur pied des combattants. Mais tout au fond de lui, il avait toujours voulu travailler à plus grande échelle. Autrement dit, pas de sauver quelques hommes, mais toute la race humaine.

Ce qui devait être une putain de plaisanterie, parce qu'il n'arrivait déjà pas à se sauver lui-même, alors encore moins l'humanité.

Il gagna l'ascenseur, appuya sur le bouton et une seconde plus tard, les portes s'ouvrirent. Le connard avec qui il avait vu Gem la veille sortit de la cabine.

Une rage possessive faillit étouffer Kynan, et il bloqua la route à l'autre homme.

— Lore, c'est ça ?

Le mâle plissa ses yeux sombres.

— Qui êtes-vous ?

Je suis celui qui va t'arracher la tête, démon !

Kynan tendit aussitôt la main vers la dague qu'il gardait dans la poche de sa veste, mais s'immobilisa quand il entendit de nouveau la voix de Gem lui dire : « *Tu as perdu le droit d'être jaloux quand tu m'as larguée. Ce n'était pas faire l'amour. Tu m'as baisée par pure jalousie.* »

Tuer son amant ne lui prouverait-il pas qu'elle avait raison ?

Même si son instinct lui criait de tuer le démon debout en face de lui, il lâcha le manche de son arme.

— Qui je suis ? répéta-t-il d'un ton calme. Je suis ton rival.

Des gyrophares annoncèrent l'arrivée de la seule ambulance encore opérationnelle de l'Underworld General. Le moteur de l'autre avait rendu l'âme le matin même. Parfait. Pour couronner le tout, Eidolon était tombé malade. Il s'agissait sans doute d'une grippe ne frappant que les démons seminus. Parce que Shade l'avait attrapée aussi.

Les muscles perclus de douleur, Eidolon enfila une blouse en papier et des gants en latex en tressaillant, tandis que Shade et Luc amenaient un brancard où était allongée une suresh enceinte jusqu'aux yeux. Ils poussèrent ses près de cent kilos dans la première salle d'examen. La femelle gémit et secoua la tête, ses dreadlocks noires cinglant les équipements, qui faillirent se renverser.

— Le travail n'a pas progressé depuis que nous l'avons ramassée, dit Shade. Je peux accélérer le rythme des contractions, mais il y a une sorte de blocage.

— Bipe Shakvhan.

En temps normal, Eidolon n'aurait pas eu besoin d'un docteur femelle pour faire l'accouchement, mais les sureshi n'aimaient pas les mâles et répondaient mieux à leur propre sexe. Comment elles tombaient enceintes restait un mystère pour lui.

— Je vais nettoyer l'ambulance, annonça Luc, en sortant de la pièce.

Le warg était un grand infirmier de terrain, mais une fois qu'il avait amené le patient, il ne voulait plus en entendre parler.

La suresh leva la tête et hurla, et du sang jaillit entre ses cuisses musclées. Shade lui prit la main et son *dermoire* se mit à luire tandis qu'il canalisait son pouvoir en elle.

— Le bébé arrive, dit-il.

— Mal, gémit la femelle entre ses dents serrées.

— Je suppose que nous ne pouvons pas attendre Shakvhan.

Eidolon allait tenter sa chance et espérer que la suresh ne lui arracherait pas le bras.

Il s'empressa d'installer le champ stérile. Shade lui prêta main-forte, apportant des serviettes pendant que la femelle poussait, ses contractions se succédant rapidement.

— Nous y voilà, souffla Eidolon quand la tête du nouveau-né apparut.

Elle était grosse, bien plus qu'elle n'aurait dû l'être, et plus lisse.

— Shade, contracte l'utérus.

Shade posa ses mains sur le ventre distendu de la patiente et ferma les yeux. La suresh cria et poussa.

La tête de l'enfant émergea. Eidolon jura tout bas. Ce n'était pas un bébé sureshi, et il vécut un instant de joie mêlée de terreur quand un doute lui effleura l'esprit.

— Tu te comportes bien, femelle, l'encouragea-t-il. Shade, encore une fois.

Une autre contraction la traversa, et le bébé glissa hors de son corps, couvert de sang et de fluide. Le *dermoire* sur son bras droit confirma les soupçons d'Eidolon. C'était un démon seminus. La mère n'allait pas être contente.

— Shade, je veux que tu emportes le petit.

Un éclair de surprise illumina le regard sombre de son frère. C'était le second seminus à venir au monde à l'UG. Le premier, il y avait plus de dix ans, possédait les marques de l'un des membres du Conseil des seminus. La mère avait désiré le garder. Eidolon avait le sentiment que ce ne serait pas le cas de la suresh. Du moins ne voudrait-elle pas l'élever. Le manger, peut-être. Le tuer, sans aucun doute.

— Où est-il ?

La femelle se tortilla sur la table, essayant de voir ce qu'elle avait mis au monde.

Shade enveloppa le bébé vagissant dans une couverture et le lui montra.

— Quoi ? rugit-elle. C'est ça qui a poussé dans mon ventre ? Un parasite ?

Elle gronda et frappa, mais Shade mit le petit hors de sa portée. Les sorts de protection écrits sur les murs luisirent violemment, et elle glapit quand ils s'activèrent. Elle se tint la tête à deux mains et haleta, mais elle ne cessa pas un instant de regarder le bébé avec fureur.

— Donnez-le-moi. Je vais l'emmener dehors et l'écrabouiller.

Un grondement sourd monta du fond de la gorge de Shade.

— Nous disposerons de l'enfant.

Il sortit avant que la femelle puisse protester, et elle jura en une dizaine de langues différentes pendant qu'Eidolon finissait les soins.

Puis il rejoignit Shade dans la nurserie. Son frère ne leva pas les yeux quand il entra.

— Félicitations, frangin. Te voilà de nouveau tonton.

— Comment ça ?

Shade attacha la couche comme un pro et se tourna vers lui, gardant une main sur le ventre de l'enfant en un geste protecteur. Il était doué pour prendre soin des petits de n'importe quelle espèce, ayant eu beaucoup d'entraînement avec ses sœurs. Mais depuis qu'il était devenu parent, il avait développé un instinct paternel très fort.

— C'est le fils de Wraith, répondit-il.

Eidolon faillit trébucher alors qu'il s'avançait vers la table à langer.

— Intéressant.

Eidolon fit courir ses doigts sur le *dermoire* du nouveau-né, s'arrêtant sur la dernière marque, à la base du cou : un sablier, qui identifiait Wraith comme le père.

— J'ai déjà appelé Runa. Nous l'élèverons comme l'un des nôtres.

— J'espère que tu comptes en parler à Wraith. Parce que en dépit de tous ses défauts, il sait compter, et il finira par s'apercevoir que tu as quatre enfants au lieu de trois.

Shade enveloppa le bébé gigotant dans une couverture.

— Bien sûr. Il doit savoir. Et c'est aussi lui qui devrait choisir le prénom.

Eidolon secoua la tête.

—C'est tellement étrange.

Shade prit le petit dans ses bras avec beaucoup de précaution.

—Ça ne finira jamais, hein? (Son regard croisa celui d'Eidolon.) Nous n'arrêterons jamais de ramasser les pots cassés derrière Wraith?

—Il fait seulement ce que tous ceux de notre espèce font après la *s'genesis*.

—Je ne parle pas de repeupler le monde avec des petits seminus.

—Je sais.

Wraith avait toujours été un fauteur de troubles, et une fois il avait même failli déclencher une guerre entre seminus et vampires. Il avait toujours été une source d'ennuis.

—Et ce sera encore pire quand il aura cette protection, poursuivit Eidolon.

Shade regarda le nouveau-né.

—Parfois, il m'arrive de penser que la seule chose qui fasse avancer Wraith, c'est l'idée que quelqu'un ou quelque chose pourrait le tuer. S'il réussit à sauver sa vie en prenant la bénédiction de cette fille, il n'aura même plus ça. Je refuse de le voir perdre la tête, comme notre père. Et comme Roag.

—Et comme j'ai failli le faire, ajouta Eidolon à mi-voix.

Sans Tayla, il serait devenu un monstre que ses frères auraient été obligés d'éliminer.

—Nous ne pouvons pas perdre espoir. (Shade roucoula à l'intention du bébé, puis releva la tête.) Wraith est plein de surprises.

—Oui, mais en général, celles-ci ne sont pas bonnes. (Eidolon se frotta l'arête du nez, sa migraine persistante venant encore de s'intensifier.) Dis-moi, tu te sens mieux?

— Si seulement, répondit Shade. Ce matin, j'ai eu de telles crampes aux intestins que j'ai bien cru entendre ma colonne craquer.

— Runa et les enfants vont bien ?

— Ils se portent comme des charmes. En fait, à part toi et moi, je n'ai vu personne de malade. Un truc spécifique à notre espèce ?

— Peut-être.

Mais quelque chose ne collait pas, car ils n'avaient pas été en contact avec d'autres seminus. L'état de Wraith empirait, mais c'était à cause du poison…

— Oh… oh, merde.

— Quoi ?

— Je dois vérifier une hypothèse. Je te contacte quand j'ai la réponse.

— E…

Eidolon fit comme s'il n'avait pas entendu son frère et sortit en courant pour gagner son bureau. Il avait un mauvais pressentiment : ce n'était pas un virus. C'était plutôt un cancer.

CHAPITRE 12

Wraith passa une mauvaise nuit après que Serena eut quitté son compartiment. Il avait été excité au point d'en avoir mal, et cela avait nécessité qu'il se fasse une injection de la drogue antilibido fournie par Eidolon, mais cela n'avait été qu'un facteur minime de son agitation.

Il n'avait pas réussi à oublier Serena. Sa voix, son odeur, les sons qu'elle émettait quand elle jouissait. Dieux, la sensation de son miel intime sur ses doigts… il avait eu envie de la goûter et de s'enfouir ensuite en elle, si profond qu'elle aurait pu le sentir pendant des semaines.

Sauf qu'elle n'aurait sans doute pas autant de temps à vivre, pour penser à lui et regretter de lui avoir fait un tel cadeau…

Il avait envisagé de lui présenter des excuses, mais finalement avait décidé de la laisser respirer. D'autant qu'il se demandait pourquoi il n'avait pas encore pris sa virginité, alors qu'il en avait eu plusieurs fois l'occasion. Qu'attendait-il, au juste ? Il se disait qu'il jouait avec sa proie, comme il en avait l'habitude, mais était-ce bien le cas ? Ou bien remettait-il le grand finale à plus tard, parce que pour la première fois de sa vie, il aimait la compagnie d'une femelle, sans qu'il s'agisse de sexe ?

Il était resté éveillé durant des heures à tourner et retourner ces questions dans sa tête, et quand il s'était enfin endormi, il avait été de nouveau la proie de cauchemars.

Il était de retour dans la cave sombre, ce cachot où il avait passé son enfance, enfermé dans une cage, avec rien d'autre qu'une couverture en laine qui le grattait pour dormir sur le sol de terre battue et un seau pour ses besoins.

Il secoua la tête pour chasser ses souvenirs alors qu'il quittait le wagon-restaurant pour gagner le compartiment de Serena. Elle n'était pas venue prendre son petit déjeuner, et il craignait qu'échaudée par les événements de la veille elle ait décidé de descendre à Louxor ou au Caire, les deux seuls arrêts avant Assouan. Si c'était le cas, il était baisé.

Merde.

Il accéléra le pas et finit par courir jusqu'à la chambre de la jeune femme. Il frappa à la porte. Et il attendit. Ses poumons le brûlaient, et il se rendit compte qu'il retenait son souffle.

Elle ne répondit pas. Il frappa de nouveau, et il était sur le point d'enfoncer le battant quand elle l'ouvrit. Elle portait un pantalon cargo kaki et une chemise vert olive à manches longues, mais elle était pieds nus et ses cheveux dorés étaient emmêlés. Il eut la nette impression qu'il l'avait réveillée.

—Salut, dit-elle. J'ai dû me rendormir juste après m'être habillée. Tu as déjà déjeuné ?

Il hocha la tête et lui tendit la boîte qu'il portait.

—Je me suis dit que tu devais faire la grasse matinée, alors je t'ai pris quelque chose.

—Il ne fallait pas, répondit-elle, tout en lui arrachant le carton. Mais merci. Tu te sens mieux ? Comment va ton estomac ?

—Bien.

Il restait debout comme un idiot, se sentant maladroit et stupide, et elle ne lui facilitait pas la tâche en le regardant comme si elle attendait quelque chose. Des excuses, peut-être.

Merde. Il n'était pas doué pour cela. Il se frotta la nuque, ce qui décupla sa nervosité.

— Euh… je peux entrer ?

Elle s'effaça pour lui laisser assez d'espace dans le compartiment exigu.

— Fais comme chez toi.

Il entra.

— Je te dois des excuses, balbutia-t-il.

Bon sang, cela lui coûtait.

— Je crois aussi.

Bon, et ensuite ? Il fourra la main dans sa poche et tripota son couteau à cran d'arrêt, ce qui le réconfortait toujours.

— Alors… je suis désolé.

— Eh bien, tu es nul pour les excuses.

— Qu'est-ce que tu veux que je fasse ? Que je tombe à tes pieds en te suppliant de me pardonner ?

Il ferma la bouche d'un coup sec, parce que ce n'était pas ainsi qu'il allait marquer des points.

Il semblait toujours perdre bien plus de terrain qu'il ne réussissait à en gagner, et il devait redresser la barre très vite. Il avait appelé Eidolon en se levant, et son frère avait eu une drôle de voix tandis qu'il lui décrivait toutes les tuiles qui leur étaient tombées dessus. Apparemment, l'aile trois de l'hôpital s'était écroulée. Six membres du personnel étaient morts, et ils avaient dû recourir à la magie pour éviter que la rue de New York située au-dessus s'enfonce.

Fais-lui de la lèche. C'est tout.

— Serena, je suis désolé. Sincèrement. Comme tu l'as dit, je ne suis pas doué pour les excuses. C'est évident.

— Ça va, soupira-t-elle. Ce n'était pas entièrement ta faute. J'ai mal réagi à un truc qui n'aurait pas dû me mettre dans un état pareil.

—Non. (Il la débarrassa de la boîte et la jeta sur le lit pour lui prendre le visage entre les mains.) C'est moi. Je n'ai pas l'habitude qu'on s'inquiète pour moi. Enfin, à part mes frères.

Hé, ce n'était pas si difficile. Sans doute parce que c'était la vérité. C'était une expérience inédite pour lui, de dire la vérité.

—Et c'est mal que tes frères s'inquiètent pour toi?

—Oui, parce qu'ils semblent croire que j'ai besoin d'une baby-sitter.

Elle recouvrit l'une de ses mains d'une des siennes et lui caressa les doigts du pouce.

—Alors, ils sont juste un peu trop protecteurs ou bien tu as fait quelque chose pour mériter leur attitude?

Il cligna des yeux, surpris par sa question directe.

—Tu dis ce que tu penses, hein?

—J'ai découvert que tourner autour du pot prend plus de temps pour arriver à ses fins.

Bon sang, cette fille lui plaisait vraiment. Oui, il l'aimait beaucoup.

—Chérie, tu parles la même langue que moi.

—Alors… tes frères?

—Un peu des deux, répondit-il, continuant à être honnête. Eidolon est médecin, alors il s'inquiète, c'est dans sa nature. Et Shade a toujours été du genre protecteur, mais c'est encore pire depuis qu'il est papa.

—Et toi? Qu'est-ce que tu as fait pour mériter qu'ils s'inquiètent?

—Il n'y aurait pas assez d'heures en une journée pour te faire la liste, admit-il. Disons seulement que j'ai été un vilain garçon.

Une étincelle s'alluma dans le regard de Serena. Apparemment, cela l'excitait d'imaginer Wraith en train de faire des bêtises… et pourquoi pas avec elle?

— Les filles aiment ça, tu sais.

— Quoi ?

Elle passa un doigt dans le col du tee-shirt de Wraith et tira dessus, taquine.

— Les mauvais garçons.

— Ah, oui ? (Sa voix était basse et voilée, et il aimait cela.) Et toi, alors ? Tu en penses quoi ?

— Ils ont un certain charme, souffla-t-elle.

— Bien. (Il se pencha pour lui mordiller le lobe. L'odeur du désir de Serena embaumait l'air, et il la respira à fond.) Parce qu'on ne fait pas plus mauvais que moi.

— Je ne sais pas… (Son ton était rauque et séducteur, et d'autant plus efficace qu'elle faisait remonter son pied nu le long du mollet de Wraith.) Des mots, rien que des mots… et pas la moindre action.

— Tu sais ce qui arrive quand on donne un coup de pied dans un nid de frelons, hein ?

Il l'embrassa dans le cou et savoura son léger gémissement.

— Heureusement que je ne suis pas allergique aux piqûres d'abeilles.

Il ouvrit la bouche au-dessus de sa jugulaire et laissa ses canines de vampire lui effleurer la peau.

— Ma piqûre est bien plus dangereuse.

Elle se laissa aller contre lui, et il aurait été ravi de mener cette scène à son terme, mais le train arriverait à Assouan dans quelques minutes.

— Je vais récupérer mon sac, et pendant ce temps, tu manges tout ce qu'il y a dans cette boîte. Je veux que tout ait disparu à mon retour.

Elle s'écarta de lui et mit les poings sur les hanches pour lui signifier son agacement, geste qui aurait eu plus d'impact si elle ne s'était pas cogné le coude contre le mur.

— Qu'est-ce que tu peux être autoritaire !

Il haussa les épaules.

—Ça fait partie de mon charme. Allez, mange. Je ne voudrais pas que tu t'évanouisses avant d'arriver à l'hôtel.

—Ça ne risque pas…

Il la fit taire d'un baiser.

—Ne t'inquiète pas, je serai là pour te rattraper.

Dieux, il rirait de ses frères si l'un d'eux osait sortir ce genre d'ineptie à sa compagne, ces crétins à la botte de leurs femelles. Alors, il s'efforça de se convaincre que cela faisait partie de son plan. Tout cela, c'était uniquement dans le but de prendre la virginité de Serena et la bénédiction dont elle bénéficiait.

Sauf que c'était tout sauf la vérité, parce que Serena devenait peu à peu bien plus qu'une mission.

« On ne fait pas plus mauvais que moi. »

Les paroles de Josh résonnèrent dans l'esprit de Serena alors qu'ils marchaient jusqu'à l'hôtel. Oh, il avait tout du mauvais garçon, sans oublier aucun cliché, mais elle sentait une certaine vulnérabilité sous son physique avantageux et dur. Comme lorsqu'il lui avait parlé de son enfance. Ses confidences lui avaient fait l'effet d'un coup en plein cœur.

Sa mère l'avait gardé enfermé dans une cage. Et sa famille avait tué son père ? Comment avait-il pu se sortir de cette situation ? Et qu'était-il advenu de sa mère ?

Serena espérait qu'elle moisissait en prison. Josh avait vécu un enfer, mais le fait qu'il avait survécu, tout en gardant un certain sens de l'humour, en disait long sur sa force.

Il marchait à ses côtés, ouvrant un passage dans la foule par sa seule présence. La brise fraîche en provenance du Nil lui ébouriffait les cheveux, et il y passait parfois les doigts pour les coincer derrière ses oreilles, révélant le profil anguleux qu'elle ne se lassait pas d'admirer.

Elle était vraiment pathétique.

Il ralentit pour caresser un chat qui traînait devant une boucherie. Le matou famélique lorgna Serena avec méfiance, mais il se frotta à Josh comme s'ils étaient de vieux amis.

Elle secoua la tête, étonnée qu'un homme si fort, si puissant, puisse être si doux avec un petit animal. D'un autre côté, il lui avait prouvé, la veille, qu'il pouvait avoir la main légère tout en ne perdant rien de son doigté, et elle s'empourpra à ce souvenir.

—Je n'aurais pas cru que tu aimais les animaux, dit-elle, quand le chat courut manger quelques restes jetés dans un bol près de la porte du magasin.

Il haussa les épaules.

—Pour une raison que j'ignore, ils m'aiment bien. La… femme de mon frère… a un furet, et dès que je suis chez eux, il ne me quitte pas d'une semelle. Elle dit qu'il n'est qu'un traître.

—Ton frère?

—Non, le furet.

—Il semble avoir très bon goût. (Quand il rougit, elle ne put s'empêcher de sourire.) Ma mère disait qu'un homme qui déteste les chats ne vaut pas la peine qu'on s'intéresse à lui, mais que celui qui les aime mérite qu'on le garde. Parce que s'il sait apprécier un chat, il saura également apprécier une femme forte et indépendante.

Il ricana.

—Chérie, j'apprécie tous les styles de femmes.

—Mais celles qui sont fortes et indépendantes sont les meilleures, non?

Devant son ton taquin, qui n'en cherchait pas moins les compliments, il rit.

—Je commence à voir les avantages. (Il ajusta son sac sur son épaule.) Alors, où allons-nous ?

Serena se rapprocha de lui pour éviter d'être renversée par un homme à bicyclette, qui avait dû donner un coup de guidon après qu'un véhicule lui avait coupé la route. Elle adorait l'Égypte, mais personne dans ce pays ne savait conduire.

—Philae, répondit-elle. Le temple d'Hathor. J'espère y découvrir une tablette de pierre cachée dans l'une des colonnes, et qui fonctionne conjointement avec la pièce que j'ai trouvée à Alexandrie.

Il s'arrêta, la forçant à l'imiter.

—Qu'est-ce que tu comptes faire avec ces artefacts ?

—Pourquoi tu me demandes ça ?

—Par curiosité.

—Quand je suis curieuse, je ne broie pas la main que je tiens.

Josh jura et relâcha sa prise.

—Je t'ai fait mal ?

—Je ne suis pas en sucre. Mais pourquoi ça t'intéresse ?

—Il ne faut pas jouer avec l'ancienne magie.

Elle leva les yeux au ciel.

—Je n'ai pas l'intention de faire un rituel. Les objets sont pour Val. Tu sais qu'il se passe quelque chose. Et c'est forcément mauvais, sinon pourquoi aurais-je des démons à mes trousses ?

En parlant de cela, elle avait besoin d'une connexion Internet aussi vite que possible. Elle devait essayer de découvrir ce qui avait pu affecter sa bénédiction, et le site des Aegis de Val semblait être l'endroit tout désigné pour commencer ses recherches.

Josh se frotta la nuque, et ce simple geste fit rouler ses muscles sous sa peau bronzée.

— Je suppose. Alors, on y va ou pas ?

Elle jeta un coup d'œil à sa montre.

— Nous devrions d'abord nous enregistrer à l'hôtel.

— Oui, mais voilà ce que je pense. (Il fit un pas vers elle, si vivement qu'elle recula d'autant, mais il la suivit.) Quelque chose est après toi. Je peux te protéger. Nous ne prendrons qu'une seule chambre.

— Je suis capable de me défendre.

Contre n'importe quoi, sauf Byzamoth. Et peut-être d'autres comme lui. Et Josh.

— Je peux te protéger infiniment mieux. Il y a des tas de choses que je fasse mieux.

Et au ton séducteur de sa voix, elle sut qu'il pensait à l'orgasme qu'il lui avait donné.

— Tu as besoin de moi.

Quelque part tout au fond d'elle-même, une petite voix voulut protester, mais il avait raison. Et il la regardait avec une telle intensité qu'il faisait fondre tout ce qui faisait d'elle une femme.

— Nous prendrons une suite, et tu dormiras sur le canapé, réussit-elle à rétorquer, même si elle savait déjà qu'il finirait dans son lit.

Son sourire suffisant lui apprit qu'il n'était pas dupe. Mais il eut la sagesse de ne faire aucun commentaire. Au lieu de cela, il baissa la tête. Elle crut qu'il allait l'embrasser, mais il n'en fit rien. Pas sur la bouche du moins. Non, il lui prit le menton pour lui incliner la tête et posa sa bouche ouverte sur sa jugulaire. À l'endroit exact où il l'avait mordue dans son rêve.

Elle tituba, ses jambes refusant presque de la porter. Josh lui mordilla la peau, et pendant un instant de folie elle crut qu'il allait vraiment la mordre, comme un fantasme devenant réalité. Elle gémit et s'agrippa à sa chemise, le retenant, l'encourageant, souhaitant qu'ils soient dans un endroit privé, parce qu'un besoin pressant venait de naître entre ses cuisses. Elle s'était juré que cela n'arriverait qu'une fois ? Tant pis.

Elle allait faire certains de ces autres trucs cette nuit même.

CHAPITRE 13

I l y avait une Porte des Tourments sur Philae. Wraith le savait parce qu'il pouvait la sentir. Et parce qu'il l'avait empruntée vingt ans plus tôt quand il était venu y chercher une statue d'Isis.

Le fait que l'île en possède une était mauvais signe, après ce qui était déjà arrivé à Serena, et d'autant plus qu'elle avait été utilisée récemment.

Quelque chose clochait terriblement. Ce qui en était sorti était toujours là. En fait, Wraith percevait plusieurs présences démoniaques. Il n'était pas inhabituel de trouver des démons à Philae. Après tout, c'était l'un des hauts lieux des rituels sataniques. Mais pas pendant la journée, et certainement pas en si grand nombre.

Serena et lui étaient arrivés par bateau après s'être enregistrés à l'hôtel. D'abord, il avait été agacé qu'elle insiste pour qu'ils prennent une suite, mais la chambre supplémentaire lui donnait l'espace nécessaire pour se sentir à l'aise, et tout ce qui pouvait la mettre dans cet état d'esprit travaillait en faveur de Wraith.

Il avait pris ses médicaments pendant qu'elle se douchait, afin de se débarrasser de la nausée qui l'avait pris dans le hall de l'hôtel. Il n'avait pas envie d'être de nouveau malade.

Il n'avait envie de rien de tout cela. Il était resté éveillé une grande partie de la nuit à se demander pourquoi il n'avait pas encore pris sa virginité, et au matin, une pensée horrible lui était venue : agissait-il ainsi pour essayer de mieux la connaître ? Espérait-il qu'elle finisse par l'apprécier, par l'aimer même, et qu'elle veuille le lui prouver en faisant l'amour avec lui ?

Il faillit rire tout haut. Qui pouvait bien aimer au point de donner sa vie pour une nuit de baise ?

Personne. Alors, il ferait bien d'abandonner tout de suite. Il pouvait rester avec elle et la protéger jusqu'à ce qu'elle rentre chez elle, puis il partirait en pleine gloire, en tuant des vampires ou quelque chose comme cela.

Il avait déjà eu des plans plus foireux.

Alors, c'était décidé… il allait mourir, et Serena vivrait.

Il attendit d'être pris de panique, ou du moins d'avoir des palpitations, mais en vain. En fait, il se sentit plus léger. Était-ce ce que l'on ressentait quand on faisait une chose altruiste ?

C'était une drôle de sensation. Inconfortable, mais pas horrible. Comme du mauvais alcool qui n'en descendait pas moins bien.

Wraith regarda Serena debout au soleil, son profil délicat contrastant avec le paysage aride. Elle n'était pas maquillée, mais sa peau bronzée irradiait de vitalité, et les courbes toniques de son corps en disaient long sur sa force et son endurance.

Dieux, elle était magnifique.

Et il n'était qu'un imbécile de passer son temps à l'admirer alors qu'il aurait dû la protéger. Il se força à entrer en mode combattant, à rester en alerte alors que Serena se promenait dans les ruines, totalement inconsciente du danger autour d'eux. Quand une brindille craqua sous sa botte, il pivota d'un bloc, les poings serrés, prêt à se battre.

—Seigneur, tu es à cran, dit Serena. (Elle montra la multitude de visiteurs présents sur l'île.) Tu as peur qu'on nous attaque ?

Il regarda en direction de la Porte des Tourments.

—Ce n'est pas ça. C'est autre chose. De mauvaises ondes. Nous devrions peut-être revenir plus tard.

—Ça a un rapport avec Byzamoth ?

La façon dont elle prononça son nom, avec une légère hésitation dans la voix, surprit Wraith. Jusque-là, elle s'était toujours montrée si désinvolte chaque fois qu'ils avaient rencontré des démons.

—Peut-être.

Elle sembla réfléchir à sa suggestion, mais elle finit par secouer la tête.

—Tout ira bien. C'est trop important. Ça ne peut pas attendre.

Elle partit vers le temple d'Hathor, et il n'eut d'autre choix que de lui emboîter le pas. Il garda les yeux grands ouverts, sondant les alentours, cherchant des détails suspects. Il avait la chair de poule, signe qu'on les observait. Quelque chose rongeait son frein.

Ils marchèrent à travers le terrain poussiéreux et brûlant jusqu'au temple qui se dressait sur l'île, vestige du glorieux édifice qu'il était autrefois. La petite cour était déserte, mais il fallait avouer qu'elle ne présentait aucun attrait, n'étant qu'un tas de vieilles pierres.

Serena s'arrêta au mur d'enceinte. La brise, un peu plus fraîche grâce à la proximité de la mer, lui rabattit les cheveux sur le visage, mais elle ne sembla pas s'en apercevoir. Elle s'était figée, telle une statue, et ses yeux brillaient comme de l'ambre au soleil.

—Tu sens le poids du passé ? demanda-t-elle, écartant enfin les mèches de ses joues. J'adore ces endroits chargés d'histoire. J'aime la manière dont ils prennent soudain vie. Et les vibrations que je sens ici sont presque insupportables tant elles sont fortes.

—Ouais, tu l'as dit, marmonna Wraith, sauf qu'il ne parlait pas de la même chose.

Il sentait toujours des démons. Mais il comprenait ce qu'elle disait. À l'époque où Eidolon lui avait demandé d'être le chasseur de trésors officiel de l'UG, boulot créé dans le seul but de l'occuper pour qu'il ne s'attire pas trop d'ennuis, Wraith avait relevé le défi, parce qu'il aimait la chasse. Le danger.

Mais peu à peu, grâce à tous ses voyages et ses recherches, il avait appris à apprécier l'histoire, des humains comme des démons, attachée aux endroits où étaient cachés les trésors. Tous possédaient une atmosphère différente, parfois bonne, parfois mauvaise… souvent un peu des deux. Mais il avait toujours senti l'empreinte de l'activité passée, et il en avait tiré de l'énergie.

Elle continua, marchant avec prudence sur les blocs de pierre tout en consultant une carte dessinée à la main. À chacun de ses pas, Wraith pouvait sentir l'anticipation malveillante monter d'un cran. Il fallait qu'ils se tirent de cet endroit, et vite.

—Nous devons nous dépêcher. Dis-moi comment je peux t'aider.

Serena leva une main, sa concentration si grande qu'elle ne voulait pas être interrompue. Frustré, il se contenta d'ouvrir l'œil tandis qu'elle marmonnait tout bas, vérifiait chaque colonne avec une précision méthodique et fouillait dans les tas de cailloux à leur base.

—Oh, merde.

Elle s'agenouilla près de l'une d'elles, renversée sur le côté.

—Qu'est-ce qu'il y a?

—Cette colonne. Elle a été détruite. Elle est tombée toute seule ou on l'a poussée.

Il s'accroupit à ses côtés. Les arêtes étaient nettes, sans aucune patine laissée par le temps : les dégâts étaient récents.

—Serena, c'est quoi cette tablette que tu cherches ? Qu'est-ce qu'elle est censée faire ?

Elle se frotta les yeux.

—Val… et les autres Anciens… pensent qu'une invasion démoniaque se prépare. La tablette de Mons Silpius est supposée fonctionner avec la pièce pour fournir une protection. Je crois… qu'elles rendent les Portes des Tourments inutilisables.

C'était une putain de magie surpuissante. N'importe quel démon avec une once de jugeote ferait tout ce qui était en son pouvoir pour empêcher les Aegis d'arriver à leurs fins. Peut-être était-ce pour cette raison qu'il sentait des présences démoniaques : des démons s'étaient emparés de la tablette, et soit ils emportaient leur trésor loin de l'île… soit ils attendaient, tapis dans l'ombre, que la personne en possession de l'autre moitié de l'équation se montre.

Il attrapa Serena par le poignet.

—Il faut partir. Maintenant.

—Il n'en est pas question ! (Elle essaya de se dégager d'une secousse, et quand elle échoua, elle entreprit de lui soulever les doigts un par un.) Je veux fouiller les débris et vérifier si la tablette est toujours ici. Et intacte.

Des picotements remontèrent le long de la colonne vertébrale de Wraith et lui traversèrent le crâne. Il avait un mauvais pressentiment. Très mauvais. À l'intérieur, il piaffait d'impatience. Tous ses instincts étaient en alerte et lui hurlaient d'attraper Serena et de l'emmener de force.

Et, bon sang… son estomac choisit ce moment précis pour se soulever, rempli de reflux empoisonné.

—Non…

Un vent nauséabond se leva, les emprisonnant dans un tourbillon de poussière. Toujours accroupi, Wraith pivota sur les talons en sifflant.

—Josh ?

—Il faut filer d'ici, Serena !

Il se redressa, mais il était déjà trop tard.

Des démons fondaient sur eux de tous côtés. C'étaient des silas, les mercenaires des Enfers. Wraith avait toujours détesté ces salauds sans yeux, à la peau aussi blafarde qu'un ventre de poisson, qui se vendaient aux plus offrants et acceptaient n'importe quel boulot à condition d'être payés.

—Oh, merde, souffla Serena. Envoyez la musique des *Aventuriers de l'Arche perdue*.

—Ce ne sont pas des nazis, bébé.

Wraith poussa Serena à terre. Les silas étaient grands, et si leurs longs membres les avantageaient au combat, parce qu'ils pouvaient plus facilement atteindre leurs adversaires, ils ne se baissaient pas aisément. Donc, si Serena restait au sol…

Elle bondit sur ses pieds et flanqua un coup de poing au premier démon qui s'avança vers elle, lui cassant le nez et l'envoyant valdinguer. Sans attendre, elle passa à un autre, chacune de ses actions à la fois élégante et d'une terrible efficacité. Bon sang, cette fille savait se battre ! Il fut soulagé de voir que la bénédiction la protégeait, l'empêchant de prendre des coups, tandis qu'elle délivrait les siens avec brutalité, virevoltant comme une Walkyrie magnifique et intouchable. Il adorerait l'emmener dans un gymnase pour se mesurer à elle, jusqu'à ce qu'ils tombent ensemble sur le tapis et…

Il revint brusquement à la réalité quand il reçut un coup de pied au rein. Il roula sur lui-même et se releva dans le même élan. Il s'était laissé surprendre, tant il avait été occupé à admirer Serena. Cela n'arriverait plus.

Il sauta en l'air, tourna sur lui-même et frappa deux silas à la tête. Mais il en arrivait de partout, comme des fourmis. Dans le lointain, il entendit des cris et le bruit immonde de la chair qui se déchire. Les touristes humains étaient en train de se faire massacrer.

Le prix à payer pour ce genre de crime était élevé, alors soit celui qui tirait les ficelles était puissant, soit c'était le premier acte de cette invasion démoniaque dont avait parlé Serena.

Wraith prit un coup dans le ventre et s'en trouva handicapé. Merde, ses muscles se relâchèrent : le poison l'attaquait de l'intérieur pendant que les monstres s'acharnaient sur lui à l'extérieur.

Un silas lui flanqua un coup de pied dans la tête alors qu'il se pliait en deux. Il tomba à genoux, chancela et dut se rattraper d'une main.

Soudain, son assaillant fut projeté en arrière et atterrit dans une position impossible, la tête tournée à cent quatre-vingts degrés. Serena se tenait au-dessus de Wraith, tel un ange gardien, l'air plutôt fière d'elle.

Wraith l'aurait été aussi, mais il était piqué au vif d'avoir pris une raclée et d'avoir été sauvé par un humain. Pire, une de leurs femelles. C'était lui qui était censé jouer les héros, bon sang !

Serena se remit en mouvement pour affronter un autre démon, laissant à Wraith le temps nécessaire pour se remettre sur pied. Un autre silas fonça sur lui, et le seminus réussit à le rouer de coups, jusqu'à ce qu'un cri perçant le force à se retourner. Serena avait été capturée par une silhouette dissimulée par une djellaba. Il suffit à Wraith de jeter un coup d'œil au visage de l'individu pour l'identifier.

Byzamoth.

Il avait passé un bras autour de la gorge de Serena et la traînait en arrière. Elle le griffait et agitait les jambes avec frénésie.

—Serena !

Wraith courut vers elle, intimant silencieusement au démon de la lâcher. Il ne songea pas un instant que sa protection l'avait lâchée contre Byzamoth pour la deuxième fois. Il ne pensa pas non plus qu'en tournant le dos à la horde de silas, il risquait d'être attaqué. Il devait sauver Serena.

Il se fraya un chemin dans la masse, esquivant certains coups, en bloquant d'autres. Il se rapprochait du démon, qui avait mis Serena à terre, à quatre pattes. Elle continuait à se battre, toutes griffes dehors. Elle réussit même à le frapper à l'aine. Byzamoth gronda et lui assena un grand coup derrière la tête.

La jeune femme s'écroula, sans connaissance.

Wraith fut envahi par une rage folle. Il se jeta sur la créature, lui atterrissant dans le dos et l'envoyant bouler contre un rocher.

—Tu es mort, grogna-t-il, en lui donnant deux coups de pied en pleine figure.

Du sang jaillit du nez cassé de Byzamoth. Mais cela ne l'empêcha pas de se relever prestement, tandis que les silas envahissaient le temple d'Hathor.

—C'est toi qui vas mourir, rétorqua Byzamoth.

Et Wraith eut envie d'effacer le sourire méprisant qui fendit le beau visage du démon.

Mais ce n'était pas le moment. Wraith était peut-être le meilleur combattant de Sheoul et de la Terre, il n'était pas invincible, et ses ennemis étaient bien trop nombreux.

Dans le même mouvement, il frappa Byzamoth avec le pied en pleine poitrine, et pivota pour flanquer une manchette à un silas. Alors que les deux démons se rentraient dedans, Wraith se baissa pour soulever Serena sans même ralentir. Sa seule chance, c'était d'atteindre la Porte des Tourments, et son succès dépendait de la jeune femme dans ses bras.

Tout humain conscient mourait dans les Portes des Tourments.

Il courut à toute allure, sautant au-dessus des anciennes pierres taillées et esquivant les lances et les couteaux projetés par les guerriers silas. La protection de Serena semblait fonctionner de nouveau, parce que deux des démons trébuchèrent et s'empalèrent sur leurs armes tandis que leurs projectiles entraient en collision en plein vol et retombaient, inoffensifs.

La Porte des Tourments brillait droit devant, entre deux colonnes du temple d'Isis. Trois démons, un silas et deux cruenti, en gardaient l'entrée. Les cris et les menaces de Byzamoth lui parvenaient de plus en plus clairement. Merde.

Il devrait foncer pour franchir le barrage des sentinelles.

Cela allait faire mal.

Inspirant profondément, il serra Serena contre lui et accéléra l'allure. Tête baissée, il flanqua un coup d'épaule au silas, l'envoyant percuter une représentation d'Horus gravée dans une colonne. Tendant un bras, il frappa un cruentus du plat de la paume, lui enfonçant le nez. Le monstre hurla de douleur. L'autre essaya de l'éventrer avec ses griffes et réussit à l'atteindre au cou. Wraith trébucha et faillit tomber.

La Porte des Tourments émit un éclair, et le voile scintillant s'ouvrit pour livrer passage à un autre silas. Wraith lui mit un coup de poing dans le ventre et plongea dans l'ouverture. Il pianota sur la carte représentant les États-Unis, activant la porte, qui ne permettrait à personne d'autre de l'utiliser. Pour l'instant, ils étaient à l'abri.

Mais alors que du sang lui coulait dans le dos, il sut que leur sécurité ne durerait qu'un instant, parce que quelle que soit la nature de Byzamoth, il était non seulement assez puissant pour annuler la protection de Serena et commander une armée de démons, mais aussi pour braver les foudres du Paradis et de l'Enfer.

Wraith franchit la Porte des Tourments de l'UG avec Serena toujours inconsciente dans les bras. Le soulagement qu'il ressentait à l'idée qu'elle soit restée KO pendant le trajet le disputait à l'inquiétude qu'elle ne soit pas encore revenue à elle.

— Appelle Eidolon et Shade, ordonna-t-il à l'infirmière du triage, et sans ralentir il gagna la salle d'examen la plus proche.

Il allongea Serena sur le lit en douceur. Elle ne remua même pas. Un instant, il resta à lui caresser les cheveux, tressaillant quand du sang lui tacha les doigts. Merde, où étaient ses frères ?

Le rideau fut tiré, et le docteur Shakvhan apparut.

— Elle est humaine ?

— Pour autant que je sache. Où est E ?

— Je suis de service aujourd'hui.

— Je m'en branle, dit Wraith. Je veux mes frères.

La succube aux courbes avantageuses renifla avec dédain. Puis elle fit comme si elle ne l'avait pas entendu et commença à vérifier les constantes de Serena. Même si succubes et incubes pouvaient s'envoyer en l'air, Wraith ne l'aurait touchée pour rien au monde. Dans le dictionnaire, le mot « garce » prenait la fuite en la voyant.

— Elle est inconsciente depuis longtemps ?

— Cinq minutes, peut-être.

— Son nom ?

—Serena.

Shakvhan se pencha au-dessus de la jeune femme.

—Serena? Vous m'entendez?

Les paupières de Serena papillonnèrent, et elle gémit. Ce n'était pas vraiment bon signe, mais sans doute mieux que rien.

—Wraith, dit Eidolon en entrant, vêtu d'un pantalon kaki et d'une chemise noire, ce qui signifiait qu'il avait fait de la paperasse. Que s'est-il passé? (Il tendit la main vers le cou de son frère en fronçant les sourcils.) Tu saignes.

Wraith repoussa son aîné.

—Plus tard. Serena a besoin d'aide.

—Tu sais que je n'aime pas voir des humains ici, dit Eidolon en s'avançant vers la table.

—Je m'en fous. Où est Shade?

—En route. L'ambulance rentrait au garage quand l'infirmière m'a bipé.

La succube fit la liste des constantes, en terminant par « ECG à huit ».

Huit. Wraith avait été à bord de suffisamment d'ambulances pour savoir que huit et moins sur l'échelle de coma de Glasgow indiquait une blessure sérieuse au cerveau. Ses tripes se nouèrent. Il se sentait tellement impuissant.

Eidolon mit une intraveineuse en place.

—Merci. Je prends le relais.

Shakvhan haussa les épaules et sortit; Wraith tira le rideau.

—Nous avons été attaqués par des démons à Philae. Pendant que je me battais, elle a pris un coup.

Eidolon, qui examinait la tête de Serena, releva les yeux, l'air soulagé.

—Tu as couché avec elle.

— Non. C'est ça le truc. Rien n'aurait dû pouvoir lui arriver, n'est-ce pas ?

— Merde, souffla Eidolon. Quelqu'un d'autre a pris sa virginité.

— C'est impossible.

— Il n'y a pas d'autre explication, Wraith.

Un bruit de lourdes bottes sur le dallage annonça l'arrivée de Shade, et le rideau s'écarta.

— Qu'est-ce qui se passe ?

Eidolon fronça les sourcils, qui ne formèrent plus qu'une ligne sombre.

— Blessure à la tête. J'ai besoin que tu lui fasses un examen du système et que tu me dises à quel point c'est grave.

— C'est l'humaine bénie de Wraith ?

— Oui, la bénédiction en moins.

— Elle l'a toujours ! gronda Wraith.

Eidolon lui adressa un regard plein de doute, puis il cria à l'infirmière du triage de trouver Gem. Il se tourna de nouveau vers Shade, qui avait posé la paume sur le front de Serena et fermé les yeux. Son *dermoire* luisait tandis qu'il se servait de son don pour sonder la jeune femme. Wraith dut faire appel à toute la patience dont il était capable pour ne pas le bombarder de questions.

Enfin, Shade rouvrit les yeux.

— Pas de fracture du crâne, mais elle a un bel hématome sous-dural. J'ai ralenti le saignement. Il va falloir faire quelque chose, E.

— Elle n'aura pas besoin de chirurgie, hein ? demanda Wraith.

Eidolon était capable de soigner les blessures, à condition de pouvoir les toucher. Si Serena devait passer au bloc, elle resterait à l'hôpital pendant une plus longue période, et il serait difficile de lui expliquer la situation, à moins d'avoir recours à des mensonges très créatifs.

—J'espère que non. Nous n'arrêtons pas d'avoir des pannes de courant, et je détesterais que ça arrive pendant une chirurgie du cerveau. Sans compter que ce n'est pas ma spécialité. (Eidolon poussa un profond soupir.) Je peux invoquer une vague guérisseuse générale et voir si ça fonctionne.

—Je vais surveiller la blessure et le flux sanguin pendant ce temps, dit Shade, et il ferma de nouveau les yeux.

Wraith vit Eidolon attraper le bras de Serena, et son *dermoire* se mit à briller aussi vivement que celui de Shade. Il entendit quelqu'un approcher et sentit Gem avant de la voir. Elle s'arrêta près de lui en silence.

Peu à peu, les tatouages d'Eidolon et de Shade perdirent leur éclat.

—Alors ?

Shade échangea un regard avec Eidolon.

—Je crois que tu l'as eu. Il faudrait faire un scanner, pour s'en assurer.

—Josh ?

Toutes les têtes se tournèrent vers Serena, qui regardait Wraith, les yeux mi-clos et encore embrumés.

Merde. Il lui prit vivement le poignet et utilisa son don sur elle, l'emmenant sur une plage. Un bikini riquiqui, des eaux turquoise, et elle eut tout ce qui lui fallait. Il ne s'inséra pas dans ce rêve… cela aurait exigé trop de concentration, et il avait besoin de savoir ce qui se passait autour d'eux dans l'hôpital.

—Il faut lui administrer un sédatif, dit-il d'une voix rauque, à cause de l'effort qu'il fournissait pour créer les images du rêve. On ne peut pas la laisser en voir trop. Et je dois la ramener par une Porte des Tourments.

Eidolon préparait déjà la piqûre, qu'il injecta dans l'intraveineuse.

—Alors… *Josh*.

Wraith sentit ses joues devenir brûlantes.

—C'est une longue histoire.

Quand le sédatif fut passé, Shade posa la paume sur le front de Serena et déclara :

—Elle dort.

Wraith se retira de l'esprit de la jeune femme avec reconnaissance.

—Elle va bien ?

—Elle se réveillera avec un mal de tête de tous les diables, mais elle devrait s'en remettre, l'assura Eidolon.

Gem montra Serena de la main.

—Alors, qu'est-ce que je fais ici ?

Eidolon ne détourna pas le regard de Wraith tandis qu'il lui répondait :

—J'ai besoin de toi pour confirmer la virginité de Serena.

—Ou le fait qu'elle ne le soit plus, ajouta Shade.

—Je vous ai dit…, gronda Wraith.

—Oui, je sais. Mais es-tu certain qu'elle ne l'a pas donnée à un autre ? Il est toujours possible qu'un incube lui ait jeté un sort pour la prendre dans son sommeil. Nous ne pouvons être sûrs de rien. Elle a été blessée, et ça n'aurait pas dû arriver. Ce qui veut sans doute dire qu'elle n'est plus vierge. Et si c'est le cas, tu perds un temps précieux avec elle.

—Ce n'est pas…

Wraith se tut avant de dire quelque chose de stupide.

Merde.

—Ce n'est pas quoi ?

Le sourire suffisant de Shade indiquait qu'il savait exactement ce qui avait failli lui échapper.

— Rien. (Le cœur de Wraith battit plus vite dans sa poitrine quand il baissa les yeux sur Serena, allongée sur le lit.) Je n'ai pas envie que Gem l'examine, c'est tout.

— Tu préfères que je m'en charge ? demanda Eidolon.

— Putain, non !

Wraith inspira profondément, en vain. Il devait se calmer, et vite. Peut-être Serena n'était-elle plus pucelle, et sa bénédiction avait été transférée en partie. Il était clair que Byzamoth lui avait fait quelque chose.

— Très bien. Mais fais vite, Gem. Et vous deux ? (Il fit signe à ses frères.) Vous sortez.

Shade obéit, et Eidolon posa une main sur l'épaule de Wraith.

— Viens. Il faut qu'on parle.

— Ouais, si tu le dis.

Une fois hors de la salle d'examen, Wraith se mit à faire les cent pas, sans savoir ce qui le rendait si nerveux : le fait que Serena ait pu perdre sa virginité, la santé de la jeune femme ou que des démons soient à ses trousses. L'un d'eux l'avait blessée. Dieux, il voulait vraiment faire mal à Byzamoth. Il était soudain possédé par un instinct protecteur étrange, et il lui semblait que lutter contre était une perte de temps et d'énergie.

Et il n'avait plus beaucoup ni de l'un ni de l'autre.

Eidolon croisa les bras et s'appuya contre le mur.

— Raconte-nous ce qui s'est passé exactement.

— Nous étions à Philae, pour y chercher une tablette capable de fermer les Portes des Tourments.

— Oh, c'est pas cool, dit Shade.

— Tu crois ?

Wraith voulut se frotter la nuque et tressaillit en y découvrant une profonde entaille. Aussitôt, Eidolon recouvrit la main de son frère de la sienne et canalisa en lui une onde guérisseuse.

Une vive douleur remonta le long de la colonne vertébrale de Wraith jusqu'à son crâne. Le don de son aîné causait en général un terrible inconfort, même quand il s'en servait pour guérir. Quand il eut fini, Eidolon recula.

— C'est mieux ? (Quand Wraith hocha la tête, son frère reprit sa place contre le mur.) Revenons-en à Philae, l'encouragea-t-il.

— Oui, reprit Wraith, recommençant à faire les cent pas. J'ai senti une présence démoniaque dès notre arrivée sur l'île. La Porte des Tourments avait été utilisée. Plusieurs fois.

— Philae est un lieu de culte pour plusieurs espèces, non ?

— Exact, alors je ne me suis pas trop inquiété, au début. Ce qui aurait dû me mettre la puce à l'oreille, parce que je suis du genre parano.

Shade, qui venait sans doute de vérifier que Runa n'avait pas essayé de l'appeler, leva les yeux de son téléphone portable. Ces deux-là étaient inséparables. Si elle ne le forçait pas à aller au boulot, il resterait tout le temps à la maison.

— L'attaque était dirigée contre toi ?

— Qu'est-ce qui te fait dire ça ?

Shade leva les yeux au ciel.

— Comme si c'était du domaine de l'impossible qu'on veuille s'en prendre à toi. Tu sais bien que tu te fais des copains partout.

— Tu es à mourir de rire, rétorqua Wraith. Le type qui l'a blessée était le même que celui qui parlait à Serena quand je suis arrivé en Égypte, et qui s'est ensuite pointé dans le hall de Caracalla. Tout ça la concerne elle, pas moi. (Il secoua la tête.) J'ai cru que c'était à cause des artefacts qu'elle cherche, mais c'est une drôle de coïncidence qu'elle ait le seul démon capable de lui faire du mal à ses trousses, non ?

—S'il ne lui a pas pris sa bénédiction, alors pourquoi voudrait-il la blesser?

—Je te l'ai déjà dit : il n'en a rien fait. Ni lui ni personne.

Gem écarta le rideau.

—Wraith a raison. Cette humaine est intouchée.

Wraith ravala un «je vous l'avais bien dit!»

— Alors, comment a-t-elle pu être blessée, si elle est toujours vierge?

—Nous allons effectuer des recherches, promit E. En attendant, tu dois continuer à essayer de lui voler la bénédiction. Je suis surpris que tu ne profites pas qu'elle soit sous sédatif pour la rendre prête et consentante…

Wraith se retrouva nez à nez avec son frère.

—Tu crois que je suis assez barge pour la prendre dans son sommeil?

Eidolon plissa les yeux, mais il ne dit rien. Wraith serra les dents, attendant que son aîné exprime le fond de sa pensée. Shade leur posa à tous deux une main apaisante sur l'épaule.

—Ce n'est pas le moment, dit-il. Wraith, il faut vraiment que tu te dépêches. Tu n'as plus beaucoup de temps.

—Merci pour le scoop!

Eidolon se passa la main sur le visage, puis il se figea.

—Attends. Si la bénédiction n'agit plus…

—Elle pourrait bien ne pas fonctionner pour Wraith non plus, termina Shade.

—Elle existe toujours, insista Wraith. Aucun autre démon n'a pu la toucher sur l'île.

—Alors pourquoi juste ce type?

Wraith haussa les épaules.

—On dirait qu'une visite à notre ange déchu s'impose. L'un de vous peut s'en charger? (Il entra dans le box de

Serena et décolla doucement le sparadrap qui maintenait l'intraveineuse en place.) Je la ramène à sa chambre d'hôtel.

—Je crois que tu devrais attendre, dit Eidolon. J'aimerais lui faire des tests. Il y a peut-être une raison médicale pour expliquer que ce démon puisse la toucher.

—Elle est assez stable pour sortir ?

—Oui, mais…

—Alors, je l'emmène.

—Wraith…

—Ne m'emmerde pas avec ça. (Il retira le cathéter de la veine de Serena et arrêta le saignement avec un morceau de gaze en appuyant sur la plaie minuscule.) Elle a besoin d'être là-haut, au soleil et à l'air libre. Je ne veux pas qu'elle se réveille et voie davantage de cet hôpital. Je ne pourrais pas lui expliquer où elle est, et il n'est pas question que j'altère encore ses souvenirs.

Il sentait presque les regards hébétés de ses frères, mais ils ne dirent rien. Eidolon guérit la main de la jeune femme, pour qu'il ne subsiste aucun signe de son passage à l'hôpital.

Wraith la souleva dans ses bras avec douceur, se disant qu'elle ne pesait pas plus lourd qu'une plume.

—Dis-moi si tu trouves quelque chose. Moi, je m'en vais.

—Wraith. (La voix sévère d'Eidolon l'arrêta net.) Tu dois coucher avec elle. Maintenant.

—Ah, oui, à ce propos… je m'en fous. Je n'ai pas l'intention de la tuer. (Il se retourna et rencontra leurs regards surpris.) C'est dur de perdre l'UG, mais vous survivrez. Alors arrêtez avec vos conneries et changez de disque. Il n'y a plus aucune urgence.

Shade attrapa le biceps de Wraith et le serra assez fort pour lui faire un hématome.

—C'est tout le problème. Il ne s'agit plus seulement de toi et de l'hôpital, frangin. Il semble que nos forces vitales soient liées à l'UG. Quand il disparaîtra…

Wraith sentit le froid l'envahir et le transpercer, le laissant rempli de chagrin et de douleur. Il n'arrivait plus à respirer, ni à parler, et quand il put enfin prononcer un mot, il finit la phrase de Shade :

—Eidolon et toi vous mourrez.

CHAPITRE 14

E idolon et Shade traversèrent l'hôpital à la recherche du seul être qui pouvait peut-être les informer de la situation.

Reaver.

Puisque l'interphone était HS, Shade visita la cafétéria et la salle de gym, tandis qu'Eidolon inspectait les chambres des patients. Ce dernier trouva l'ange déchu en train de terminer avec une hyène-garou dans l'une des salles d'examen.

— Il faut qu'on parle.

Reaver hocha la tête, faisant danser ses cheveux dorés sur ses épaules. Il tapota le bras de son jeune patient.

— Tu es comme neuf. Mais garde tes distances avec les lions, à l'avenir.

Le gamin leva les yeux au ciel. Comme leurs semblables dans le règne animal, les métamorphes hyènes et lions se haïssaient avec une férocité mortelle. Le petit ne protesta pas, remercia Reaver et sortit en tapant des pieds.

L'ange commença à nettoyer, jetant les bandages ensanglantés et les emballages dans le conteneur prévu pour recueillir les déchets biologiques.

— Qu'est-ce qu'il y a ?

Eidolon alla droit au but.

— Nous avons besoin de plus d'informations sur Serena Kelley.

Reaver faillit lâcher la tondeuse qu'il manipulait, mais se reprit très vite.

— J'en ai déjà dit plus que je n'aurais dû.

— C'est des conneries !

Reaver continua à remettre de l'ordre dans la salle d'examen, presque frénétiquement, comme si cela pouvait lui permettre d'échapper à la conversation. Eidolon se mit à l'aise, appuyant une épaule contre le montant de la porte, croisant les bras et les jambes, signe qu'il ne bougerait pas tant qu'il n'aurait pas obtenu satisfaction.

— Tu vas parler.

Reaver gronda, son visage magnifique se tordant dans une expression menaçante comme Eidolon ne lui en avait jamais vu arborer. Le seminus ignorait presque tout des anges déchus avant que Reaver vienne le trouver pour lui demander du travail et un endroit où vivre. Et même si cela faisait seize ans qu'il exerçait à l'hôpital, Eidolon ne savait toujours presque rien de lui.

— Je ne peux pas discuter de Serena avec des démons.

— Tu l'as déjà fait, et au cas où tu ne l'aurais pas remarqué, les lois du Paradis ne te concernent plus.

Un éclair de douleur traversa le regard bleu de Reaver.

— Je n'ai à répondre ni au Ciel, ni aux Enfers, puisque je n'ai pas mis les pieds à Sheoul. Mais ça ne signifie pas que je n'obéisse pas à un certain nombre de règles.

Étant né au sein de la Judicia, Eidolon avait un grand sens de la justice, de la loi et de l'ordre, et il appréciait qu'on ait des principes. Mais de nombreuses vies étaient en jeu, et il avait une putain de migraine, alors les règles pouvaient aller se faire foutre.

— Voilà le problème, dit-il en s'écartant du jambage. Wraith l'a amenée à l'hôpital il y a peu. Ils ont été attaqués par des démons, et elle a été blessée.

Reaver parut si atterré qu'on aurait cru que quelqu'un était mort.

—Il lui a pris sa bénédiction?

—Non.

—Alors, elle l'a donnée à quelqu'un d'autre.

Reaver se laissa tomber sur un tabouret à roulettes et se prit la tête entre les mains.

—Nous avons vérifié sa virginité, dit Shade, qui venait de s'encadrer dans la porte. Il n'est pas possible qu'elle ait couché avec qui que ce soit.

—Ni qu'elle soit blessée.

La voix de l'ange déchu était étouffée par ses paumes.

Eidolon ferma les yeux pour mieux réfléchir.

—Alors, rien, rien du tout, ne peut lui faire du mal?

—Quelle partie de « protection angélique » tu ne comprends pas?

—D'accord, alors une autre Sentinelle? Elle pourrait la blesser?

Reaver releva vivement la tête.

—Je ne crois pas, mais…

—Mais quoi? demanda Shade. On dirait bien que les petits génies du Paradis n'ont pas pensé à tout, hein?

—Je ne vois pas pourquoi une autre Sentinelle s'en prendrait à elle. Ça n'a pas de sens.

Eidolon considéra cette hypothèse un instant.

—Elles peuvent mal tourner?

—C'est peu probable.

Eidolon haussa un sourcil.

—Mais tu n'en es pas sûr. (Le silence de Reaver lui apprit ce qu'il voulait savoir.) Tu peux contacter tes copains les anges et voir…

—Non! (L'ange déchu bondit sur ses pieds.) Je ne suis pas autorisé à contacter ceux qui servent encore.

Eidolon s'approcha de lui, l'air menaçant.

— Qu'es-tu autorisé à faire ? Tu ne peux pas parler. Ni nous aider. On dirait bien que tu es inutile pour tout le monde. (Il enfonça son doigt dans la poitrine de Reaver.) Je comprends que tu refuses d'aider Wraith, mais merde, Reaver, tu ne sens pas l'agitation qui règne dans le monde démoniaque ? Serena est en partie responsable, et il faut découvrir pourquoi. Tu dois nous dire ce que nous avons besoin de savoir.

Reaver montra les dents, révélant deux canines très pointues qu'Eidolon n'avait encore jamais vues.

— Jamais. Tu es un démon !

— Navré de te l'apprendre si brutalement, mon pote, mais toi aussi.

L'ange déchu tourna la tête si brusquement qu'Eidolon s'attendit à entendre sa colonne vertébrale craquer. Puis ce dernier prit son poing en pleine figure et percuta le mur avec une telle violence que du plâtre se détacha autour de lui.

— Putain de merde… (Stupéfait, Shade regarda Eidolon, puis Reaver.) Le sort de havre…

Il fut interrompu par la sirène d'alarme et le bruit d'une bataille. Quelqu'un courait dans le couloir, puis s'arrêta devant la salle d'examen dans une glissade. Gem passa la tête dans l'entrebâillement de la porte.

— Le sort s'est rompu. L'hôpital est en plein chaos. C'est mauvais, Eidolon. Tout ça n'est pas bon du tout.

Lore franchit la Porte des Tourments, entra aux urgences de l'Underworld General et s'arrêta net. Par tous les démons de l'Enfer !

D'accord, où qu'on aille dans Sheoul, il y en avait qui se battaient, qui baisaient ou qui fichaient le bordel, mais il pensait que l'hôpital fonctionnait selon certaines règles.

Un démon d'une espèce inconnue fonça sur lui, mais il esquiva la créature serpentine, pivota tandis qu'elle le dépassait et lui écrasa la tête contre un mur. Elle retomba sur le sol d'obsidienne avec un bruit mat.

Lore lorgna la chose, espérant ne pas l'avoir tuée. Non pas qu'il répugnait à cela… c'est juste qu'il aimait être payé pour le faire.

Et en parlant d'argent…

Il approcha du bureau de triage, où une infirmière vampire criait en vain aux patients et au personnel d'arrêter de se battre.

— Salut.

Elle se tourna vers lui en soupirant.

— Avez-vous besoin d'une assistance médicale ?

— Et si c'était le cas ? demanda-t-il en jetant un coup d'œil à la folie qui l'entourait.

Elle lui adressa un haussement d'épaules en guise d'excuse, et il secoua la tête.

— Il faut que je voie Shade et Eidolon.

— Navrée, mais nous sommes un peu débordés. (Elle plongea pour éviter d'être décapitée par un tuyau.) Je vous suggère de revenir plus tard…

Elle ne termina pas sa phrase, une chose aussi large que Lore et pourvue de griffes s'étant jetée sur elle.

Lore bondit par-dessus le bureau et brisa le cou de la créature. Il entendit un craquement de bon augure. Le démon eut un spasme, puis tomba, inerte, sur le sol.

Cette fois, il se contenterait de la satisfaction qu'il ressentait en guise de paiement. Il regarda l'infirmière, qui tenait sa joue ensanglantée.

— Ça va ?

— Je survivrai. Merci. (Elle baissa les yeux sur le cadavre.) Je démissionne.

Elle se leva et partit d'un pas vif.

Par les flammes de l'Enfer ! Il resta là, à se demander s'il devait aller à la recherche des deux frères. Il avait entendu dire que Wraith était toujours quelque part, à essayer de sauver sa vie. Lore savait qu'il n'existait aucun antidote au poison que son partenaire avait utilisé. Le seminus était déjà mort.

Mais les deux autres… il devait les trouver. Roag s'était arrangé pour que le paiement soit fait uniquement si les trois seminus étaient morts. Sans cela, l'argent resterait bloqué.

Et ce salopard de Roag avait été catégorique. Il avait vraiment eu une dent contre ces trois frères. Il ne lui avait jamais expliqué pourquoi, et Lore ne lui avait posé aucune question. Il s'en fichait. Il avait un boulot à faire. Mais en trente ans de métier, le tueur à gages n'avait jamais rencontré un être si désespéré d'éliminer quelqu'un qu'il avait tout planifié pour que ses ennemis trépassent même après sa mort.

Lore et son partenaire, Zaw, avaient reçu un tiers de l'argent à la signature du contrat, mais le reste ne leur serait versé qu'au terme de la mission.

La mort de Zaw n'était pas prévue au programme. Lore aidait ce fou de Byzamoth pendant que Zaw s'occupait des trois frères. Ils avaient été en contact radio, via des écouteurs, si bien que Lore avait tout entendu quand son partenaire avait été tué.

Cela avait été plutôt dégoûtant. Pour autant qu'il sache, Zaw avait été dévoré par un loup-garou.

Beurk.

Lore préférait une mort rapide et sans effusion de sang. Il était peut-être un assassin, mais uniquement parce qu'il était doué… et qu'il ne savait rien faire d'autre. Le monde des démons ne voulait pas de lui, pas plus que celui des humains. En tant que sang-mêlé, il n'était que de la merde, où qu'il aille.

Oh, et parce qu'un démon le possédait et offrait ses services à qui voulait bien payer, raflant son pourcentage au passage. Sinon…

Il baissa les yeux sur ses mains gantées, protégées au cas où il toucherait quelqu'un par inadvertance. S'il le voulait, il pouvait tuer à travers le cuir, mais ce n'était pas le cas pour l'instant, alors nul n'était en danger.

Quelque chose hurla, et au même moment, du sang gicla, formant une fine brume qu'il prit en plein visage. Il s'essuya les yeux et se tourna vers la Porte des Tourments.

—Lore!

La voix de Gem lui parvint par-dessus le chaos. La gothique sulfureuse courait vers lui, son stéthoscope rebondissant sur sa poitrine généreuse.

Il avait eu une chance incroyable de la rencontrer dans le parking, l'autre nuit. Il l'avait accostée pour lui poser quelques questions, et il y avait aussitôt eu une étincelle entre eux, comme il n'en avait pas ressenti avec aucune autre femelle depuis longtemps.

Surtout parce qu'il les évitait. Avoir tué par accident sa partenaire pendant qu'ils faisaient l'amour n'était pas le genre d'expérience qu'il désirait répéter. S'il était payé pour cela… alors, c'était une autre histoire.

Mais Gem l'avait fasciné, et en plus, elle connaissait bien l'hôpital… et les cibles de Lore. Il avait fait d'une pierre deux coups: il était sorti avec la fille la plus torride qu'il ait vue depuis longtemps, et il avait une source d'informations toute trouvée.

Il était allé lui rendre visite à son appartement la nuit passée, mais elle était bouleversée, apparemment à cause de l'humain agressif qu'il avait rencontré devant l'ascenseur, et elle n'avait pas eu envie de parler.

Elle et l'humain n'avaient pas fait que parler, d'ailleurs, parce qu'ils sentaient le sexe, ce qui avait excité Lore, tout en le rendant furieux. Il voulait Gem pour lui tout seul, même si c'était une très mauvaise idée.

Hé, bébé, oui, c'est bien ça… nous pouvons nous envoyer en l'air, mais j'espère que ça ne t'ennuie pas si je garde mes gants. Oh, et je ne peux pas te toucher du tout avec ma main droite, parce que quand je jouis, je tue la personne que je touche, même à travers le cuir. Mais, oui, continue à faire ce que tu fais si bien avec ta bouche et j'essaierai de ne pas te précipiter dans la tombe…

—Gem, dit-il, en la tirant hors de la trajectoire d'une chaise. Tu ne m'avais pas dit que ton hôpital se trouvait en zone de combat.

Elle lâcha un soupir exaspéré.

—En temps normal, il ne l'est pas. Ça, c'est… (Elle s'arrêta pour crier sur un démon cornu en tenue d'hôpital qui échangeait des coups avec un patient vampire.) C'est de la folie.

—C'est bon de savoir que ce n'est pas toujours comme ça.

—Oh, pas du tout! (Elle fronça les sourcils.) Je dois y aller. Il faudra sans doute que je leur prête main-forte avec le sort de havre.

—À plus, alors.

Elle ne répondit pas, trop occupée par un léopard-garou qui pourchassait un lutin près des toilettes. C'était l'une des scènes les plus étranges qu'il avait jamais vues, et cela faisait un siècle qu'il roulait sa bosse, alors il avait été témoin de tas de choses bizarres.

Et en parlant de cela… l'humain qu'il avait croisé la veille se tenait debout près de la porte des urgences et le regardait d'un œil meurtrier. Ce fut donc avec le plus grand plaisir que Lore attrapa Gem par le bras, la tourna vers lui et l'embrassa.

Avec la langue.

Tout le temps, il garda les yeux rivés sur l'humain, et alors qu'il s'écartait de la jeune femme, il fit un doigt d'honneur à son rival. Celui-ci lui répondit par une rage froide et la promesse silencieuse de le faire souffrir.

Dommage qu'il ne puisse pas entrer en compétition avec Lore.

Il était la mort. Et celle de l'humain serait offerte par la maison.

Gem se redressa, hébétée, alors que Lore tournait les talons et disparaissait dans la Porte des Tourments. Ses lèvres la picotaient encore de son baiser, et elle avait un peu le vertige. Il était diaboliquement beau, et si elle l'avait rencontré quelques jours plus tôt, elle l'aurait suivi jusque dans son lit.

Mais non, il avait fallu que Kynan revienne.

—Gem.

Quand on parlait du loup… Le cœur battant, comme s'il l'avait surprise à faire quelque chose de vraiment mal, elle lui fit face. Et elle haleta de stupeur. L'expression de Kynan était sombre et ses yeux luisaient de fureur tandis qu'il regardait la Porte des Tourments que Lore venait d'emprunter.

—D'accord, cesse ton putain de numéro de jalousie, dit Gem d'un ton cassant, même si elle était secrètement contente. Tu ferais bien de rester tranquille au lieu de te conduire comme un démon des cavernes en rut. D'autant qu'en ce moment j'ai d'autres chats à fouetter.

Une goule-vipère, une créature de la taille d'un homme qui ressemblait à un cobra mort depuis un mois, glissa de derrière le bureau de triage. Gem n'eut pas le temps de crier ;

le monstre s'était déjà enroulé autour de Kynan. Dans sa gueule ouverte, le venin dégoulinait de ses crochets tandis qu'il lorgnait la gorge de l'Aegi.

Gem lui flanqua des coups de poing pendant que Kynan se débattait. Son visage vira très vite au pourpre, et sa respiration devint laborieuse, quand le serpent commença à serrer plus fort.

Elle continua à assener des coups à la goule-vipère, mais celle-ci ne tressaillit même pas. Elle allait dévorer Kynan vivant.

Des larmes de frustration brûlèrent les yeux de Gem. Elle n'avait pas le choix. Qu'elle le veuille ou non, elle dut prendre sa forme hybride de déchiqueteuse d'âme. Ses os craquèrent et se tordirent, sa peau se tendit et se déchira. En quelques secondes, elle doubla de volume et elle eut des ailes et de vilaines griffes acérées. Le serpent siffla.

Elle lui lacéra le flanc, et il frappa, ses crochets lui égratignant la joue. Elle repassa à l'attaque, l'atteignant à l'œil. Il lâcha un cri inhumain et libéra Kynan, qui bondit loin de la créature… et de Gem.

Cette dernière reprit aussitôt sa forme humaine, mais le regard de Kynan resta méfiant. Cela la blessa plus qu'elle n'aurait voulu l'admettre.

— Merde, qu'est-ce que fait cette bête dans l'hôpital ? (Kynan haletait, essayant de retrouver son souffle.) Elle n'aurait pas dû plutôt être chez le vétérinaire ?

— Si, répondit-elle d'une voix encore rauque de sa métamorphose.

Au moins, sa tenue d'hôpital était intacte.

— Sans doute l'animal de compagnie de quelqu'un. Eidolon doit vraiment réparer le sort.

Elle agita la main en direction des démons qui se battaient, mais avant que Kynan ait pu répondre, des cris d'agonie remplacèrent ceux des bagarres. Plusieurs patients et membres du personnel se prirent la tête à deux mains, d'autres s'écroulèrent, agités de spasmes douloureux.

Le sort de havre faisait de nouveau effet.

—Il était temps, dit Kynan en se massant le sternum. Merci de m'avoir sauvé.

—Quoi ? Un grand tueur de démons comme toi ? Tu t'en serais sorti tout seul.

Il eut l'air un peu sceptique, mais il ne la contredit pas. Il aida Gem et le personnel médical restant à panser les blessés, et quand ils eurent fini, il prit la main de la jeune femme, et bien qu'elle sache qu'elle aurait dû résister, elle le suivit. Elle était trop curieuse de savoir ce qu'il avait en tête, tandis qu'il la conduisait vers l'une des chambres.

Kynan ouvrit la porte. À l'intérieur, des bougies brûlaient, et une couverture était étendue sur le sol. Dessus, elle vit de la nourriture, des verres à vin et un seau rempli de glace contenant une bouteille de jus de raisin pétillant. Tout autour, des sacs de solution saline étaient suspendus à des potences, remplis d'un liquide vert fluorescent.

—Qu'est-ce… qu'est-ce que c'est ?

Il sourit, de la façon qui lui avait toujours donné des palpitations.

—C'est en partie l'idée de Tayla. Je voulais faire quelque chose de romantique, et elle m'a assuré que ta définition de ce mot, c'était de recoudre des plaies…

—Tu as parfaitement combiné les deux, murmura Gem.

—Il arrive qu'un homme doive prendre les choses en main. (Il montra la couverture.) Assieds-toi.

C'était stupide et elle le savait. Elle n'avait pas la force de lui résister, et elle ne doutait pas un instant que leur pique-nique se terminerait sur le lit qu'il avait poussé contre le mur du fond. Non pas que se retrouver nue avec lui soit une mauvaise idée, mais son cœur blessé battait un message d'avertissement en morse contre ses côtes.

—Je ne suis pas sûre..., commença-t-elle, encore incapable d'effacer de sa mémoire l'air dégoûté qu'avait eu Kynan devant sa forme démoniaque. C'est gentil, mais...

—Mais quoi ?

—Honnêtement ? (Elle fit cogner le piercing qu'elle avait sur la langue contre ses dents, comme si elle devait formuler des choses qu'elle refusait d'admettre.) J'ai peur.

Kynan ferma les yeux. Quand il les rouvrit, ils étaient assombris par les regrets.

—Je suis désolé de t'avoir blessée, Gem. Je veux te rendre heureuse. Je sais que ça ne suffira pas, mais c'est juste un début. (Il tapota la couverture.) S'il te plaît.

Son cerveau lui cria que c'était une erreur, mais elle prit quand même place à côté de lui et retira ses Crocs. Seigneur, elle était une fille si facile.

Il versa deux verres de jus de fruit pétillant et lui en tendit un.

—Je ne veux pas que tu embrasses ce type.

—Ce n'est pas à toi de me dire ce que je peux faire ou pas.

Elle but une gorgée, la boule sur sa langue cliquetant contre le bord du verre.

—Je sais. (Kynan sortit une boîte hermétique du panier.) Mais ça ne signifie pas que je n'ai pas le droit d'utiliser tous les tours que je connaisse pour que ça n'arrive plus jamais.

Il ouvrit le conteneur, et elle sourit.

—Des tranches d'orange recouvertes de chocolat. Mes préférées ! Comment tu as su ?

—Tayla. (Il retira le papier doré qui entourait l'une des friandises qu'il approcha des lèvres de Gem.) Prends-en une bouchée.

Elle obéit, laissant presque entendre un gémissement de plaisir. Il la regarda, et un lent sourire étira ses lèvres. Ses yeux s'assombrirent dangereusement.

—C'est bon, souffla-t-il. Il ne faut pas en perdre une goutte. (Il utilisa la partie mordue et humide pour lui caresser les lèvres, lui procurant une sensation étrangement érotique.) Lèche le jus.

Il retira un peu la tranche d'orange et observa Gem tandis qu'elle s'exécutait, sortant un bout de langue rose. Le regard de Kynan était concentré et brûlait derrière ses paupières mi-closes. Waouh! Elle avait un sacré pouvoir. Il était peut-être celui qui donnait les ordres, mais elle le mettait dans un drôle d'état. Et ils ne s'étaient pas encore touchés.

—Une autre bouchée, dit-il d'une voix plus basse et rauque qu'elle ne l'était auparavant.

Soutenant son regard, Gem mordit dans le fruit et remarqua que Ky retint brièvement son souffle quand elle suça le jus. Elle mâcha, déglutit et n'eut pas le temps de se lécher les lèvres… celles de Kynan venaient de se poser dessus et il s'en chargeait pour elle.

Elle s'ouvrit à lui en soupirant et lui passa une main dans le cou. Kynan pénétra la bouche de Gem avec sa langue et rencontra celle de la jeune femme, et en un instant, sa taquinerie sensuelle se transforma en un jeu érotique plein d'impatience.

Alors que son corps s'enflammait, elle enfonça les ongles dans la peau de Kynan, lui arrachant un sifflement.

—Tu me tues, Gem, murmura-t-il contre ses lèvres. Depuis cette nuit-là…

Elle savait de quelle nuit il parlait. Le souvenir en était gravé dans sa mémoire, parce que Kynan lui avait donné son premier orgasme avec un homme. Puis il l'avait carrément fichue à la porte de son appartement.

— Tu n'avais pas envie d'être avec moi.

— Je ne voulais être avec personne. Pas après ce que Lori m'avait fait. (Il l'attrapa par les hanches et la ramena contre lui.) J'étais stupide.

— Je ne te contredirai pas. (Elle lui griffa le dos et aima sa façon de montrer les dents.) Il va falloir te faire pardonner.

Il l'allongea sur le dos en un clin d'œil, l'une de ses cuisses entre celles de la jeune femme, sa bouche prodiguant de délicieuses caresses à la peau sensible de sa gorge.

— Tu es si douce, Gem. (Il glissa les mains sous sa tunique d'hôpital et les remonta le long de sa cage thoracique.) Tellement magnifique.

Arquant le dos, elle écarta les jambes pour l'accueillir entre elles et sentir la bosse dure que faisait son érection. Elle haleta presque sous l'effet de la sensation, surtout quand il remua contre son clitoris. Elle pouvait jouir ainsi, elle le savait bien, parce que la nuit dont il parlait avait beaucoup ressemblé à cela, et il l'avait regardée tandis qu'elle avait un orgasme.

Chassant le souvenir doux-amer, elle fit descendre ses mains dans le dos de Kynan, appréciant la manière dont ses muscles se tendaient et roulaient sous ses paumes. Les doigts de son amant virevoltaient sur son ventre et ses côtes, sans jamais s'aventurer plus haut. Il lui donnait du « tous publics » quand elle aurait voulu du classé X.

Un grondement sourd monta de la poitrine de Kynan, ce grognement du mâle en rut ; le corps de Gem réagit instinctivement, et elle devint très mouillée.

— Seigneur, tu me rends fou. Tellement fou que j'en perds la tête. (Il déplaça son poids et prit le visage de Gem entre ses mains pour appuyer son front contre celui de la jeune femme.) Je veux te faire l'amour.

Elle exhala vivement.

— Je… oh, Seigneur, moi aussi.

—Mais pas ici. Pas maintenant.

Elle cligna des yeux.

—Pardon, tu peux répéter ?

—Je veux prendre tout mon temps, faire ça bien. Dans un lit. Et je veux y passer la nuit.

Il l'embrassa, effleurant les lèvres de Gem des siennes, et elle se demanda d'où il tirait son self-control, parce qu'elle était prête à déchirer leurs vêtements et à le chevaucher comme une bête.

—Les autres fois, j'étais soûl, en colère ou jaloux. Je ne veux plus jamais de ça.

C'était la plus belle chose qu'il puisse lui dire, la plus douce aussi. Mais le corps de Gem était si stimulé qu'il en était presque douloureux.

—Je brûle de désir, Kynan, murmura-t-elle, inclinant son bassin pour se frotter contre lui. Je ne veux pas attendre.

Kynan lui caressa la lèvre inférieure de façon érotique.

—Si tu veux, je peux te donner un orgasme. Bon sang, oui, j'en ai très envie. Je veux te goûter partout, dit-il, et elle faillit jouir juste en entendant ces mots. Mais je ne vais pas te baiser. C'est un rendez-vous, ce que nous n'avions encore jamais eu. Nous allons tout recommencer depuis le début. Et ensuite, quand tu auras fini ta garde, nous rentrerons chez toi ensemble, et je te ferai l'amour jusqu'à l'aube. Compris ?

Oh, oui, elle avait compris. Si bien que lorsqu'il fit descendre sa main entre ses cuisses et commença à la caresser, elle cria, emportée par un orgasme si explosif qu'elle n'aurait pas été étonnée de voir des flammes jaillir de sa peau.

Elle s'accrocha à lui, sachant qu'au-dehors le monde était devenu fou et qu'elle recommencerait très vite à s'inquiéter. Mais pendant un bref instant, elle venait enfin de trouver le bonheur.

CHAPITRE 15

Serena se réveilla avec une migraine d'enfer. Des élancements comme des coups de couteau lui traversaient le crâne. La première chose qu'elle vit en ouvrant les yeux fut Josh, assis dans le noir, dans un fauteuil près du lit, le visage enfoui dans ses mains.

—Josh?

Il releva vivement la tête, et la seconde suivante, s'agenouilla près d'elle.

—Comment tu te sens, Serena?

—Qu'est-ce qui… s'est passé? Où suis-je?

—Dans ta chambre d'hôtel. J'ai fermé les rideaux pour que tu puisses te reposer. (Il posa délicatement le dos de ses doigts contre la joue de la jeune femme.) Tu vas bien? Tu as mal à la tête?

—Comme si on m'avait attaquée au marteau-piqueur. Je ne m'étais pas sentie aussi mal depuis…

Sa voix mourut, car elle ne voulait pas lui raconter son enfance difficile. Mais c'était quand même très bizarre. Qu'est-ce qui clochait avec sa bénédiction?

Elle s'assit en grognant, mais Josh la repoussa contre les oreillers et les tapota avant qu'elle ne s'y renfonce.

—Il va falloir rester tranquille. Tu as pris un coup qui aurait fait éclater le crâne d'un rhinocéros.

—C'est impossible, répondit-elle, même si c'était stupide, puisque clairement, elle avait été frappée.

— Pourquoi ?

— Parce que je ne me souviens de rien.

Ce n'était pas un mensonge. Elle n'avait pas la moindre idée de la manière dont elle avait été blessée.

— Tu ne te souviens de rien ? répéta Josh, qui, lui, parut soulagé.

Fermant les yeux, elle essaya de se remémorer la bataille.

— Nous étions à Philae. Il y a eu du bruit. (Une douleur naquit entre ses yeux au souvenir d'un cri aigu.) Des démons nous ont attaqués.

Le cœur de Serena battait la chamade, comme si elle était encore là-bas. Josh lui prit la main.

— Je suis là. Tu es en sécurité maintenant.

Mais quand elle rouvrit les yeux et vit la fureur flamber dans ceux de son compagnon, elle sut que ce n'était pas vrai. La mémoire lui revint, et elle vit Josh faucher les démons comme une machette de l'herbe haute. De toutes les créatures dangereuses qui s'étaient trouvées sur l'île, il avait été la plus mortelle. Frissonnante, elle se dégagea.

— Apparemment pas, dit-elle d'un ton cassant, ne sachant pas si elle parlait de Josh ou du fait qu'elle avait déjà été blessée à deux reprises et risquait de l'être encore.

Voire pire.

Serena se rappela le corps brisé de sa mère, couché sur une table à la morgue, et elle en eut le souffle coupé. Elle avait échappé à la vigilance de Val pour voir Patricia une toute dernière fois, son cerveau de neuf ans incapable d'assimiler ce que signifiait vraiment la mort.

Jusqu'à ce qu'elle ait vu le cadavre.

Josh se passa la main sur le visage, celle qui venait de tenir la sienne, de prendre soin d'elle. Soudain, elle se sentit très moche de lui avoir parlé ainsi alors qu'il voulait juste la protéger.

—Je suis désolée, murmura-t-elle. Je n'ai pas l'habitude de prendre des coups. Je suppose que je suis une très mauvaise patiente.

—Moi, c'est pareil.

Il continuait à se frotter lentement les yeux, geste trahissant sa fatigue.

—Tu vas bien ? Tu sembles un peu bizarre.

—Mes frères m'ont appris une mauvaise nouvelle, un peu plus tôt. Rien dont tu doives t'inquiéter. (Il se leva pour faire les cent pas.) Tu te souviens de quelque chose, après avoir été blessée ?

Elle se redressa et grimaça quand un élancement lui fendit le crâne.

—Pas grand-chose. Tout est devenu noir. (Elle fronça les sourcils.) Tu m'as emmenée à l'hôpital ?

Josh pivota vers elle, et dans la pénombre, il lui sembla que ses yeux luisaient.

—Non. Pourquoi ?

—Je ne sais pas… j'ai fait ces drôles de rêves. J'étais dans un hôpital effrayant. Il était sinistre, les murs étaient couverts d'une écriture étrange… (elle frissonna) et des chaînes pendaient du plafond.

—Ce coup sur la tête t'a bien chamboulée. Je t'ai portée ici tout de suite. Pas d'hosto.

Elle tressaillit. Tout ce temps passé dans les hôpitaux étant enfant lui avait laissé une haine profonde de ces établissements.

Les odeurs, les sons… tout là-bas lui donnait la chair de poule. Il n'était pas étonnant que dans son délire elle ait transformé l'hôpital en un lieu de torture et d'horreur.

—Tout n'était pas si mal. Juste après, j'ai rêvé que j'étais sur une plage. Ce qui est bizarre, parce que je n'ai jamais vraiment aimé ça.

—Il faudra que je m'en souvienne…, marmonna Josh.

—D'accord, alors comment ai-je été blessée ?

Elle vit de nouveau cette lueur dangereuse dans le regard de Josh, comme des éclairs dorés dans ses iris sombres.

—Byzamoth.

L'estomac de Serena se noua. Elle s'était doutée qu'il constituait une menace, mais elle avait préféré fermer les yeux. Et elle avait mis Josh en danger. Tout cela par arrogance.

—Je suis tellement désolée, Josh.

—Hé. (Il s'assit sur le bord du lit et la prit dans ses bras.) Ce n'était pas ta faute.

—Tu as essayé de m'avertir. Tu m'as demandé de partir, mais je ne t'ai pas écouté, même si je savais qu'il me pourchassait. (Elle déglutit et s'écarta de lui.) Même si je savais que tu avais raison depuis le début.

—Que ça te serve de leçon, entonna-t-il, l'expression malicieuse. J'ai toujours raison.

Seigneur, il était parfait. Il était ombrageux, mais avec un passé comme le sien, qui pourrait l'en blâmer ? Il était également gentil, intelligent et mortel.

Il méritait mieux que le ramassis de mensonges qu'elle lui avait raconté.

Josh était un ex-Gardien, pour l'amour de Dieu ! Il pouvait affronter la vérité. Il combattait pour le bien… et puisqu'il la protégeait, il était en droit de savoir.

—Josh… il faut que je t'avoue quelque chose. Ça va te paraître dingue…

Il posa l'index sur les lèvres de la jeune femme.

—Crois-moi, les trucs dingues, ça me connaît, alors quoi que tu puisses me dire, ça n'entrera même pas dans cette catégorie. Je te le promets.

—Oui, eh bien…

—N'oublie pas que j'ai toujours raison.

—Tu es surtout terriblement suffisant, marmonna-t-elle.

Mais elle le taquinait, et il le savait. Il la remercia d'un sourire qui aurait pu faire arrêter la Terre de tourner.

—Vas-y, l'encouragea-t-il en s'adossant contre la tête de lit pour l'observer.

—Tu te souviens de notre conversation, à Alexandrie ? À propos des humains bénits par les anges ? (Elle prit une profonde inspiration.) Eh bien… je suis l'une d'entre eux.

—Tu es sérieuse ? (Son expression ne changea pas, même quand elle acquiesça. Il eut simplement l'air curieux.) Tu ne devrais pas être immortelle et protégée contre toute forme de blessure ?

—Eh bien, je peux être blessée… mais seulement si je le veux ou si je sens que je l'ai mérité.

Quand il haussa un sourcil, elle expliqua :

—Comme cette fois où j'ai menti à une nonne. Je me suis sentie si mal que je l'ai laissée me donner des coups de règle sur les doigts. Ça a été terriblement douloureux.

—Je connais des façons bien plus marrantes d'avoir mal. (Il lui fit un clin d'œil, puis il redevint sérieux.) Comment tu expliques les attaques de Byzamoth, alors ?

—C'est la question à un million de dollars. J'espérais effectuer des recherches… je suppose qu'il me faudra patienter. Tu pourrais peut-être interroger certains de tes contacts aegis en attendant que j'aie accès à une connexion Internet sécurisée ? (Quand il hocha la tête, ce fut son tour d'être soupçonneuse et de plisser les yeux.) Tu prends ça vraiment bien. Pourquoi ?

—Je travaille dans un hôpital où on utilise des remèdes magiques. (Il haussa les épaules.) Et je suis un ex-Gardien.

Elle sentit sa tension se dissiper. Comme c'était bon de pouvoir se confier à quelqu'un d'autre que Val.

À quelqu'un qui tenait à elle à un niveau différent de l'homme qui la traitait comme un bébé qui apprenait à marcher.

Josh fronça les sourcils.

—Je sais que les Sentinelles existent grâce à mon passage dans l'Aegis, mais les détails sont nébuleux. Faire des recherches sur Byzamoth serait plus facile si tu m'en disais davantage sur cette fameuse bénédiction. Je veux dire, les anges ne parcourent pas le monde dans le seul but d'en gratifier certaines personnes. Juste comme ça.

—Tu as raison. Nous sommes tous en possession d'un objet qui ne doit pas tomber entre les mains du mal.

—Comme la pièce que tu as trouvée à Alexandrie. Celle que portait le martyr.

Quand elle acquiesça, il poursuivit :

—De quoi es-tu la gardienne ?

Elle porta automatiquement la main à son pendentif.

—Ça.

—Qu'est-ce que c'est ?

—Pour être honnête, je n'en sais rien. Son nom est Heofon, ce qui signifie « Paradis » en vieil anglais. C'est tout ce que je sais. Le martyr des catacombes était la dernière Sentinelle pleinement consciente de ce qu'elle avait en sa possession. Selon Val, après lui, les Sentinelles ne furent plus autorisées à connaître la nature des objets qu'elles détenaient, de peur qu'elles la révèlent à la mauvaise personne, ou qu'elles les utilisent à mauvais escient, comme le gardien de la pièce.

—Mais ne croyait-il pas aider les âmes des défunts à traverser, ou quelque chose comme ça ?

—Si, mais en se tuant et en abandonnant la pièce sans protection, il risquait de permettre au mal de s'en emparer.

Elle devrait la garder sur elle jusqu'à ce qu'elle puisse la remettre aux Aegis. Val lui avait dit qu'une fois la pièce sous leur protection une nouvelle Sentinelle serait choisie pour la garder.

—Alors ce type, Byzamoth… il est après toi, n'est-ce pas? Pas après la tablette.

—Je pense qu'il voudrait mettre la main sur elle pour empêcher les Aegis de fermer les Portes des Tourments, et la pièce serait un joli bonus, mais tu as raison, c'est moi qu'il veut. Ou plutôt, c'est le pendentif, et la protection qui va avec.

—Comment pourrait-il mettre la main dessus?

La voix de Josh s'était de nouveau faite basse et dangereuse, et elle frissonna à la fois de terreur et d'excitation.

—Par le sexe. C'est pour ça que je dois rester vierge. Et que Val se montre si protecteur. (Elle baissa les yeux, puis les releva.) Ce n'est pas tout. Si Byzamoth prend ma bénédiction, je mourrai.

Elle fut incapable de déchiffrer l'expression de Josh, car il se leva en jurant et se remit à faire les cent pas, les poings serrés.

—Écoute, Josh, je suis navrée de ne pas te l'avoir dit plus tôt…

—Ce n'est pas ça, répondit-il d'un ton cassant. (Sa fureur était tel un orage dans la pièce, l'électricité statique dressant les cheveux sur la tête de Serena.) Merde. Putain de merde! Je déteste ça!

Elle étreignit son propre torse et se frotta les bras; elle avait la chair de poule.

—Je ne veux plus en parler, d'accord? Il suffit qu'on fiche le camp d'ici.

—Je suis d'accord, gronda-t-il. Je nous ai déjà réservé des places à bord du prochain train.

—Quand part-il?

Il regarda sa montre.

—Demain. À 17 heures. Enfin, aujourd'hui, puisqu'il est minuit passé.

Serena était restée inconsciente plus de temps qu'elle ne l'aurait cru. Ce qui expliquait les grondements affamés de son estomac. Elle s'assit au bord du lit.

—Où est mon sac?

—Minute, dit Josh en la retenant d'une main entre les seins. Tu dois te reposer. Je vais le chercher. Tu as besoin de quoi?

—De ne pas être maternée, répondit-elle, mais elle n'était qu'à moitié sérieuse, parce que c'était bon d'avoir quelqu'un qui s'occupait d'elle ainsi. J'aimerais aussi une barre de céréales. J'en ai toujours sur moi.

—Je savais que tu aurais faim à ton réveil, alors j'ai pris la liberté de commander à manger.

Il gagna la coiffeuse et souleva le couvercle d'un large plat posé sur un lit de glace. Quand il l'apporta à Serena, elle en eut l'eau à la bouche en voyant les tranches de viande, de fromage et les fruits. Quelles que soient les circonstances, elle avait toujours pu manger.

Soudain, elle en eut les larmes aux yeux.

—Tu es si prévenant. (Elle posa la main sur celle de Josh.) Tu n'as pas besoin de prendre soin de moi ainsi, mais merci. Tu en as déjà tellement fait. Tu es un homme bon, Josh.

—Tu as tort sur bien des points, répondit-il à mi-voix.

—J'en doute.

—Oui, eh bien… tu ne me connais pas.

Elle lui serra la main quand il essaya de la dégager.

—Tu m'as sauvé la vie, je le sais.

—Je n'ai fait que ce que n'importe quel homme aurait fait.

—Non, c'est faux. En voyant les démons, la plupart auraient pris leurs jambes à leur cou en hurlant. Tu les as combattus, et tu m'as sauvée de Byzamoth. Je ne pourrai jamais te rembourser ma dette, ni te remercier assez.

Il lui adressa un regard troublé qu'elle ne comprit pas.

—Je devrais te laisser manger et dormir. Je serai dans le salon.

—S'il te plaît, dit-elle. Reste. Je n'ai pas envie d'être seule.

Sa terreur était enfantine, comme celle d'une gamine qui a peur du noir, mais après tout ce qui venait de lui arriver, elle se sentait en sécurité quand il était là. Et plus si seule aussi, surtout à présent qu'il connaissait la vérité.

—Oui. D'accord. Je vais me contenter de faire le tour de l'étage…

Il convulsa et recula en titubant avant de se rattraper au fauteuil.

—Josh? (Serena posa vivement le plateau sur les couvertures et bondit hors du lit, sans prêter attention à sa tête qui tournait.) Que se passe-t-il?

—Je… me suis… relevé trop vite.

Il inspira profondément et appuya le front contre le mur.

—Tu as été blessé dans la bataille, hein?

Elle passa les mains partout sur le corps de Josh, cherchant une blessure, et il siffla – oui, il siffla – et s'écarta d'elle.

—Arrête, croassa-t-il. Je vais bien.

Elle tendit la main pour l'attraper par le poignet. Ses tatouages semblaient en feu, et celui sur son visage ressortait sur son teint blafard.

—Non, c'est faux.

—Je survivrai. (Sa voix était rauque, mais il retira doucement ses doigts de son bras.) Je dois aller m'assurer qu'il n'y a pas de démons venus te violer, puis je prendrai une douche.

Waouh. Il était excité.

— Sois prudent. S'il te plaît. Je ne veux pas que tu sois blessé à cause de moi.

Laissant échapper un long soupir, il ferma les yeux et baissa la tête.

— Maudite sois-tu, souffla-t-il. Tu ne peux pas cesser de t'inquiéter pour moi ?

— Et toi, d'être un sale con ?

Il releva vivement la tête.

— Quoi ?

— C'est très grossier de demander à une personne d'arrêter d'avoir des sentiments qu'elle ne peut contrôler. Va falloir t'y habituer. Je t'aime bien, et ça ne s'arrêtera pas. Soit tu l'acceptes, soit tu t'en vas. À toi de choisir.

Il la regarda pendant si longtemps que l'estomac de Serena commença à lui faire mal. Et s'il décidait de la prendre au mot et de partir ? Elle avait besoin de lui, et pour la première fois, elle se rendit compte que ce n'était pas seulement pour la protéger.

Oh, Seigneur. Elle tombait amoureuse de lui…

Enfin, il hocha la tête. Son expression était farouche, mais sa voix calme quand il dit :

— Tu vas finir par me tuer, Serena. Oui, je le crois.

Wraith était presque en nage quand il gagna la salle de bains. Il ferma la porte à clé derrière lui et s'adossa contre le battant, comme s'il pourrait retenir les démons qui le pourchassaient.

Ces démons qui l'avaient tourmenté toute sa vie. Dans sa tête. Dans son âme.

« Tu es un homme bon, Josh. »

S'il n'avait pas eu tant de mal à respirer, il aurait ri. Il n'était pas bon. Il n'était même pas un homme.

Non, il était un démon sexuel dont la libido avait été annihilée par une puissante toxine.

Sauf qu'elle n'avait pas complètement disparu, pas quand il était avec Serena.

Quand elle l'avait touché, Wraith était entré en éruption comme un volcan se réveillant après des siècles d'inactivité. Et combiné à l'accès de faiblesse provoqué par le poison, cela avait mis son système en surchauffe. Il avait dû sortir. Son corps s'était senti tiraillé entre plusieurs directions, et il n'avait pas su comment réagir. Il aurait pu sauter sur la jeune femme pour lui faire l'amour. Et boire son sang. Ou bien vomir au beau milieu de la chambre.

Rien que des choix merveilleux. La tuer en la baisant, en la vidant de son sang, ou simplement l'écœurer.

Tremblant violemment, il se laissa tomber sur le sol et s'efforça de respirer avec calme. Quand la pièce cessa de tanguer, il fouilla dans son sac et sortit une demi-douzaine de boîtes de médicaments avant de trouver une poche d'O négatif. Dieux, il détestait le sang froid, mais il ne se faisait pas assez confiance pour aller chasser. Il était malade de plus en plus souvent, et la dernière chose dont il avait besoin, c'était d'être pris de nausée alors qu'il se nourrissait, devenant soudain vulnérable.

Il supposait qu'il pourrait faire un aller-retour à l'UG, où il trouverait sans doute une femelle consentante pour satisfaire ses besoins sexuels et nutritionnels, mais il ne pensait pas pouvoir bander pour une autre que Serena. Et ce serait si humiliant de ne pas être à la hauteur. Il avait une réputation à maintenir, après tout.

Et puis, il ne supporterait pas de voir ses frères. La perspective de leur mort lui avait fait l'effet d'une bombe et l'avait complètement détruit. Il était prêt à donner sa vie pour sauver celle de Serena, et même à lui sacrifier l'Underworld General. Mais comment pourrait-il tourner le dos à Shade et à Eidolon après tout ce qu'ils avaient fait pour lui ?

Impossible.

Il s'injecta la drogue antilibido et les élancements douloureux qui accompagnaient son désir inassouvi disparurent peu à peu. Sa peau, qui lui avait semblé trop juste pour contenir son corps, se détendit. Il jeta la seringue dans la poubelle. Puis il perça la poche d'O négatif avec ses canines et prit une grosse gorgée de sang pour avaler les pilules.

Il s'octroya quinze minutes pour finir son repas, puis il se brossa les dents, prit une douche et enfila un short et un tee-shirt. Enfin, il refit son sac, veillant à cacher la nourriture et les médicaments sous ses vêtements. Un bip étouffé attira son attention sur le téléphone dans sa poche. Eidolon l'avait appelé ; son numéro s'affichait à l'écran. Mais Wraith n'était pas d'humeur.

Entre l'annonce de ses frères et les confidences de Serena, il était à un cheveu de perdre la tête.

Il n'arrivait pas à croire qu'elle se soit confiée à lui ainsi. Il aurait dû être ravi qu'elle lui fasse confiance à ce point, mais la culpabilité le rongeait à cause de ses mensonges, et plus elle se fiait à lui, plus elle tenait à lui… plus il se haïssait.

Et qu'il soit maudit s'il laissait Byzamoth l'approcher de nouveau.

La colère lui fit bouillir le sang dans les veines à cette pensée. Il avait soupçonné le démon de vouloir s'emparer de la bénédiction de Serena, mais se l'entendre confirmer de la bouche même de la jeune femme l'avait rendu furieux. Si elle devait la perdre, ce serait au profit d'un mâle qui pouvait lui donner le plaisir le plus intense de toute sa vie.

Autrement dit, Wraith.

Sauf que… même si les vies de ses frères pesaient à présent dans la balance, pourrait-il le faire ? L'idée qu'elle puisse mourir à cause de lui ne l'avait déjà pas emballé au début, mais à présent qu'il avait appris à la connaître… À l'apprécier.

Peut-être… pouvait-il la sauver ? Eidolon avait peut-être tort de croire qu'il ne pouvait pas la guérir. Si Wraith pouvait prendre sa virginité et s'assurer qu'elle survive, tout le monde serait gagnant. Par l'enfer, n'avait-il pas réalisé l'impossible l'année précédente, en trouvant le remède à la malédiction de Shade ? Ou tout au moins le moyen d'activer sa guérison. Et la démone qui avait aidé Wraith à déclencher sa *s'genesis* en avance pourrait sans doute guérir Serena.

Se sentant bien mieux qu'à n'importe quel moment depuis que cette histoire avait commencé, il regagna la chambre de Serena.

Quand il atteignit la porte close, il prit une profonde inspiration et frappa, maudissant son cœur, qui battait la chamade. Elle ouvrit, les cheveux humides, simplement vêtue d'un tee-shirt des *Simpson* à la fois trop et pas assez révélateur.

— Je me suis douchée, balbutia-t-elle, rougissant de façon adorable alors qu'elle tirait sur son vêtement.

Comme si cela pourrait l'empêcher d'admirer ses jambes.

Et… adorable ? Il avait vraiment pensé cela ? Dieux, il se ramollissait.

Il fallait qu'il tue quelque chose.

— Tu te sens mieux ? demanda-t-elle, et il hocha la tête et entra.

— Maux de tête chroniques. J'ai pris de l'aspirine. (Il jeta un coup d'œil au plateau de nourriture, presque inentamé.) Il faut que tu manges davantage.

— J'en ai l'intention. J'attendais juste ton retour. Tu n'as pas trouvé de démon tapi dans l'hôtel, n'est-ce pas ?

Seulement un.

—Non, aucun. (Quand elle ne répondit rien, il posa la main sur sa joue fraîchement lavée.) Hé, tu vas bien ? Tu veux que je m'en aille ?

Il avait terriblement besoin qu'elle dise « oui ».

Elle ferma les yeux et se frotta contre sa paume d'une manière si tendre et pleine d'affection qu'il sentit quelque chose en lui se briser un peu.

—Je veux que tu restes, dit-elle à mi-voix. C'est juste que je n'ai pas l'habitude de passer la nuit avec, tu sais, un homme.

—Je comprends. Moi non plus, la taquina-t-il, et elle éclata de rire, ce qui détendit l'atmosphère. Alors, tu aimes *Les Simpson*, hein ?

Le sourire de Serena l'atteignit en plein cœur.

—Un de mes plaisirs coupables. Bart est tellement tordu. Je l'adore.

—C'est le meilleur, dit Wraith en souriant. Je me dis que si jamais j'ai un gosse, c'est comme ça qu'il sera.

—J'en doute.

Serena grimpa dans son lit et tira les couvertures jusqu'à son menton.

Elle avait tort, tellement tort, mais il ne pouvait pas lui dire pourquoi, alors il était inutile d'argumenter. Au lieu de cela, il s'allongea sur le dos à côté d'elle, veillant à rester tout près du bord pour ne pas l'effrayer. Il voulait la toucher, mais il lui suffisait de la voir, raide et les yeux rivés sur la porte, comme si elle songeait à s'enfuir, pour savoir que ce n'était pas le bon moment.

—Comment va ta tête ? demanda-t-il.

Elle roula sur le flanc pour lui faire face.

—Mieux. Merci.

Il regardait le plafond.

—Tu ne devrais pas me remercier…

—Tu recommences à te comporter comme un sale con ? (D'un geste hésitant, Serena posa délicatement la main sur le bras droit de Wraith, passé en travers de ses abdos.) Laisse-moi t'être reconnaissante.

Il lui serait reconnaissant d'arrêter de le toucher. De cesser de tracer son *dermoire* du bout des doigts. C'était la partie la plus sensible de son corps… Enfin, la deuxième.

Elle caressa du revers des ongles un symbole près du poignet de Wraith.

—Quelle est la signification de tes tatouages ? Ils sont extraordinaires. À certains moments, on dirait presque qu'ils bougent.

Sans doute parce que c'était le cas. En général pendant qu'il s'envoyait en l'air ou qu'il utilisait son don. Ils luisaient et pulsaient, ondulant même parfois.

—Une illusion d'optique, répondit-il. Ils font partie de l'histoire de ma famille. Du côté paternel.

—Vraiment ? Comment ? Les symboles me semblent familiers.

—Amorite ancien, mentit-il, parce qu'ils étaient en sheoulien, la langue des démons. La famille de mon père a toujours aimé les traditions.

—Je sais que tu ne l'as pas connu…

—Alors pourquoi m'être fait tatouer ? (Il ne pouvait pas lui avouer qu'il était né avec, mais il lui était de plus en plus difficile de mentir.) C'est un truc de famille. Je suis proche de mes frères, et on voulait faire quelque chose ensemble, alors nous avons choisi les tatouages. Ringard, je sais.

—Non, pas du tout. C'est cool. Ça doit être génial d'avoir une telle famille.

—Et toi ? Je sais que tu es proche de Val, mais tu as des frères et sœurs ?

— Ni l'un ni l'autre. Ma mère était enceinte quand elle est morte.

Réconforter quelqu'un n'était pas dans ses cordes, alors il se contenta de dire :

— Je suis désolé.

— Merci. (Elle se tortilla pour se rapprocher de lui et poser la tête sur son épaule.) Tu n'y vois pas d'inconvénient ?

— Non, c'est parfait, croassa-t-il, parce que cela lui faisait du bien, jusqu'au tréfonds de son âme noire. Qu'est-ce qui t'est arrivé après ?

— Son testament spécifiait que je devais être élevée dans un couvent. J'ai donc grandi au milieu des nonnes, et elles ont été déçues que je ne choisisse pas de porter le voile.

— Ça ne m'étonne pas.

Rien qu'à l'idée qu'elle avait grandi au milieu de bonnes sœurs, il en avait la chair de poule. Toutes les choses qu'elles avaient dû lui apprendre sur le péché et le sexe… un poids s'installa au creux du ventre de Wraith. Même s'il couchait avec elle, ils ne seraient pas amis, ils n'auraient pas de vraie relation… mais par tous les Dieux, à quoi pensait-il ? Amitié ? Relation ?

Putain de poison.

Eidolon l'avait prévenu que la toxine liquéfierait ses organes, mais il n'avait rien dit au sujet de son cerveau.

Serena se redressa sur un coude et l'observa comme s'il était une énigme et elle, Sherlock Holmes.

— Tu n'aimes pas qu'on te touche, hein ?

Il aimait cela quand elle le faisait. Trop, en fait, ce qui était le problème.

— Je n'y suis pas habitué.

— Moi non plus.

— Je parie, oui, puisque tu mourrais si tu faisais l'amour. Ce qui craindrait.

235

Elle rit.

— Ça ne veut pas dire que je ne puisse pas faire d'autres trucs.

Sa voix, basse et rauque, pénétra Wraith en des endroits que ses doigts ne pouvaient pas atteindre, et il ne put s'empêcher de se tourner vers elle.

— Comme l'autre nuit, ajouta-t-elle.

— Qu'est-ce que tu veux dire ?

Il savait, mais il voulait l'entendre de sa bouche.

— Tout simplement que je veux être avec toi. De toutes les manières possibles pour moi.

Serena accueillit la pression ferme des lèvres douces de Josh sur les siennes. Il prit son temps, les effleurant d'abord, puis passant sa langue sur celle du bas avant de la prendre entre ses dents. Les pointes de ses canines acérées la firent haleter à la fois de plaisir et de douleur.

Il lécha l'endroit qu'il venait de mordiller, caresse chaude et humide sur la face interne si sensible de la lèvre inférieure de Serena. Elle ouvrit la bouche pour l'accueillir, ainsi que ses cuisses pour qu'il s'installe entre elles. Elle releva les genoux pour permettre un meilleur contact et faillit grogner tant ils s'emboîtaient à la perfection, l'érection de Josh nichée contre son sexe. Seule une barrière de tissu les séparait, la petite culotte de Serena et le short de Josh.

— Ne t'inquiète pas, dit-il. Je ne ferai rien que tu ne veuilles pas.

— Je sais.

Il était si grand, si dominateur et possessif, mais sa sensibilité et sa douceur enveloppaient la jeune femme comme un drap de satin, lui donnant l'impression d'être féminine, sexy et désirée. Quand il glissa la langue dans la bouche de Serena, allant et venant comme il l'aurait fait en la pénétrant, elle le désira. D'une manière qui lui était interdite.

Pour l'heure, elle prendrait tout ce qu'elle pourrait.

Il se frottait contre elle tout en l'embrassant avec ardeur. Serena sentit qu'elle devenait toute mouillée, et comme si Josh avait compris, il laissa entendre un grondement sourd et glissa une main entre leurs deux corps. Il trouva le vagin de la jeune femme, qui faillit jouir sous ses caresses légères.

—Oh, bon sang, grogna-t-il contre ses lèvres. Je sens d'ici l'odeur de ton excitation et ça me tue. Il faut que je te goûte. Si tu n'en as pas envie, tu ferais bien de me le dire maintenant.

Elle expulsa l'air de ses poumons d'un coup quand elle assimila les paroles crues de Josh et que des images et des fantasmes lui traversèrent l'esprit.

—Puisque je n'entends aucune objection…, gronda-t-il en glissant le long du corps de Serena pour lui retirer sa culotte.

Lentement, comme un félin, il passa des pieds aux hanches de la jeune femme, ses muscles roulant et ondulant sous sa peau. La respiration de Serena se fit laborieuse quand il lui écarta les cuisses.

Elle voulait ce qu'il allait lui faire, mais il la regardait, et cela la rendait nerveuse. Elle avait peur aussi d'avoir commis une terrible erreur. Puis il murmura :

—Par tous les Dieux, tu es si belle.

Les Dieux ? C'était juste une expression, évidemment. Qu'importait les mots étranges qu'il employait, parce qu'elle avait soudain le vertige et le corps alangui par une douleur exquise.

Fermant les yeux, il inhala profondément, et quand il les rouvrit, elle aurait juré qu'ils étaient dorés. Mais il baissa la tête au même instant, aussi n'en fut-elle pas sûre.

—Ton odeur est si douce. Je pourrais passer la nuit entière entre tes cuisses.

Josh fit remonter ses mains le long des jambes de Serena pour écarter ses lèvres mouillées et elle retint sa respiration tandis qu'il se penchait... si lentement qu'elle aurait voulu hurler. Et elle cria quand il la lécha, de l'entrée de son vagin à son clitoris.

—Josh. Oh... oh, waouh!

Une sorte de ronronnement vibra à travers son corps, et l'haleine chaude de Josh lui fit découvrir d'autres sensations.

—Si je te fais mal ou si tu n'aimes pas ça, dis-le-moi.

Ne pas aimer cela? Il était dingue ou quoi?

—Aucun danger, crois-moi.

—Je ne veux pas me laisser emporter... tu as si bon goût, et c'est la première fois que je fais ça...

Elle en resta sans voix, mais elle n'eut pas l'occasion de prononcer un mot, car la bouche de Josh était de nouveau sur elle, pour l'embrasser et la sucer, et la jeune femme souleva le bassin. Rien dans ses rêves les plus fous ne l'avait préparée à cela. Des sensations exquises s'emparaient de son corps à chaque coup de sa langue qui décrivait des cercles et la léchait jusqu'à ce qu'elle se frotte contre lui et donne des coups de reins. Quand il prit son clitoris entre ses lèvres pour le téter, elle sentit son plaisir exploser et elle jouit avec force.

La voix de Josh flottait quelque part au-dessus d'elle. Hébétée, elle ouvrit les yeux.

—C'était... oh, mince alors, soupira-t-elle.

Il l'observait avec un mélange d'émerveillement, d'adoration et un soupçon de suffisance.

—Tu es tellement sexy quand tu jouis. Allez, on remet ça!

Elle avait à peine assez d'énergie pour respirer, pourtant elle éclata de rire.

—Même si j'adorerais...

— Pourquoi pas ? C'est à cause de ta tête ? (Il la regardait avec inquiétude, à présent.) Ça va, Serena ?

— Oh, oui. Je vais b-bien.

Ce qui était un mensonge, parce qu'elle n'allait pas bien du tout. Elle était en train de tomber amoureuse de cet homme, et ce n'était pas bon du tout. Mais elle avait des vertiges ; elle avait besoin de faire un somme.

— Merde. Je n'aurais pas dû. Tu es blessée et tu as besoin de repos…

— Chut. (Elle lui toucha le visage, ce qui eut pour effet de le faire taire instantanément.) Je croirais entendre un médecin.

— Sans doute un effet secondaire à force de travailler dans un hôpital avec un frère qui pratique la médecine parallèle et l'autre qui est docteur.

Elle esquissa un pâle sourire, parce qu'elle n'était pas encore remise de l'orgasme qu'il lui avait donné.

— Ça doit être chouette d'avoir toutes sortes de professions médicales dans la famille.

— Eh bien, tu dis ça parce que tu n'as pas rencontré mes frères. (Il s'allongea sur le flanc, tout contre elle.) Dors. Nous reparlerons de mes emmerdeurs de frangins demain.

Elle se pelotonna contre lui et ne prit pas la peine de lui dissimuler un bâillement.

— Demain, alors.

— Oui, répondit-il, et pour une raison obscure, il lui sembla triste.

CHAPITRE 16

W raith et Serena s'étaient reposés jusqu'au début de l'après-midi. Du moins la jeune femme avait dormi, pendant que Wraith avait monté la garde en faisant les cent pas dans la chambre d'hôtel. Rien ni personne n'atteindrait Serena à moins de passer sur le corps du seminus. Rien.

Il avait appelé la démone qui l'avait déjà aidé, disant qu'il lui fallait un remède contre une maladie véhiculée par un mara et que son prix serait le sien, mais il n'avait pas eu de nouvelles depuis. Il savait bien ce qu'elle lui demanderait en échange de ce service. Son corps. Pendant des jours.

Et pour la première fois de sa vie, l'idée de baiser une magnifique femelle le laissait froid.

Son regard alla se poser sur Serena, qui appelait son patron.

Elle le surprit en train de l'observer tandis qu'elle raccrochait et traversa le salon à sa rencontre.

— Il va falloir faire un détour sur le chemin de la gare. Val veut que je dépose la pièce chez le Régent de la cellule locale de l'Aegis.

Wraith en eut des sueurs froides. Et si l'Aegi connaissait le vrai Josh ?

— Pourquoi ?

— Parce que si Byzamoth est à mes trousses, la pièce est aussi en danger, et je ne peux pas le laisser s'en emparer.

— Nous ne pouvons pas le laisser s'emparer de *toi*, corrigea-t-il. Il faut monter dans ce train et quitter Assouan au plus vite.

— Ça ne prendra qu'une minute. Le Régent ne vit qu'à quelques pâtés de maisons d'ici. Et s'il a un ordinateur, je pourrai peut-être me renseigner sur Byzamoth.

Eh bien, merde.

— Très bien. Allons-y.

Ils marchèrent en silence, Wraith sondant les alentours. Il s'était gavé de médicaments avant de partir, mais alors qu'ils approchaient de la maison de l'Aegi, il se demanda s'il ne devrait pas augmenter les doses. Il se fatiguait très vite désormais, et il devait rester au top de sa forme.

Eidolon lui avait donné un mois à vivre, mais Wraith sentait que sa santé se détériorait, et ses tripes lui soufflaient qu'il ne lui restait pas plus de deux jours.

Une douleur profonde s'était installée dans chacune des cellules de son corps, mais même si son cerveau partait parfois en vrille, Wraith n'était pas encore prêt à se rouler en boule et à se laisser mourir. Ce qui était étrange, puisqu'il avait passé sa vie entière à appeler la mort.

— Ça devrait être juste au bout de cette rue, dit Serena, étudiant la carte.

La brise se leva, charriant des particules de sable et… une odeur de sang humain. Beaucoup de sang. Wraith s'arrêta net, comme si le Mal incarné s'était soudain dressé devant lui.

— Serena.

— Qu'est-ce qu'il y a ?

— Des démons.

Elle tourna vivement la tête vers lui.

— Où ?

—Je l'ignore. Mais j'ai senti un truc bizarre à Philae, et je perçois les mêmes vibrations en ce moment. C'est encore loin ?

Elle indiqua une habitation, à une dizaine de mètres.

—D'accord, poursuivit-il. Montrons-nous pour voir ce qui va arriver.

Serena ne protesta pas. Elle le laissa la prendre par la main et la conduire jusqu'à la maison, mais plus ils se rapprochaient, plus la senteur cuivrée s'intensifiait. Elle provenait de l'intérieur de la demeure du Régent. Wraith eut la chair de poule, et alors qu'il aurait dû saliver, sa bouche devint sèche.

—Serena, dit-il. Je vais te demander de rester sous le porche pendant que je jette un coup d'œil à l'intérieur.

—Mais…

—Ce n'est pas le moment de discuter. J'ai un très mauvais pressentiment, et mon instinct se trompe rarement.

—D'accord, répondit-elle d'une voix ferme. (Serena ne flancha pas, pourtant il entendit son cœur se mettre à battre deux fois plus vite.) D'accord, je te fais confiance.

Il aurait voulu qu'elle cesse de répéter cela.

—Reste ici, et crie si tu as besoin de moi.

Il l'embrassa, et ce baiser lui sembla la chose la plus naturelle au monde.

Se maudissant en silence, il essaya la porte. Elle était ouverte. Le battant pivota sur ses gonds en grinçant, et la puanteur le frappa si fort qu'il recula d'un pas. Il régnait une odeur de mort et de souffrance. De sang. De tripes répandues sur le sol. L'estomac de Wraith se souleva alors qu'il pénétrait plus avant. Il ne percevait aucune autre présence, mais cela ne signifiait pas qu'il n'y avait personne. De nombreuses créatures n'avaient ni pouls ni corps physique. Et certaines pouvaient dissimuler leur force vitale.

Il jeta un rapide coup d'œil par-dessus son épaule pour s'assurer que Serena avait suivi ses ordres. Elle l'attendait à l'extérieur, mais à la manière dont elle se dandinait d'un pied sur l'autre en se triturant la lèvre inférieure, elle ne resterait pas tranquille longtemps.

Il trouva le Régent dans la chambre. Et la salle de bains. Ainsi que la cuisine.

Wraith vomit son déjeuner dans une poubelle, et tandis qu'il s'aspergeait le visage d'eau froide et se rinçait la bouche dans l'évier, il se rendit compte qu'il n'était plus seul. Pivotant sur les talons, il se retrouva face à face avec Byzamoth.

— Les humains sont si… fragiles, dit ce dernier en souriant, léchant le sang qui lui maculait les doigts. Nous verrons si Serena est plus résistante. J'espère qu'elle est intacte. Pour elle comme pour toi.

Wraith lui flanqua son poing dans la figure. Deux fois. Puis il lui enfonça le genou dans le bas-ventre et lui donna un coup de coude dans la gorge. Byzamoth n'eut pas le temps d'être surpris. Il tomba à la renverse.

— C'est justement de ça que je veux parler. (Wraith le frappa de nouveau à l'entrejambe.) Oh, ouais… ouf!

Byzamoth avait fait pivoter sa jambe pour atteindre Wraith aux genoux. Le seminus percuta un placard et réussit à garder l'équilibre par miracle. Le démon se précipita sur lui, et Wraith se cogna la tête assez fort pour laisser un trou dans le mur.

Son humeur devint létale.

Poussant un rugissement, il envoya Byzamoth valdinguer contre le comptoir, d'où tombèrent des verres et des assiettes, qui se brisèrent au sol. Le démon était plus fort que la plupart de ceux qu'il avait rencontrés, et il ne lui fallut pas longtemps pour comprendre que pour la toute première fois, dans son état, il risquait de ne pas avoir le dessus sur un adversaire.

Byzamoth referma une main autour de la gorge de Wraith et serra. Une vive douleur irradia jusque dans la colonne vertébrale du seminus. Il tendit la main derrière lui, cherchant à tâtons le bloc de couteaux qu'il avait aperçu en arrivant. Le visage de Byzamoth arborait une expression démoniaque et il montrait les dents, rougies par du sang.

—Elle est à moi, siffla-t-il, serrant Wraith si fort que la vision de celui-ci s'assombrit. Je ne joue plus. Il est temps pour toi de mourir.

Pas encore, trouduc.

Wraith referma la main autour du manche d'un couteau et frappa. La lame se planta dans la gorge de Byzamoth, dans la partie tendre à la jointure du cou et de l'épaule. Du sang jaillit, et le démon poussa un cri infernal. Il lâcha Wraith, mais la blessure ne réussit pas à le ralentir. Ses yeux brillèrent d'une lumière écarlate et, oh merde, son corps tout entier se mit à émettre de la lumière. À grandir. Et à se transformer.

Putain de merde.

Byzamoth n'était pas n'importe quelle créature des ténèbres. C'était un foutu ange déchu. Il était temps de prendre ses jambes à son cou.

Wraith se rua vers la porte, au moment où Serena franchissait le seuil.

—Qu'est-ce qui se passe ?

—Pars ! cria-t-il. Tout de suite !

Elle fit demi-tour, et il sortit sur les talons de la jeune femme. Un rugissement furieux les poursuivit, si puissant que Wraith sentit une explosion de chaleur lui roussir le dos. Il attrapa son sac d'une main et celle de Serena de l'autre et dévala la rue à toute vitesse. Droit devant, un homme montait dans sa voiture. Wraith l'écarta, lui prit ses clés et poussa Serena dans l'habitacle.

L'Égyptien injuria Wraith en arabe alors que Serena s'installait sur le siège. Le seminus ne lui prêta aucune attention. Il sauta à la place du conducteur et mit le contact.

Dans le rétroviseur, il vit l'ange foncer sur eux… il avait l'air d'une immense gargouille avec des putains de crocs et des ailes gigantesques… non, une seule aile. Wraith démarra et déboîta en vitesse, roulant comme un forcené jusqu'à la gare.

—C'était quoi, cette chose ?

—Byzamoth. C'est un connard d'ange déchu.

—Putain de merde.

—Je ne te le fais pas dire.

—Il a… tué le Régent ?

—Oui.

—Oh, Seigneur. (Elle tritura son collier tout en se dévissant le cou pour jeter un coup d'œil par la vitre arrière.) Josh ?

—Quoi ?

Il tourna devant la gare, s'engagea dans une place de parking et pila.

—Comment Byzamoth pouvait-il être là ?

—Parce qu'il savait que tu…

Oh, merde.

—Exactement. Il savait que je me rendais chez le Régent.

Ils échangèrent un regard, parce qu'ils n'ignoraient pas où tout cela allait les mener. Seules quelques personnes au sein de l'Aegis connaissaient leurs plans.

—Tu n'avais pas réservé de place à bord de ce train, n'est-ce pas ? Alors, personne ne savait que nous devions le prendre ?

—Non, répondit-elle en secouant la tête. Seulement Val. J'étais censée être dans celui de demain.

Wraith mit son sac sur son épaule et sortit de la voiture, mais pour une raison quelconque, il n'était pas du tout soulagé.

Le sang de Reaver coulait de ses poignets alors qu'il s'agenouillait sur le mont Megiddo… Har-Megiddo, comme il l'avait toujours appelé. Il n'était pas le premier à verser son sang à cet endroit, et il ne serait pas le dernier. On y avait livré des batailles, et dans un proche avenir, des armées se rassembleraient dans la vallée en contrebas pour s'affronter au cours de l'ultime combat entre le Bien et le Mal.

La nuit tombait, mais le ciel était déjà assombri par les nuages. Il avait remué le Paradis par sa présence… et sa requête.

Il attendit, son sang formant deux rivières jumelles qui ruisselaient sur le sol dur, contournant les pierres qui dépassaient de la terre. Des points noirs envahirent son champ de vision, et il eut la nausée. Si nul n'apparaissait devant lui, il risquait de mourir, et ce n'était pas ainsi qu'il souhaitait partir.

Tout ange déchu s'étant vidé de son sang connaissait une vie de tourments éternels aux côtés de Satan. Pire, Reaver n'aurait plus jamais aucun espoir de retourner au Paradis.

—Tu oses m'implorer ? demanda une voix qui résonna dans l'esprit de Reaver et à ses oreilles, douloureusement.

Ce dernier ne leva pas la tête pour regarder celle à qui elle appartenait, l'ange Gethel. Il n'était plus autorisé à poser les yeux sur ceux qui servaient. Alors, il les garda baissés sur le sol gorgé de sang.

—J'ai jugé que c'était digne de votre attention, répondit-il avec prudence.

—J'en serai seule juge.

—Évidemment. (Il fut balayé par une vague de vertige, et il se demanda si elle allait le laisser saigner à mort.) La Sentinelle Serena est en danger.

—Nous en sommes conscients.

— Que faites-vous, alors ?

— Nous ne pouvons pas interférer.

Il savait qu'il existait des restrictions concernant l'aide que les anges pouvaient apporter aux humains, jusqu'à ce que la situation dépasse le libre arbitre et devienne une crise entre le Bien et le Mal.

— Je pourrais aller lui parler…

Il y eut un éclair. Le tonnerre résonna à l'intérieur du cerveau de Reaver, lui perçant les tympans. Une vive douleur remonta de ses poignets et lui fendit le crâne. Soudain, le sang qui coulait de ses veines se mua en cordes qui le retenaient prisonnier de la terre assoiffée.

— Tu n'approcheras pas d'elle.

— Mais il faut faire quelque chose !

Reaver releva la tête. Il en avait assez de trembler et de mendier comme un chien apeuré.

Gethel se tenait devant lui, plus grande que nature, terrible et belle dans le vent qui faisait onduler sa robe grise et ses cheveux blonds.

— Tu as fait bien plus que nécessaire pour Serena, déchu.

Ce rappel de ce qui avait causé sa perte lui comprima la poitrine. Il avait commis un crime en bravant les règles et en interférant dans la vie de plusieurs humains. Il l'avait fait pour sauver Serena, mais argumenter avec Gethel ne le mènerait nulle part. Il inclina de nouveau la tête. Il ferma les yeux, mais les images continuèrent à défiler sur l'écran de ses paupières, comme un film en haute définition.

Il n'y avait que deux façons de perdre sa bénédiction : en se suicidant ou en faisant l'amour. Patricia était une chasseuse de trésors, comme sa fille Serena. Et au cours de ses multiples voyages, elle avait trouvé un objet dont la signification historique et religieuse était sans précédent.

Elle avait découvert la vraie sainte lance, celle de Longinus, qui avait frappé le flanc de Jésus. Si les humains avaient spéculé sur son pouvoir pendant des siècles, la vérité, à savoir qu'elle était capable des pires atrocités dans la main d'humains pervertis, était un secret bien gardé qui ne serait révélé que lors de l'ultime bataille.

Patricia aurait pu devenir riche et célèbre, mais elle avait compris le pouvoir de la lance, et elle l'avait remise dans sa cachette, pour que le temps venu elle soit trouvée par celui qui l'utiliserait en faveur du Bien.

Son sacrifice l'avait désignée pour devenir la nouvelle gardienne du collier Heofon. Son prédécesseur s'était tué au bout de deux siècles.

Patricia avait porté Heofon avec fierté… jusqu'à ce que Serena soit sur son lit de mort.

Alors, elle avait imploré qui voudrait bien l'entendre de sauver sa fille. Comme ses prières n'avaient pas été entendues, elle avait supplié qu'on lui transfère sa bénédiction. Cela n'avait jamais été fait… ce n'était pas autorisé.

Mais Reaver avait accédé à son désir.

Et il avait été banni du Paradis.

—J'en ferais davantage pour elle, si je le pouvais, dit-il à Gethel.

—Ce que tu vas faire, c'est réfléchir à tes actes, en attendant que je décide de te libérer.

Sur ces mots, elle disparut, et il resta enraciné à la terre. Il n'allait pas se vider de son sang, mais s'il était encore là le lendemain à midi, il serait transporté au Paradis pour y affronter son dernier jugement.

Et il échouerait.

CHAPITRE 17

N ew York en hiver pouvait être glacial, mais la température ne gênait pas Gem alors qu'elle et Kynan se
dirigeaient vers l'appartement d'Eidolon et Tayla. En fait,
plus rien ne la dérangeait. Même si Kynan et elle n'avaient
pas pu se rendre à son appartement, comme ils l'avaient
prévu, elle ressentait toujours les effets secondaires de ses
promesses après l'heure romantique qu'ils avaient passée
à l'hôpital.

Il avait fallu qu'Eidolon gâche tout en insistant pour qu'ils
se retrouvent tous chez lui. Quoi qu'il ait à leur annoncer, les
nouvelles semblaient mauvaises.

Eidolon leur ouvrit la porte.

— Tay et Runa sont dans le salon avec les bébés. Shade
et moi faisons de notre mieux pour ne pas brûler les steaks.

Kynan se débarrassa de sa veste, et Gem s'accorda un
instant pour admirer la manière dont son pull noir moulait
son corps musclé.

— J'en ai cuit sur des moteurs de camion. Je vais
vous aider.

— Comme lettre de recommandation, on fait mieux,
répondit Eidolon, tout en indiquant la cuisine de la
tête. Viens.

Gem fronça les sourcils.

— Tu as dit que nous devions parler.

—Vous aurez moins de mal à encaisser l'estomac plein, dit-il, avant de s'éloigner, Kynan sur les talons.

Gem s'empressa de gagner le salon, où sa sœur et son compagnon semblaient avoir ouvert un magasin de jouets. Tay et Runa levèrent les yeux. Elles étaient assises sur le sol et jouaient avec les garçons. Il était impossible de les différencier, sauf le nouvel arrivant, qui était un peu plus petit et un peu plus rose que les autres. Runa le tenait dans ses bras.

Shade et cette dernière étaient enchantés d'avoir le bébé, surtout maintenant que l'avenir de Wraith était incertain. Avoir un petit bout de lui semblait réconforter tout le monde, et le bébé démon recevrait tout l'amour qui avait fait défaut à son père dans son enfance.

Seigneur, Runa paraissait si heureuse, si paisible. Gem sentit un pincement au cœur.

Tayla tapota le sol à côté d'elle.

—Assieds-toi et prends un des petits.

—J'ai l'embarras du choix.

Gem lorgna les trois enfants allongés sur des couvertures, qui attrapaient des formes colorées dans leurs menottes.

Tay sortit un biberon d'un sac à langer.

—Je ne sais pas comment tu fais, Runa. Rien qu'un me rendrait folle.

Runa sourit au nourrisson qu'elle tenait.

—Tu changeras d'avis quand tu auras le tien dans tes bras.

—J'en doute, grommela Tayla.

Eidolon et elle voulaient des enfants, mais ils désiraient encore attendre un peu. Si Tay avait le dernier mot, ils n'en feraient pas avant une trentaine d'années.

—Alors, Wraith ne sait pas encore, pour le bébé ?

— Non, répondit Runa en caressant la joue de l'intéressé. Wraith a tant de choses à affronter en ce moment. Et même quand elles se seront tassées, ce ne sera pas facile de le lui dire. Shade a peur qu'il pète un plomb ou un truc comme ça, s'il pensait devoir être responsable d'une vie innocente.

— Ce n'est pas le cas. Vous le lui direz, n'est-ce pas ?

Tayla fouilla de nouveau dans le sac et en tira Mickey. Le furet protesta vigoureusement, vola une sucette et alla se cacher sous le canapé.

— Bien sûr. Nous désirons élever ce bébé. Mais vous pouvez imaginer à quel point ce sera difficile pour Wraith de venir aux réunions de famille et de voir son fils grandir loin de lui ? Et qu'est-ce qu'on fera quand le petit commencera à poser des questions ? Qu'est-ce qu'on lui dira ? Que son père ne voulait pas de lui ?

— Je ne crois pas que vous soyez justes envers Wraith, dit Gem à mi-voix.

Les deux femmes la regardèrent comme si elle venait de déclarer que Sheoul, avec ses cavernes sombres et glacées et son noyau de lave en fusion, était la destination de vacances rêvée.

— Allez, poursuivit Gem. Nous ne savons pas comment il réagira. Il a toujours été imprévisible.

— Oui, et c'est exactement ce qu'il faut pour veiller sur un enfant, fit remarquer Tay d'un ton sec.

Gem haussa les épaules.

— Je crois quand même qu'il faudrait lui donner sa chance.

Runa soupira.

— Je sais que je suis dure avec lui. Il a un côté très protecteur, et il a été gentil avec moi, mais je ne sais pas si tout ça suffira à faire de lui un bon père.

—En parlant de ça, dit Tayla en coulant un regard à sa jumelle, comment ça se passe, entre toi et Kynan ?

—Kynan ? (Runa se pencha et baissa la voix.) Est-ce que lui et toi, vous attendez un enfant ?

Gem faillit s'étouffer.

—Non, pas du tout. Tu te fiches de moi ?

Elle jeta un coup d'œil par-dessus son épaule, un peu effrayée à l'idée que son amant ait pu entrer sans qu'elle l'entende.

—Mais vous voulez avoir des gosses, un jour, non ? s'enquit Runa.

—Oui, mais…

Mais quoi ? Elle en voulait, mais dans quel monde les élèverait-elle ? Celui des humains ou des démons ?

Un nœud se forma dans son ventre, se resserrant jusqu'à ce qu'elle ait du mal à respirer. Elle avait grandi en étant le produit de deux univers, tout en n'appartenant à aucun en particulier, et elle s'était juré de ne jamais infliger cela à un enfant.

Merde, il était dangereux de condamner un être innocent à cela. Certains démons, comme les sensors, l'espèce de ses parents adoptifs, n'existaient que pour chasser les humaines enceintes d'un bébé au sang mêlé, pour le tuer à la naissance. D'autres démons considéraient comme un sport de massacrer les sang-mêlé.

Gem elle-même aurait dû mourir, et si ses parents n'avaient pas désespérément voulu un bébé, alors qu'ils ne pouvaient pas concevoir, elle aurait été mise à mort. Tayla n'avait été épargnée que parce que la mère adoptive de Gem n'avait pas senti sa part démoniaque et laissé la petite fille à sa génitrice.

Gem observa Tayla et Runa, honteuse de la jalousie qu'elle éprouvait, parce que ni l'une ni l'autre n'avait le même problème qu'elle. Leurs enfants étaient, et seraient toujours, des seminus à part entière.

—Qu'est-ce qui ne va pas? demanda Tayla. Tu crois que Kynan ne voudra pas avoir d'enfants avec toi?

—Je crois qu'il est trop tôt pour y penser.

Même si elle savait qu'en effet Kynan n'en aurait pas envie. Il lui avait fallu une éternité pour se résoudre à faire l'amour avec une démone. Alors, se reproduire avec? Il préférerait sans doute se castrer avant que cela arrive.

Runa mit le fils de Wraith dans les bras de Gem.

—Il va falloir lui montrer quelle bonne mère tu ferais.

Les larmes montèrent aux yeux de Gem quand elle les baissa sur la petite bouille contre son sein. Il attrapa son doigt dans son poing, et elle sentit de nouveau ce pincement au cœur. Des pas lourds annoncèrent l'arrivée d'un des hommes, et Kynan s'accroupit près d'elle, un verre de soda à la main.

—Je t'ai apporté à boire, dit-il en le posant sur la table. Alors, c'est le petit démon de Wraith, hein? Il est mignon… pas du tout comme son père.

Un sourire apparut sur ses lèvres, et Gem eut le souffle coupé de voir du désir dans son regard.

—C'est un bon bébé, dit Runa. Alors, oui, il ne ressemble pas à Wraith.

Kynan se rembrunit, et Gem sut qu'il pensait à la situation désespérée dans laquelle se trouvait son ami.

—Je peux le tenir?

Gem lui tendit l'enfant, et elle s'étouffa… cette fois pour de vrai… quand il le tint contre son torse et commença à le bercer. Kynan ferait un bon père, c'était évident. Un jour, il aurait envie d'avoir des enfants. Et alors? Qu'arriverait-il quand il se rendrait compte que Gem ne pourrait jamais lui donner des bébés humains?

Rien de bon, et il était temps d'affronter la réalité en face. Kynan et elle n'avaient pas d'avenir ensemble.

Le repas avait un goût de cendre.

Kynan se contentait de pousser la nourriture sur les bords de son assiette tandis qu'Eidolon dressait la liste de tout ce qui était allé de travers à l'hôpital. Ils avaient plus ou moins réparé le sort de havre, mais ce ne serait que temporaire. Puisque l'UG fonctionnait au minimum, Shade et Eidolon avaient décidé que si le sort se rompait de nouveau, ils fermeraient l'établissement.

Mais la pire des nouvelles lui avait été délivrée en privé, un peu plus tôt, dans la cuisine, quand Eidolon et Shade lui avaient avoué que leurs vies étaient menacées… ce qu'ils avaient omis de révéler à leurs épouses.

Et ce n'était pas fini.

— Les plans se sont concrétisés à Sheoul, dit Shade. Il y a eu un appel aux armes.

Les tripes de Kynan se serrèrent.

— Ce sera plus qu'une simple incursion, hein ?

Eidolon se pinça l'arête du nez entre le pouce et l'index. Kynan ne l'avait jamais vu si épuisé ni si négligé. Et il comprenait pourquoi : le seminus était en train de mourir.

— Pour vous, c'est Armageddon, pour nous, le Retour.

Shade but une gorgée de bière. Il n'avait pas l'air en forme non plus, et Ky se demanda si les jeunes femmes croyaient à leurs conneries au sujet d'une grippe n'affectant que les seminus.

— Wraith a appelé, poursuivit Shade. Le type qui a attaqué Serena est un ange déchu. Il veut sa bénédiction et le collier qu'elle porte.

Kynan en avait assez de toutes ces histoires d'anges chassés du Paradis.

— Quel genre de collier ?

— Wraith ne l'a pas précisé. Mais tout coïncide : l'entrée en scène de Serena et le soulèvement démoniaque. Il y a forcément un lien.

— Vous avez questionné Reaver au sujet de Byzamoth ?

— J'ai essayé. Il semble s'être évaporé.

— Merde. D'accord, où leurs armées vont-elles frapper ? Je dois avertir le Sigil, et les X, si Runa ne l'a pas déjà fait.

Non seulement le frère de Runa travaillait pour les X, mais celle-ci en avait également fait partie avant de s'unir à Shade.

Elle jeta à son compagnon un regard signifiant « ce soir, tu feras ceinture », ce qui était la pire des menaces, puisque sans sexe, il mourrait.

— J'ai parlé à Arik hier, mais j'apprends tout ça ce soir.

Shade haussa les épaules, mais il avait l'air un peu penaud quand il dit :

— Je ne voulais pas te bouleverser. Tu as déjà tellement à faire. (Il se tourna vers Kynan.) Je suis allé à Sheoul cet après-midi. J'ai discuté avec des gens qui connaissent des gens… bref, personne ne parle d'une frappe. Mais des armées se rassemblent en Israël.

Waouh. Kynan posa sa fourchette.

— Pourquoi faire ça en surface ? Pourquoi ne pas utiliser les Portes des Tourments pour se rendre directement à l'endroit qu'ils veulent attaquer ?

— Nombre craignent que les humains ferment les Portes, répondit Eidolon. Et les démons ne peuvent pas s'y déplacer en masse. Ils doivent se réunir près du champ de bataille.

— Logique.

C'étaient de bonnes infos. L'Aegis et les unités militaires du paranormal pourraient désormais commencer à mettre leurs ressources en place. Kynan se leva.

— Je vais faire ce qu'il faut. Et si Serena et son collier ont quelque chose à voir là-dedans, peut-être que l'Aegis ou les X peuvent l'attraper et la mettre en sécurité jusqu'à ce que tout soit terminé.

Shade et Eidolon eurent l'air troublés par cette idée, qui mettrait fin aux plans de Wraith pour voler la bénédiction de la jeune femme, mais ils ne protestèrent pas. L'enjeu dépassait désormais leurs simples vies.

— Dis-leur, commença Eidolon d'une voix basse et rauque, que le Retour peut sembler bien à beaucoup de démons, mais que j'aime le monde tel qu'il est. (Il regarda Tayla et les bébés.) Sûr pour ma famille.

Alors que Kynan prenait la main de Gem dans la sienne, il ne put s'empêcher d'acquiescer.

Kynan aurait dû s'inquiéter du silence de Gem tandis qu'ils marchaient jusqu'à l'appartement de la jeune femme, mais il n'était pas d'humeur à bavarder non plus. La menace de voir mourir tous ses amis quand leur monde toucherait à sa fin le laissait sans voix.

Gem fouilla son sac pour trouver ses clés et déverrouilla la porte, mais elle ne l'ouvrit pas. Au lieu de cela, elle sembla soudain très intéressée par ses pieds. Les Mary Jane compensées qu'elle portait ajoutaient douze bons centimètres à sa taille et transformaient ses jambes fuselées en véritables œuvres d'art. Il n'avait jamais été spécialement attiré par le style gothique, mais il ne pouvait pas imaginer Gem autrement.

Sauf dans des draps en satin.

Il lui mit un doigt sous le menton pour lui relever la tête et la forcer à le regarder.

— Qu'est-ce qui ne va pas ? Est-ce que j'ai encore fait un truc stupide ?

Un sourire triste recourba ses lèvres fraîchement repeintes en noir.

—Tu n'as rien fait de mal.

—Alors, dis-moi ce qui ne va pas.

—À part la fin du monde qui nous pend au nez ?

—Oui, à part ça.

—Tu… euh, tu sais ce que je ressens pour toi.

Il sentit son sang se glacer. Personne ne commençait une conversation par ces mots à moins d'avoir quelque chose de terrible à dire. Comme : « J'ai couché avec ton meilleur ami », ou « J'ai fait l'amour avec ce démon vêtu de cuir et à la langue percée. »

—Gem…

—Non, l'interrompit-elle vivement. Ne dis rien. Je veux seulement que tu comprennes combien c'est difficile pour moi.

Le cœur de Kynan cessa de battre.

—Qu'est-ce qui est difficile ?

—Rompre avec toi.

Après le rendez-vous formidable qu'ils avaient eu à l'hôpital, c'était bien la dernière chose à laquelle il s'attendait. Il fallut dix secondes à son cerveau pour assimiler l'information. Et même alors, il eut besoin de répéter ce qu'elle venait de dire.

—Rompre avec moi ?

Les yeux brillant de larmes, Gem porta la main de Kynan à sa bouche et l'embrassa.

—Je suis désolée. Tellement désolée.

—Merde, Gem. (Sa voix se brisa, et il s'en voulut.) Explique-moi ce qui ne va pas.

—Tu veux des enfants, n'est-ce pas ?

Kynan cligna des yeux, pris de court.

—Mais de quoi tu parles, au juste ?

—De gosses. De bébés. De ta semence portant ses fruits. Tu en veux ?

—Eh bien, oui... un jour.

Le menton de Gem tremblota.

—C'est ce que je pensais. (Elle retira sa main de la sienne et recula d'un pas, et il eut l'impression qu'elle mettait une distance terrible entre eux.) Inutile de continuer à nous voir, alors.

—Quoi ? Gem, ce que tu dis n'a aucun sens !

—Allez ! Tu vas prétendre longtemps que tu ne vois pas où je veux en venir ? Tu penses vraiment à te marier ? À avoir des enfants ? Parce que tu sais ce que je suis, Kynan. Tu as pensé que si nous avions des gosses, ils seraient un quart démon ? Et pas n'importe quelle espèce : des déchiqueteurs d'âme.

Kynan ouvrit la bouche, mais aucun son n'en sortit. Il n'avait pas réfléchi si loin. Cela faisait si longtemps qu'il n'avait pas vécu au jour le jour.

—Tu vois ? Tu ne trouves rien à dire pour me rassurer.

La voix de la jeune femme était douce, pas le moins du monde en colère, alors qu'elle aurait dû être furieuse.

—Ce n'est pas ça, répondit-il. C'est juste que... on ne pourrait pas s'occuper de ce problème en temps et en heure ?

—Non, impossible. Seigneur, Kynan, je t'aime déjà tellement. Je refuse d'imaginer ce que ça me ferait si dans deux ans tu décidais de me quitter, quand je serais encore plus attachée à toi. Et ne me dis pas que tout ça n'a aucune importance.

—Gem. Écoute-moi. Tu sais que j'ai changé d'avis sur les démons. Certains de mes meilleurs amis en sont. Et Tayla et toi... ce truc à propos d'être un demi-démon ne me dérange pas.

—Peut-être pas maintenant. Mais dans quelques années ? (Elle étudia de nouveau ses chaussures.) Même si tu décidais de sacrifier ton désir d'enfants pour être avec moi, tu finirais par m'en vouloir.

— Merci pour le vote de confiance, dit-il d'un ton cassant. Pendant que tu portais de fausses accusations contre moi, tu t'es demandé un instant si ce n'était pas à moi de choisir si oui ou non je voulais avoir des enfants avec du sang de démon ?

Elle le foudroya du regard.

— J'essaie seulement de nous éviter de souffrir à tous les deux !

— C'est des conneries ! Tu veux me punir pour tous ces mois où je n'ai pas fait attention à toi parce que tu étais une démone. C'est fini, Gem. Je m'en fiche, maintenant. Pourquoi est-ce que tu ne veux pas le comprendre ?

Son rire amer se répercuta sur les murs du petit couloir en de sinistres échos.

— C'est toi qui refuses de comprendre. Tu en veux la preuve ? (Elle posa la main sur le torse de Kynan.) J'ai vu tes cicatrices. Je te rappelle que je suis une déchiqueteuse d'âme. Je peux voir toutes les choses qui t'ont fait souffrir. Et tu sais quoi ? Il y a une grosse plaie, juste là, sur ton cœur. Ça concerne Lori. Et les enfants. Tu en voulais, mais elle n'arrêtait pas de remettre au lendemain, et il y a eu un moment, juste avant qu'elle te trahisse, où tu t'es demandé si elle n'allait pas toujours le faire. Et alors, il te faudrait prendre la décision la plus difficile de toute ta vie : rester avec elle et ne pas avoir d'enfants, ou la quitter et en trouver une autre qui partage ta vision de la vie. Dis-moi si je me trompe, Kynan. Parce qu'il faut que je t'avoue que ma moitié démon voudrait bien sonder cette blessure et la rendre encore plus douloureuse.

Il sentit son visage devenir exsangue, parce qu'il comprenait. Oui, il comprenait enfin. Gem cachait bien la bête tapie en elle, mais il devait affronter la réalité en face.

259

Tout au fond, elle était un monstre d'une espèce que même les autres démons craignaient. Il avait cru que parce qu'il ne pouvait pas le voir, cela n'avait pas d'importance. Qu'il n'existait pas.

Mais il avait eu tort. Il l'avait vue se transformer et prendre sa forme hybride à l'hôpital, mais c'était arrivé si vite qu'il y avait à peine fait attention. Sauf qu'il se mentait. Il avait repoussé l'image tout au fond de sa mémoire, l'enfermant là avec toutes les horreurs dont il avait été témoin. C'était la seule façon pour un soldat et un infirmier de continuer à fonctionner. S'ils s'appesantissaient sur ce qu'ils avaient vu, ils finissaient par se tirer une balle dans la tête.

Il pouvait oublier cette image à jamais… mais serait-ce juste envers elle ? Et envers lui-même ?

— Tu as enfin saisi, dit-elle d'une voix brisée. (Ses yeux luisaient, de minuscules étincelles rouges éclatant dans le vert lumineux de ses iris.) Aussi longtemps que tu ne vois pas la démone, tu peux faire avec. Je suis assez bien pour que tu me baises, mais pas pour que tu m'épouses ou que tu me fasses des gosses.

— Arrête ! aboya Kynan. Cesse de me dire ce que je pense. Ou ce que je ressens. Tu n'en as aucune idée.

— J'ai tort ?

Il ne savait plus. Ses pensées étaient sens dessus dessous, si influencées par ses émotions qu'il n'arrivait plus à réfléchir.

— C'est bien ce que je pensais, dit Gem quand il ne répondit pas. (Le feu écarlate disparut de son regard, et elle soupira.) Écoute, ne rendons pas les choses plus difficiles qu'elles ne le sont déjà. Mettons un terme à notre relation, maintenant, tant que nous avons une chance de rester bons amis.

Seigneur, il avait mal à la poitrine. Cela ne pouvait pas être réel. Une heure plus tôt, ils étaient heureux. Et à présent… il ne restait que des ruines.

—On n'est pas obligés d'en arriver là, Gem.

—Tu sais bien que si. Le plus drôle, c'est qu'il y a un an j'aurais pris tout ce que tu aurais pu me donner. Si tu étais venu une fois par semaine pour me baiser entre deux portes et repartir ensuite sans dire un mot, je t'en aurais été reconnaissante. Mais j'ai changé durant ton absence. Je suis devenue plus forte. Aujourd'hui, je veux tout. Je refuse de me contenter de miettes. Même pour toi.

Sur ces mots, elle se dressa sur la pointe des pieds pour écraser ses lèvres contre celles de Kynan, puis elle disparut à l'intérieur de son appartement.

CHAPITRE 18

Pour la première fois de sa vie, Serena n'était pas sûre de pouvoir avaler quoi que ce soit, ou même de devoir essayer. Elle se sentait étrangement vulnérable dans le wagon-restaurant, assise seule à une table. Tout le monde la regardait… ou c'était du moins son impression.

On l'avait trahie. On avait fourni des informations à Byzamoth depuis le départ de Serena pour l'Égypte. Oui, tout était clair à présent. Elle comprenait mieux pourquoi il était venu vers elle dans la rue à Alexandrie, puis comment il l'avait retrouvée dans les catacombes, et ensuite à Philae, et enfin dans la maison du Régent à Assouan.

Seigneur, elle avait envie de vomir.

Elle avait tenté d'appeler Val dès qu'elle s'était un peu calmée, mais il n'avait pas répondu. Elle devait attendre, guettant de manière obsessive un texto ou un message vocal de son mentor pendant que Josh faisait le tour du train pour vérifier qu'il n'y avait pas de démon à bord.

Dieu merci, Josh était avec elle. Combien de fois lui avait-il déjà sauvé la vie ? Il lui avait tant donné au cours de ces derniers jours : son amitié, sa protection, et des orgasmes d'un autre monde.

Si seulement il pouvait se dépêcher. Elle n'avait jamais été nerveuse, mais toujours très confiante, grâce à sa bénédiction. Or, soudain, elle se sentait exposée, et son seul refuge était entre les bras de Josh.

Cette pensée faillit la faire rire, tant elle était mièvre. Mais c'était vrai. Quand elle était petite, elle se sentait en sécurité avec sa mère, même si la maladie était une présence constante qui menaçait de la rattraper. Patricia l'avait toujours gardée près d'elle, et même après lui avoir transmis sa bénédiction, sa nature aimante n'avait pas changé. Plus tard, après la mort de sa mère, Serena avait été conduite dans un couvent, où elle avait senti que rien ne pouvait l'atteindre. La bénédiction lui avait donné un sentiment de sécurité exacerbé.

En quelques jours, sa vie avait basculé.

Où est Josh ?

Elle fourra son téléphone dans son sac et leva les yeux au moment où celui-ci entrait enfin dans le wagon. Son cœur se mit à battre alors qu'il avançait vers elle. Il était si imposant que tous les autres convives cessèrent de manger pour le regarder passer. Elle savait, pour l'avoir observé, que s'il croisait leurs regards, les autres hommes détournaient la tête. En revanche, les femmes l'admiraient, comme si elles se demandaient dans quelle couleur de draps il serait le plus sexy.

Personnellement, Serena trouvait qu'il avait été très à son avantage dans ceux en coton de l'hôtel, le blanc flattant sa peau bronzée.

Le regard de Josh soutint le sien, ses yeux bleu saphir braqués sur elle comme le laser d'un sniper. La jeune femme en eut le souffle coupé, parce que en cet instant, pour lui, aucune autre femme n'existait.

Il portait un jean et un tee-shirt à manches longues qui le moulait comme une seconde peau et révélait chacun de ses muscles. Ses cheveux magnifiquement ébouriffés tombaient jusqu'à sa mâchoire, encadrant son visage un peu plus pâle que d'ordinaire, sur lequel ses tatouages contrastaient plus violemment. Était-il encore en train de tomber malade ?

— Salut, dit-il en s'arrêtant à leur table.

— Salut, répondit-elle sans pouvoir détacher son regard du sien. (La sensation était hypnotique, et elle était contente d'être dans une transe bienheureuse.) Tu vas bien ?

— Mal des transports.

Josh se pencha pour planter un baiser tendre sur le sommet du crâne de Serena, et elle inhala son odeur unique, virile et musquée, qui mettait son corps en émoi. Il s'assit en face d'elle.

— Les trains me donnent mal au cœur.

Il mentait. Il avait été souffrant bien trop souvent, et elle en savait un rayon sur la maladie. Néanmoins, elle songea qu'il n'apprécierait pas qu'elle insiste. Elle le ferait plus tard. Après dîner. Ou après leur arrivée à Alexandrie. Ou bien encore quand ils rentreraient aux États-Unis.

Parce qu'elle avait décidé qu'elle refusait de le laisser partir. Il la faisait rire, il l'aidait à se sentir en sécurité et aimée. Ils adoraient tous deux l'aventure, et ils formaient une bonne équipe. Elle ignorait comment elle pourrait avoir une relation avec lui sans rapports sexuels, mais pour la première fois de sa vie, elle sentait qu'elle devait essayer.

À condition qu'il souhaite la même chose.

— Et toi, tu vas bien ? demanda-t-il.

— Pas vraiment, admit-elle. L'idée que quelqu'un ait pu me trahir ainsi… au profit d'un démon… Seigneur, qui pourrait bien faire ça ? Et pourquoi ? Ça me rend malade.

Une étrange émotion passa sur le visage de Josh, puis disparut.

— Je sais. (Il but une gorgée d'eau que le serveur avait laissée sur leur table.) Tu as pu contacter Val ?

— Non.

—Serena, il est possible que ce soit lui…

—Non! (Elle baissa la voix.) Certainement pas. Il a veillé sur moi pendant des années, et avant ça sur ma mère. Il a été bien plus que notre gardien personnel. C'est un ami de la famille. Et puis, pourquoi est-ce qu'il m'enverrait à l'étranger pour que je me fasse agresser? Ça n'a pas de sens.

—Le Mal en a rarement.

—Val n'est pas mauvais.

Josh haussa les épaules, comme s'il n'était pas convaincu, et la colère de Serena redoubla.

—Ta mère est morte alors qu'il devait la protéger, non?

—Je n'aime pas tes insinuations, dit-elle d'un ton cassant, parce que c'était ridicule de penser qu'il avait pu être responsable de l'accident de voiture qui avait coûté la vie à Patricia. Tu ne le connais pas. Sinon, tu comprendrais. Je n'aurais pas travaillé pour lui aussi longtemps si j'avais eu le moindre doute.

—D'accord. (Josh fit signe au serveur et commanda deux doubles whiskeys.) C'est tout ce que tu fais? Travailler, je veux dire. Il ne t'arrive jamais de suivre tes envies?

Elle comprit qu'il essayait de la calmer, et elle lui en fut reconnaissante.

—Pas vraiment, dit-elle un peu plus vivement qu'elle ne l'aurait voulu, parce que sa fureur n'était pas entièrement retombée. Toutes les choses que j'aime n'arrivent que dans mon métier: chercher des trésors, déjouer des pièges, voyager… j'adore ça! Et toi?

—Tu veux dire, est-ce que je fais des trucs pour moi? (Quand elle hocha la tête, il se rembrunit.) J'ai vécu toute ma vie dans la peau d'un connard égoïste. Tout n'a toujours tourné qu'autour de moi. Et rien que moi.

—Je suis sûre que tu exagères.

Il ricana.

— Fais-moi confiance, Serena. Tout ce que j'ai fait, c'était uniquement en pensant aux bénéfices que j'en tirerais. Pourquoi crois-tu que je n'ai encore jamais été voir mes neveux ? Parce que j'aurais la preuve qu'ils m'ont volé Shade. (Il jura.) Tu vois quel genre d'enfoiré je suis ? Je suis jaloux de trois bébés innocents !

— C'est compréhensible. Tu aimes tes frères. Ils sont tout pour toi.

Oui, Serena comprenait vraiment, parce que Val était tout ce qu'elle avait au monde, et il lui arrivait d'être secrètement jalouse de David, qui avait un lien de parenté avec lui.

Josh s'enferma dans un silence songeur quand le serveur arriva pour prendre leur commande.

— Tu n'as demandé que du pain, s'étonna Serena quand l'homme s'éloigna.

— Mal des transports, marmonna-t-il.

— Tu es sûr que ça va ?

— Oui.

Il lui serra les doigts, son ton indiquant qu'il ne voulait plus aborder le sujet. Elle lui caressa les articulations du pouce, aimant sentir sa main si petite au creux de celle si grande de Josh.

— Oh, j'ai failli oublier, dit-elle en fouillant dans son sac, dont elle sortit un jouet. J'ai trouvé ça dans la boutique de l'hôtel.

Il haussa un sourcil.

— Une toupie ?

Souriant, elle déposa la babiole colorée au creux de la paume de Josh.

— Ça va te paraître stupide… mais je n'arrête pas de penser à la manière dont tu as grandi, et… eh bien, je ne crois pas que tu aies eu beaucoup de jouets, et j'avais envie que tu en aies un.

Elle termina sa phrase très vite. Sur le coup, acheter la toupie lui avait semblé une excellente idée, mais l'expression indéchiffrable sur le visage de Josh lui disait qu'elle avait peut-être fait une erreur.

—Je suis désolée… je m'étais dit que tu devrais avoir un truc que tu n'avais jamais eu petit. C'est idiot, je sais…

—Tu n'aurais pas dû.

La voix de Josh était à peine plus qu'un murmure rauque.

Serena lui prit de nouveau la main.

—Ce n'est qu'une babiole idiote.

—Qu'importe. (Des taches rougeâtres lui marbraient les joues, comme s'il était gêné d'être touché par un cadeau aussi insignifiant.) Merci.

—La prochaine fois, je ferai un effort, et je t'offrirai un clown dans sa boîte.

Il grimaça, et aussitôt, toute gêne disparut.

—Non, merci. Ces trucs me fichent la trouille. Je préfère la toupie.

Son ton était nonchalant, mais la chaleur de son regard enveloppa Serena comme une étreinte, et elle souhaita qu'il soit assis près d'elle plutôt que de l'autre côté de la table, pour pouvoir le serrer dans ses bras.

—Bien. Je détesterais devoir te traiter de nouveau de sale con.

Un voyageur passa près de leur table, et elle vit Josh se raidir. Ce fut à peine perceptible, mais elle comprit qu'il soupçonnait tout le monde.

—Écoute, dit-il d'une voix impérieuse. J'ai pensé à la meilleure façon de te garder en sécurité. Mes frères font des recherches sur Byzamoth, et je vais t'escorter chez toi.

Elle sourit.

—Merci. J'apprécie ton offre, et je ne vais pas la refuser. Une fois de retour chez moi, j'aurais Val…

—Tu m'auras, moi aussi, dit-il lentement, d'un ton possessif, et pour un peu, elle aurait cru qu'il était jaloux.

Elle marqua une pause pendant que le serveur leur apportait leur repas, puis elle demanda :

—Qu'est-ce que tu veux dire ?

—Simplement qu'aussi longtemps que tu seras en danger, je ne te laisserai pas sans protection. Soit Byzamoth meurt, soit tu dois avoir quelqu'un en permanence avec toi. (Il rompit un morceau de pain.) En plus de Val.

—Val est un Gardien. Il est plus que capable de…

—Je ne lui fais pas confiance. Pas après tout ce qui vient de se passer.

—Tu as été très clair, mais moi, j'ai confiance en lui.

—Raison de plus pour que je reste près de toi.

—Tu recommences à être un sale con ! dit-elle d'un ton cassant, et il sourit.

Ils mangèrent en silence. Quand ils eurent fini, il la raccompagna jusqu'à son compartiment, et bien qu'elle ne l'eût pas invité à entrer, il la suivit quand même à l'intérieur.

La porte se referma, et sa bouche aurait dû le rester, mais elle s'entendit demander :

—Je sais que c'est fou de te poser cette question, mais où est-ce que tout ça nous mène ? Nous, je veux dire. Où est-ce qu'on va ?

—De quoi tu as envie ?

—Dans un monde parfait ? (Quand il hocha la tête, elle se frotta le ventre, essayant de calmer ses appréhensions.) Nous rentrerions ensemble aux États-Unis, et nous essaierions de voir jusqu'où nous conduirait cette relation.

Il sourit, mais avec tristesse, et cela doucha instantanément les espoirs de Serena.

— J'aimerais que ce soit aussi simple.

— C'est parce que je dois rester vierge ?

La seconde suivante, elle était prise en sandwich entre le corps de Josh et la porte, et il murmurait à son oreille :

— Soyons bien clairs. Tu ne sais pas à quel point je désire être en toi. Debout, couchés, par-derrière. Toutes les positions. Là, maintenant.

Oh, Seigneur. Ses genoux faillirent se dérober sous elle, mais il passa un bras autour de Serena et la tint contre lui.

— Ne pas pouvoir faire toutes ces choses me tue, continua-t-il. Littéralement. Mais bizarrement, j'aime être avec toi. Te toucher de toutes les manières qui me sont permises, chaque fois que je le peux. Alors, non, que tu doives rester vierge ne nous séparera pas.

— A… alors quoi ?

Il lui lécha le lobe tout en frottant son érection massive contre elle.

— Quelque chose est en train de me tuer.

— Quoi ? (Elle passa la main sur la bosse énorme que faisait le jean de Josh, parce que les deux dernières fois, elle avait reçu, mais cette fois, elle comptait bien donner.) Si c'est ça, il suffirait que je m'agenouille…

— Oui, mais… (Sa voix s'étrangla.) Je vais vraiment mourir. D'un cancer.

Serena sentit sa poitrine se glacer.

— Non. (Elle secoua la tête si fort que ses cheveux lui fouettèrent les joues.) Non.

Il la prit par les épaules, gentiment, mais fermement.

— Écoute-moi, Serena. Je te protégerai aussi longtemps…

— Tu crois que je suis bouleversée parce que j'ai besoin de toi pour veiller sur moi ? (Elle recula ; ses yeux la piquaient et elle tremblait de la tête aux pieds.) Espèce de… con !

Il baissa les yeux.

Et maintenant, c'est qui la conne ?

—Oh, Josh, je suis navrée. (Tremblant encore, elle le prit dans ses bras.) Pourquoi tu ne me l'as pas dit plus tôt ?

Elle songea à toutes les fois où il avait été malade. Tout était très clair, à présent. Même le fait qu'il ait choisi de rester avec elle depuis le début.

« J'ai décidé d'en profiter pour prendre des vacances. Disons que c'est l'une des choses que je veux faire avant de mourir. »

—Ce n'était pas important.

Quand elle se raidit, parce qu'elle était sur le point de se laisser de nouveau aller contre lui, il s'empressa d'ajouter :

—Au début, ça ne l'était pas. Mais maintenant… je ne veux pas que tu penses à un futur qui n'arrivera jamais.

Ravalant un sanglot, elle leva les yeux vers lui.

—Tu aurais dû m'en parler.

—Pourquoi ? Pour que tu me regardes avec pitié, comme maintenant ? Si j'avais su, j'aurais continué à me taire.

—Tu ne peux pas m'avouer un truc pareil et attendre de moi que je ne réagisse pas, gronda-t-elle entre ses dents serrées.

Serena savait qu'elle ne devrait pas se mettre en colère, mais bon sang, c'était si injuste. Elle s'était dit qu'ils n'auraient aucune chance d'avoir une vie normale ensemble, mais c'était pire que ça, parce qu'ils n'auraient pas d'avenir du tout.

—Embrasse-moi, dit Josh. Embrasse-moi et ne laisse pas la nouvelle gâcher le peu de temps qu'il nous reste.

Mais il ne lui en laissa pas l'occasion. Penchant la tête, il sécha ses larmes d'un baiser, ses lèvres douces effaçant les traces de sa peine.

Josh avait raison. Ils ne devaient pas perdre une seule seconde. Mais comment étaient-ils censés aller de l'avant ? Elle avait envie de se rouler en boule et de pleurer à gros sanglots déchirants, de ceux qui laissent les yeux rouges et gonflés pendant toute une journée.

—Hé, je sens que tu n'es pas avec moi.

Il trouva la bouche de Serena et l'embrassa si profondément qu'elle le sentit dans son âme.

La langue de Josh trouva celle de la jeune femme et la caressa, et ses mains remontèrent jusqu'à son cou et ses épaules, qu'il massa pour lui faire oublier... Quel genre de personne était-elle pour le laisser la consoler? C'est lui qui avait besoin de réconfort, or il mettait de côté le fait qu'il allait mourir pour s'occuper d'elle.

Serena n'était vraiment qu'une sale égoïste.

—Josh, murmura-t-elle contre sa bouche. Tu as été si généreux avec moi. Laisse-moi l'être un peu à mon tour.

Ses mains tremblaient, mais elle les glissa le long des pectoraux et des abdominaux de Josh. Quand elle atteignit la ceinture de son jean, elle fit sauter le premier bouton.

Il referma ses doigts autour du poignet de Serena.

—Je ne peux pas.

—Je sais. (Elle lui caressa le dos de la main jusqu'à ce qu'il relâche sa prise.) Mais si je descendais en déposant un baiser ici et là, lentement, tu me laisserais te prendre dans ma bouche?

Il émit un son étranglé et se tint immobile... en fait, il se figea alors qu'elle lui retirait sa chemise. Mais quand elle embrassa son téton gauche, il laissa sa tête retomber en arrière et posa les mains sur les épaules de la jeune femme. Il la tint comme s'il redoutait de tomber s'il la lâchait. Ou comme s'il ne voulait plus jamais la laisser partir.

Elle descendit un peu plus bas, s'enivrant du goût de sa peau, de son odeur masculine, choses qu'elle n'avait jamais remarquées auparavant. Du moins pas comme cela. Elle se mit à genoux et se servit de sa langue pour dessiner les contours du nombril de Josh.

—Serena…

Il voulut reculer, mais il était acculé contre le mur. Elle le sentit trembler de tout son être.

—Chut. (Elle attrapa les hanches de Josh pour le maintenir.) S'il te plaît. Laisse-moi faire.

Elle leva les yeux vers lui et son cœur bondit quand elle vit l'incertitude qui voilait le regard de Josh.

Pendant un long moment, ils restèrent sans bouger, puis il hocha la tête avec lenteur. Il ne se détendit pas, en fait, il se raidit même encore plus quand elle déboutonna son pantalon. À ses côtés, il serra les poings, et même si son sexe se dressa par l'ouverture de sa braguette, elle se dit que pour l'instant cela ressemblait plus à une torture pour lui qu'à un moment de plaisir.

Comme c'était étrange que ce soit elle, la vierge, qui le pousse gentiment à accepter cette intimité.

Serena baissa les yeux sur le membre viril de Josh, et elle ne put retenir une légère exclamation d'admiration. Eh… bien. Elle avait vu et touché d'autres hommes, mais aucun n'avait eu un sexe aussi beau.

D'un geste hésitant, elle fit courir un doigt le long du membre dressé, suivant une veine qui pulsait sous la peau, jusqu'à sa base évasée. Le corps tout entier de Josh s'arqua, et elle entendit ses dents claquer. Le souffle un peu court, elle referma la main autour de son érection et le caressa, sa paume bougeant lentement de haut en bas, puis de bas en haut.

—J'aime te toucher, murmura-t-elle, et elle entendit Josh gémir tout bas, approbateur, et ce son fut doux à ses oreilles. J'ai la sensation de caresser du marbre sous du velours.

Elle ajouta sa seconde main, utilisant l'une pour se concentrer sur le gland et l'autre sur toute la longueur du pénis. Il inspira vivement entre ses dents et finit par se détendre quand elle poursuivit son massage, allant et venant à petits coups de reins.

Une goutte laiteuse apparut. L'eau lui montant à la bouche, Serena se pencha, mais Josh se raidit aussitôt, et elle se contenta de l'embrasser à l'intérieur de la cuisse. Avec lenteur, elle remonta, le masturbant toujours et le tenant avec la révérence qu'il méritait.

—Serena…, dit-il d'une voix rauque, posant de nouveau ses mains sur les épaules de la jeune femme. Je… ne suis pas sûr…

Avant qu'il ait pu protester encore, elle le prit dans sa bouche.

Par réflexe, il voulut s'y enfoncer, et elle l'attrapa par les hanches pour le maintenir en place. Il avait un goût riche de terre aux notes voluptueuses comme celles du sel de la mer Noire. Prenant ses bourses lourdes dans sa main, elle lécha le gland de Josh, faisant courir sa langue sur la petite fente.

—Oh… Dieux, souffla-t-il, puis il retint son souffle quand elle l'engloutit si profondément qu'il sentit le fond de la gorge de Serena.

Son membre était gros, chaud, et il pulsait quand elle le suçait tout en le titillant avec la langue. Josh grognait et se cambrait ; il commençait à vraiment y prendre du plaisir. Serena regretta de n'avoir pas fait cela plus tôt. Elle aurait pu lui donner bien des moments magiques pour lui faire oublier son destin tragique.

Mais non, elle ne devait pas y penser. Pas maintenant. Tout cela, c'était pour lui, et elle n'allait pas être triste. Elle aurait le temps, plus tard.

Elle serra les testicules dans sa main avec douceur, et il cria de plaisir. Même si elle n'avait pas d'expérience en la matière, elle savait d'instinct comment sucer, caresser et lécher… et elle découvrit très vite les points où il était le plus sensible.

Josh lui passa les mains dans les cheveux, ses doigts tendres, son toucher ferme. Elle fut frappée de s'être sentie coupable quand il lui avait donné des orgasmes sans qu'elle lui rende la pareille. Il lui suffisait de voir comment il répondait à ses coups de langue, de l'écouter, de le toucher et de le goûter pour comprendre que c'était aussi bon d'offrir que de recevoir.

Chapitre 19

Le cœur de Wraith battait si fort qu'il allait exploser, il en était certain. Par les feux de l'Enfer, *il* allait exploser. Il n'avait jamais permis à une femelle de lui tailler une pipe. C'était trop intime, trop dangereux, surtout quand la plupart de vos partenaires sexuelles avaient des dents acérées comme des rasoirs.

Mais ce que Serena lui faisait était… extraordinaire.

Les profondeurs chaudes et mouillées de sa bouche l'avalaient tout entier, et même s'il savait qu'elle était novice, il ne pouvait rien imaginer de meilleur. Il sentait combien elle se souciait de lui à la manière dont elle guettait ses moindres réactions.

La vue de la langue rose de Serena dardant entre ses lèvres pour lécher son gland l'obligea à serrer les poings.

Serena le mordilla, et il siffla de plaisir. Il sentit sa bite pulser, dangereusement près de l'éjaculation. La vision de Wraith devint plus nette, ses crocs s'allongèrent, et il sut que ses yeux étaient passés du bleu au doré. Les fermant vivement, il renversa la tête en arrière et se concentra sur les sensations que lui procurait la langue de Serena en passant lentement sur le tour de son gland, sur la caresse tournante de sa main qui effectuait des va-et-vient entre ses couilles et le bout de sa queue.

Oh, oui, il était au bord de…

Serena gémit longuement, comme une chatte, et la vibration de sa bouche et de ses lèvres le fit crier. Il prit une inspiration saccadée et plaqua ses paumes contre le mur derrière lui, en partie pour se soutenir, mais aussi pour s'empêcher d'attraper la tête de la jeune femme et de la forcer à l'avaler jusqu'à la garde.

— Serena, haleta-t-il. Dieux, c'est si bon… oh, oui… comme ça. (Sa respiration était laborieuse et ses hanches remuaient d'elles-mêmes d'avant en arrière ; son contrôle lui filait entre les doigts.) Je vais jouir… merde !

L'orgasme l'emporta, plus puissant que tous ceux qu'il avait jamais eus jusque-là. Il remonta le long de sa colonne vertébrale à la vitesse de l'éclair et explosa comme un feu d'artifice dans son cerveau. Serena continua à le lécher et le sucer, tout en passant l'ongle de son pouce entre ses testicules, ajoutant à son plaisir et le prolongeant. Et pendant tout ce temps, son sperme brûlant gicla dans la gorge de la jeune femme.

Peu à peu, Wraith revint à la réalité, ses muscles s'agitant tandis que son corps se décrispait. Il força ses crocs à se rétracter dans ses gencives, et alors que sa vision et son ouïe revenaient, il entendit des… halètements.

Oh, merde.

— N'avale pas, aboya-t-il, mais il était déjà trop tard.

Serena était toujours à genoux et enfonçait ses doigts dans les cuisses de Wraith, les yeux voilés de désir, le visage empourpré. L'odeur de son excitation montait comme un nuage enivrant, et il sentit sa libido repartir de plus belle.

— Josh, murmura-t-elle, renversant la tête en arrière dans son extase, tout en faisant courir ses mains sur les jambes de Wraith. Qu'est-ce qui m'arrive ?

Merde. Merde. Merde !

La semence d'un démon seminus était un puissant aphrodisiaque. Ses frères n'avaient pas cessé de parler de ses effets, mais il n'avait prêté aucune attention à leurs bavardages.

À présent, il aurait souhaité qu'il en soit autrement.

Serena se passa les mains sur les seins, haletant quand l'un de ses pouces rencontra un de ses tétons.

—C'est bon… si bon…

—Ah… quelqu'un a dû glisser une drogue dans ton verre au dîner. Détends-toi.

Il l'invitait à se détendre ? Quelle putain de bonne idée ! Il suffisait de la voir en train de retirer ses fringues pour se toucher.

En moins de temps qu'il n'en fallait pour passer d'une Porte des Tourments à une autre, elle fut nue et commença à se frotter contre lui comme une trillah en chaleur. Elle ronronnait presque en lui mordillant l'épaule et le cou. Il n'avait jamais laissé aucune femelle le mordre. Non, jamais.

Mais quand elle prit sa peau entre ses dents, la douleur traversa ses terminaisons nerveuses, et il en éprouva un plaisir si intense qu'il souhaita qu'elle y soit allée plus fort. Qu'elle ait fait couler son sang et qu'elle l'ait bu pour se nourrir et vivre.

Mais elle n'était pas une vampire, et si elle l'était, il ne serait pas là avec elle.

—Touche-moi, Josh, dit-elle contre sa gorge. (Elle lui prit la main et la guida jusqu'à son sexe.) Là… oh, oui, juste là.

Mince, il se sentait comme un puceau, nerveux et paniqué, et il ignorait pourquoi.

—Seigneur, tu es trempée, dit-il d'une voix rauque.

Il plongea les doigts dans son vagin ultra lubrifié et il n'en fallut pas davantage. Elle cria, son corps ondulant frénétiquement dans sa jouissance.

—Encore, souffla-t-elle, avant même d'être complètement remise.

Il passa ses doigts entre ses lèvres, effleurant à peine son clitoris enflé. Elle poussa un autre cri et se pressa contre sa main, jusqu'à ce qu'il perde le compte de ses orgasmes.

Puis elle se jeta sur lui, si vite qu'il eut à peine le temps d'attraper les fesses de la jeune femme pour la soutenir tandis qu'elle refermait ses jambes autour de sa taille.

—Fais-moi l'amour. (Elle pinça le lobe de l'oreille de Wraith entre ses lèvres et frotta son sexe contre le sien.) Je veux te sentir en moi.

La friction de son pubis moite contre son membre lui arracha un grognement. Techniquement, les démons seminus ne pouvaient éjaculer qu'à l'intérieur d'une femelle, mais il avait la possibilité de n'introduire que le bout de son gland, tout en faisant bien attention de ne pas rompre son précieux hymen, puis de se retirer…

Putain de merde! Le but de sa mission n'était-il pas justement de la déflorer pour lui prendre sa foutue bénédiction?

Serena se tortillait contre lui, grognant, mordillant, irritée de ne pas avoir ce que son corps réclamait. À force de gigoter, elle se donna un autre orgasme, ce qui calma un peu ses ardeurs. Mais le répit fut de courte durée… pas plus de deux secondes. Wraith en profita pour l'allonger sur le lit.

Elle enroula ses jambes autour de lui et arqua le dos, inclinant ses hanches de manière qu'il faillit la pénétrer sans le vouloir.

—Attends, ma chérie. Attends une seconde.

Il réussit à se débarrasser de son jean, même si elle continuait à s'accrocher à lui. Quand il reprit sa position au-dessus d'elle, s'installant entre ses cuisses, elle soupira et l'attira plus près.

—C'est si bon d'être tout contre toi. (Elle lui effleura les lèvres.) C'est comme ça que ça doit être.

Il bougea contre elle ; ils s'emboîtaient à la perfection.

—Et les conséquences ?

Il n'en crut pas ses oreilles. Pourquoi lui demander cela alors qu'il aurait dû se contenter de plonger son sexe dans celui de Serena ? Mais il avait besoin de savoir si elle avait conscience de ce qu'elle faisait, et si elle serait toujours d'accord avec sa décision plus tard.

Alors qu'elle agoniserait.

La douleur lui fit l'effet d'un pieu dans le cœur. Et le poison n'était pas en cause.

—M'en fiche. (Ses gémissements le remuèrent tandis qu'elle lui attrapait la queue pour la guider jusqu'à l'entrée de son vagin.) Tout ce qui compte… c'est toi. Être avec toi.

Elle l'embrassa à pleine bouche et avec passion.

Quand elle le lâcha, ils haletaient tous les deux et le bout du gland de Wraith trempait dans le miel de Serena. Il pouvait la pénétrer d'un coup de reins.

—Je crois… que je t'aime.

Wraith gronda.

—C'est l'aphrodisiaque qui parle, Serena.

—Chut. (Elle posa l'index sur les lèvres du démon.) Contente-toi de me faire l'amour. Tu n'en as pas envie ?

—Dieux, si, bien sûr, murmura-t-il, parce que en cet instant rien d'autre n'avait d'importance, pas même la bénédiction. Ça risque de faire un peu mal.

—Aucun problème. J'ai confiance en toi.

Il glissa une main entre eux pour la repositionner. Guidée par son instinct, Serena serra plus fort ses cuisses autour des hanches de Wraith. Le bout de son gland commença à la pénétrer…

« Je crois que je t'aime. »

Ses paroles lui traversèrent l'esprit si vite que cela en fut douloureux. Des gouttes de sueur perlèrent sur le front de Wraith.

« J'ai confiance en toi. »

L'émotion lui serra la gorge, l'empêchant de respirer. Seul Shade lui avait jamais accordé sa confiance, et encore celle-ci avait ses limites.

—S'il te plaît, Josh !

« J'ai confiance en toi. »

Serena était une flamme vive contre lui, son désir le brûlant à l'extérieur, sa confiance et son amour le réchauffant à l'intérieur, dans ce vide telle une caverne obscure et froide qu'il avait toujours ressenti, aussi loin qu'il s'en souvienne. Elle était belle, pas seulement au-dehors, mais aussi dedans, et elle ne méritait pas ce qu'il s'apprêtait à lui faire. Pas à moins d'avoir la garantie qu'elle survivrait.

Ses frères ne le lui pardonneraient sans doute jamais, mais il ne pouvait pas prendre la vie de la jeune femme.

—Je ne peux pas, haleta-t-il en reculant. Non.

—Mais…

—Je ne peux pas te donner ce que tu veux, Serena. Je n'en serai jamais capable. Pas comme ça.

Dieux, il n'était qu'un imbécile… imbécile qui venait de signer trois arrêts de mort.

—Mais je vais quand même te faire du bien. Je te le promets.

Il descendit le long de son corps en l'embrassant et plongea entre ses cuisses, utilisant sa bouche pour la punir de le faire se consumer de désir. Et sa punition la fit jouir à plusieurs reprises, jusqu'à ce qu'elle ne puisse plus bouger et qu'elle reste allongée, toute molle, sur le lit.

Tremblant sous le coup de l'excitation, de l'épuisement et de la peur, il rampa à sa hauteur pour la prendre dans ses bras jusqu'à ce que sa respiration se calme et qu'elle s'endorme. Il remercia sa bonne étoile d'avoir pensé à s'injecter une dose de drogue antilibido avant le dîner, parce que même s'il ressentait des élancements malgré l'orgasme qu'il avait eu plus tôt, il n'était pas handicapé par la douleur. Cela finirait par disparaître. Éventuellement. Il remua pour mieux se positionner et tressaillit. Le plus tôt serait le mieux.

Il n'aurait su dire combien de temps ils restèrent allongés ainsi, elle dormant paisiblement et lui sentant le froid de la mort l'envahir, mais quand elle commença à remuer, le ciel s'était éclairci. Une sonnerie étouffée lui parvint de la poche de son pantalon, sur le sol. Il ravala un grognement et prit son portable.

« Pas de remède. »

Le texto envoyé par la démone lui fit l'effet d'un brandon au cœur de ses tripes. Il n'y avait aucun espoir. Il leva son autre bras, qui lui sembla bien trop lourd, et regarda sa montre.

Il savait ce qui lui restait à faire.

Il se dégagea de l'enchevêtrement que formaient leurs corps nus et s'habilla. Chacune de ses articulations, chacun de ses muscles était à l'agonie, et il eut le sentiment que cette fois aucune dose de médicament ne pourrait l'aider.

— Salut, marmonna-t-elle. Qu'est-ce que tu fais ?

Il enfila une de ses bottes sans répondre, parce qu'il ne savait pas quoi lui dire. Elle s'assit et lui posa la main sur l'épaule. Il eut un mouvement de recul.

—Le train va s'arrêter au Caire dans une demi-heure. Je vais descendre. Et rentrer chez moi.

Elle cligna des yeux, encore un peu groggy.

—Je ne comprends pas. Pourquoi?

—On a failli faire l'amour.

—C'est faux.

Elle ne se souvenait de rien. Il n'était pas sûr que ce soit une chance.

—C'est vrai.

Elle se frotta les yeux.

—Même si on a failli… on ne l'a pas fait. Alors… pourquoi tu pars?

Un frisson parcourut Wraith quand il expira. Il se pencha pour ramasser la toupie en bois qui était tombée par terre.

—Parce que j'ai peur que nous finissions par le faire, et je ne veux pas être responsable de ta mort.

—Quoi?

Elle bondit sur ses pieds, tirant le drap pour se couvrir, comme si cela changerait quoi que ce soit. Son corps, ses courbes… chaque détail était gravé à jamais dans sa mémoire.

—Tu penses que je ne suis pas assez forte pour te résister? Tu crois devoir jouer les martyrs et prendre tes distances pour que je ne faiblisse pas en ta présence, pour que je ne t'oblige pas à avoir un rapport sexuel avec moi ou quelque chose comme ça?

—Euh, non. Je ne suis pas du genre martyr.

—Donc, tu ne veux tout simplement pas faire l'amour avec moi.

Il ouvrit la bouche, mais avant qu'il puisse nier, elle lui flanqua une grande tape du plat de la main en pleine poitrine.

—Réponds-moi! cria-t-elle.

Elle subissait le contrecoup de l'aphrodisiaque. Il s'était assez souvent réveillé après avoir pris de la drogue pour en reconnaître les symptômes.

— Je ne peux pas risquer ta vie, Serena. Je m'y refuse. Et je ne suis pas assez fort pour te promettre d'arriver à rester près de toi sans te désirer.

— Vas-t'en !

Le réveil était difficile ; elle était furieuse et complètement irrationnelle. Elle lui montrait la sortie de l'index.

— Fiche le camp… va au diable !

— Ce n'est qu'une question de temps, croassa-t-il. (Il ouvrit la porte et s'arrêta sur le seuil.) Je vais m'assurer que quelqu'un te rejoigne au Caire pour te raccompagner chez toi à ma place.

Sur ces mots, il s'enfuit, résistant à sa voix qui appelait son nom. Il traversa tant de voitures qu'il en perdit le compte, jouant des coudes quand il croisait d'autres voyageurs, jusqu'à ce qu'il atteigne la zone de fret.

Affaibli par le poison, ébranlé par ce qui venait de se passer et luttant contre le désir intense de retourner auprès de Serena, il se laissa tomber sur une caisse. Une douleur lui labourait la poitrine, le tiraillant, et il comprit que s'il se laissait faire, elle l'obligerait à retourner sur ses pas.

Peut-être n'avait-il pas besoin de partir. Peut-être pouvait-il rester jusqu'à la toute dernière minute et passer ses derniers jours – ses dernières heures – avec quelqu'un qui lui donnait une raison de vivre ?

Bien sûr. Parce qu'elle serait ravie de prendre soin de toi pendant ton agonie.

Il voulait rester avec Serena, mais pour la première fois de sa vie, il ferait ce qui était bien, il ne serait pas égoïste. Il ne l'obligerait pas à le regarder mourir. Il allait rentrer, et elle se souviendrait de lui tel qu'il était, pas comme d'une coquille frêle.

Il jeta un coup d'œil à sa montre. Une demi-heure. Il appellerait Tayla pour qu'elle aille à la rencontre de Serena, au Caire. Puis il trouverait une Porte des Tourments et se rendrait à l'hôpital avant de se sentir vraiment mal.

Ses frères prendraient soin de lui, comme d'habitude. Enfin, s'ils lui pardonnaient de les avoir condamnés.

Chapitre 20

Assise dans son compartiment, Serena se demandait ce qui venait de se passer. Josh était parti parce qu'il craignait qu'elle veuille coucher avec lui ? Qu'est-ce qui pouvait bien lui faire croire cela ?

La veille, elle avait à son tour voulu lui donner du plaisir, et puis… et puis, quoi ? Elle cligna des yeux. Ses souvenirs étaient si confus.

« Fais-moi l'amour. »

Oh, Seigneur. Elle avait dit cela. Elle l'avait vraiment dit. Elle s'était jetée sur lui, le suppliant de lui faire l'amour. Humiliée, elle sentit le feu lui monter aux joues et sa peau se couvrir de chair de poule. Qu'avait-il répondu ? Que quelqu'un avait sans doute glissé de la drogue dans son verre au dîner ?

Les vêtements qu'elle portait la veille étaient encore éparpillés sur le sol, attestant de la folie qui s'était emparée d'elle. L'estomac noué, elle les enfila, jurant à cause des faux plis dans sa jupe vert olive et son chemisier couleur crème. Elle avait l'air de s'être couchée tout habillée.

« Je veux te sentir en moi. »

Mortifiée, elle se laissa retomber sur le lit. Tout lui revenait à présent avec une grande clarté. Elle se souvint de la manière dont Josh avait pris soin d'elle sans profiter de son état d'hyperexcitation. Il aurait pu, mais il n'en avait rien fait.

Il avait voulu lui sauver la vie.

Et comment l'en avait-elle remercié ? En devenant folle de rage et en lui criant dessus quand il lui avait annoncé qu'il s'en allait.

Il partait… La peur naquit dans le cœur de Serena. Il avait dit n'avoir plus longtemps à vivre, et elle refusait de perdre ne serait-ce qu'une seule de ces précieuses secondes avec lui. Et peut-être… que l'Aegis pourrait l'aider ? Val connaissait toutes sortes d'artefacts et de magies curatives.

Elle ne pouvait pas le perdre.

Quelqu'un frappa. Pitié, pitié, faites que ce soit Josh… Elle s'empressa de lui ouvrir.

— Jo…

Serena recula vivement et essaya de claquer la porte, mais Byzamoth l'en empêcha. Redevenu l'être magnifique et angélique qu'il était lors de leur première rencontre, il se glissa à l'intérieur comme un serpent et referma derrière lui.

Serena ouvrit la bouche pour crier, mais il la cloua au mur avec son corps dur et musclé.

— Si tu te tiens tranquille, je ne te ferai pas de mal. (Il lui lécha la joue, et elle frissonna de dégoût.) Du moins pas trop.

Les jambes coupées par la terreur, elle ne bougea pas. Il éclata d'un rire à la fois cristallin et sinistre.

— Je vais te voler, tu le sais, te prendre ton amulette…

Il ferma le poing autour de son pendentif, et elle réprima un sourire, parce qu'il n'arriverait pas à ses fins. Mais l'instant d'après, horrifiée, elle vit la chaîne céder et pendre de la main de l'ange déchu.

Il glissa le bijou dans sa poche et releva la jupe de la jeune femme.

— … et ta bénédiction.

Puis il déchira sa *dishdasha* et se transforma, comme dans un film d'horreur au ralenti, passant d'un être à la beauté surnaturelle à une créature ressemblant à une chauve-souris, sans poils ni cheveux, à la peau grise et affublée d'une seule aile, comme celle qu'elle avait aperçue dans la maison du Régent. Entre ses jambes, son sexe en érection pointait vers elle de manière obscène, suintant déjà une humeur noirâtre.

Doux Jésus, il allait l'empaler avec cette chose hideuse. Son sang se figea. Pétrifiée et tremblante, elle voulut hurler, mais aucun son ne quitta ses lèvres. Pas même un souffle, retenu par la boule de panique qui lui serrait la gorge.

—Qu'y a-t-il, ma chérie ? Dis quelque chose. Ta peur m'excite. (Il la renifla.) Oui, son odeur m'enivre, mais pas autant que le son de ta voix. Ses trémolos. Ses aigus. Parle !

—Va te faire foutre, croassa-t-elle.

Il la gifla du revers de la main, et elle vit trente-six chandelles.

—Salope. Je vais te baiser jusqu'à ce que tu crèves. (Il afficha un sourire cruel en lui passant les doigts sur la joue.) Tu as peur de mourir, hein ? Le parfum de ta terreur est comme une drogue. Si excitant… Maintenant, demande-moi pourquoi. Pourquoi je fais ça.

Elle ne voulait pas, mais étant donné la situation, mieux valait obéir plutôt que de le provoquer.

—Pourquoi tu fais ça ?

Il la frappa de nouveau.

—Ne pose pas de questions idiotes !

Sa crainte fut aussitôt remplacée par la douleur et la fureur. Elle en avait assez de prendre des coups, et elle allait se battre. Grondant tout bas, elle le repoussa de toutes ses forces et lui flanqua un coup de genou dans les couilles. Il ne tressaillit même pas et utilisa son avant-bras pour la maintenir contre le mur, lui coupant le souffle.

—C'était vraiment stupide, dit-il d'une voix qui claqua comme un fouet.

Elle lui griffa le bras et lui donna des coups de pied, les poumons en feu.

Il balança le pendentif sous son nez.

— Tu sais ce que c'est ? Ce à quoi il sert ? (Il relâcha un peu la pression pour qu'elle puisse faire « non » de la tête et prendre une grande goulée d'air.) Évidemment non. Parce que c'est contraire aux lois. Et elles doivent toujours être suivies.

Sa voix dégoulinait de sarcasme, et Serena ne comprit pas pourquoi. Mais elle n'était pas sûre de vouloir en entendre davantage. Et tout ce qui l'intéressait, c'était d'avoir de l'oxygène.

— C'est la clé de la fin des temps. Et toi, ma chère, tu en es une aussi. Et quand j'aurai pris ta virginité, je deviendrai la plus puissante d'entre toutes ! (Il posa son front contre celui de Serena et plongea ses yeux froids et sans vie dans les siens.) Je suis impatient de commencer l'extermination de la race humaine. Et je vais commencer par toi.

Le Caire, la Cité triomphante, était un labyrinthe grouillant qui ne devenait vivant – et qui d'après Wraith se révélait sous son plus bel aspect – qu'à la nuit tombée. Il avait toujours aimé y chasser, mais il n'appréciait pas beaucoup cette ville dans l'ensemble. Le mélange de moderne et d'ancien, d'extrême pauvreté et de richesses décadentes, lui donnait une atmosphère étrange, comme si elle ne savait pas laquelle adopter. Son histoire le fascinait cependant, et il se demandait parfois comment aurait été sa vie, s'il avait vécu au temps des pharaons.

Pas en tant qu'humain… cela aurait craint. Mais être un démon dans l'Antiquité avait ses avantages. On les appelait « dieux »… – Maât, Râ, Osiris, Khépri et tous les autres… – et on les vénérait.

Les démons avaient une longue mémoire… nombre d'entre eux étaient immortels ou presque, et ils voulaient de nouveau le pouvoir et l'adoration.

Et à en juger par les troubles qui se préparaient à Sheoul, il semblait qu'ils obtiendraient bientôt satisfaction.

Alors que le train entrait en gare du Caire, Wraith regarda par la fenêtre et vit son reflet. Le sablier ne contenait plus que quelques grains.

Il se demanda s'il avait pris la bonne décision.

Même si Tayla était une formidable guerrière, surtout quand elle lâchait la bride à sa démone intérieure, elle n'était pas assez forte pour protéger Serena. Bien sûr, Wraith ne l'était sans doute plus non plus, dans son état.

Dieux, Serena devait le prendre pour un con depuis qu'il s'était enfui. Elle lui avait ordonné de partir, mais après avoir observé Shade et Eidolon avec leurs compagnes, il savait que les femelles désiraient parfois qu'on se batte pour elles. Et d'autres fois, elles ne le voulaient pas.

Jouant inconsciemment avec la toupie que lui avait donnée Serena, il se rendit compte qu'il n'avait jamais rien compris au sexe opposé.

Il se leva, conscient que Serena ne serait pas contente de le revoir. Néanmoins, il resterait avec elle jusqu'à ce qu'elle rentre aux États-Unis et qu'il puisse la mettre en lieu sûr, car il ne se fiait pas à Val.

Grondant tout bas, il sortit en vitesse du wagon où il s'était réfugié. À mi-chemin du compartiment de Serena, il comprit que quelque chose n'allait pas, et cela le frappa si fort qu'il faillit trébucher. Il eut la chair de poule quand il identifia l'origine du mal à bord du train.

Byzamoth.

Wraith ouvrit à la volée la première porte sur sa route, renversant un passager dans sa précipitation, et faillit rentrer dans la suivante. Plus il avançait, plus la présence malfaisante devenait palpable.

Il s'arrêta devant le compartiment de la jeune femme dans une glissade. Il avait failli le dépasser. Un nuage noir et démoniaque suintait autour de la porte, qu'il enfonça d'un coup d'épaule, faisant voler des morceaux de bois partout et tordant le cadre en fer.

—Josh !

Le cri de Serena l'atteignit en plein cœur.

Il la vit, clouée sur place par le corps hideux de Byzamoth, et son sang ne fit qu'un tour. Passant en mode tueur, il oublia la douleur, ses maux et sa nausée quand un voile rouge tomba sur son champ de vision et ses pensées.

Wraith se jeta sur l'ange déchu, l'attrapa par l'aile et le tira loin de Serena. Il l'envoya percuter la paroi entre la porte et la banquette. Il entendit un bruit d'os brisé, suivi par un cri aigu. L'aile de Byzamoth retomba, cassée.

—Semin…

Wraith lui flanqua son poing en pleine figure, puis il se fit un plaisir et frappa ses bijoux de famille grotesques. Byzamoth était exagérément monté. Et savoir qu'il avait eu l'intention de se servir de cette chose monstrueuse pour posséder Serena fit perdre à Wraith le peu de contrôle qui lui restait.

—Tu es mort, siffla-t-il, en obligeant Byzamoth à se plier en deux en même temps qu'il remontait son genou.

Du sang éclaboussa le sol, mais pas assez à son goût. Il poussa l'ange déchu dans le couloir, puis contre la porte d'un autre compartiment.

Les cris des passagers que les bruits de la bagarre avaient alertés déchirèrent l'air, se mêlant aux hurlements de rage de Serena qui se ruait sur Byzamoth pour lui assener deux coups en pleine face et une manchette à la gorge. Une admiration farouche réchauffa Wraith de l'intérieur.

Brave petite.

L'ange se jeta sur la jeune femme, et elle lui flanqua son coude dans le ventre, pendant que Wraith lui broyait le nez.

— Mon collier ! cria Serena. Il faut le lui reprendre.

— Il est à moi. (Byzamoth se dégagea, retroussant ses lèvres grisâtres sur ses dents jaunes et pointues.) Et elle aussi.

Il pivota avec bien plus de grâce qu'il n'aurait dû en avoir dans un couloir étroit, mais en une fraction de seconde, il courait dans le sens opposé.

Wraith s'élança à sa poursuite. Arrivé au bout de la voiture, Byzamoth rentra dans un passager. Poussant un feulement coléreux, il le poussa sur le seminus, et les deux hommes s'effondrèrent.

Fils de pute.

Wraith se dégagea de l'humain, qui gémissait de terreur, le visage blafard et les yeux hantés par ce qu'il venait de voir.

Bienvenue dans mon monde, mon pote.

Wraith bondit sur ses pieds et se rua sur les talons de Byzamoth, mais la sensation de mal avait disparu. Il ignorait quels pouvoirs avait l'ange déchu, mais il était quasiment certain qu'il ne pouvait pas voler avec une seule aile, cassée de surcroît.

Il trouva un groupe d'humains agglutinés autour d'une porte ouverte. Leurs conversations animées lui apprirent qu'ils avaient vu un homme sauter du train. Apparemment, Byzamoth avait repris forme humaine, parce que les témoins n'étaient pas aussi choqués qu'ils auraient dû l'être. Mais où était passé cet enfoiré ?

Wraith s'empressa de retourner auprès de Serena, bousculant tous ceux qui eurent la malchance de se trouver sur son passage. Leurs jurons indignés le poursuivirent, mais il n'y prêta aucune attention. Une seule chose comptait : rejoindre la jeune femme.

À l'instant où il franchit le seuil du compartiment ravagé, elle se jeta dans ses bras.

— Dieu merci, tu vas bien. Oh, Seigneur, merci. Merci.

Elle parlait pour ne rien dire et sanglotait tout à la fois, et seul un effort colossal pour se maîtriser empêcha Wraith de craquer aussi.

— Tout va bien. Il est parti.

— Mon collier… ?

— Disparu avec Byzamoth.

Elle jura. Il ne l'avait encore jamais entendue dire une telle grossièreté.

— Je suis désolé d'être parti, murmura-t-il contre ses cheveux. J'aurais dû être présent.

Serena s'arracha à lui, et il vacilla et dut se rattraper en s'appuyant au mur. Elle l'avait soutenu, et une vague de vertige faillit le terrasser.

— Ne dis rien. C'est moi qui devrais m'excuser. Je n'avais aucun droit de me mettre en colère contre toi. Ou de te chasser. Seigneur, je suis stupide. (Elle leva des yeux mouillés de larmes.) Ça va, Josh ?

Une vive douleur lui déchira les entrailles, et il se plia en deux.

— Non.

— Tu es blessé ? Il t'a fait quelque chose ?

— Besoin… regagner… ma chambre.

Il tituba jusqu'à sa porte, redoutant de perdre le contenu de son estomac en chemin. Son compartiment était voisin de celui de Serena, mais il eut l'impression qu'il était au bout du monde, et quand il arriva devant la porte, il fut incapable de l'ouvrir. Au lieu de cela, il glissa jusqu'au sol. Ses muscles convulsaient et il avait des haut-le-cœur.

—Je vais voir s'il y a un médecin à bord.

—Non. Médicaments… À l'intérieur.

Quand elle jura entre ses dents, il ne put s'empêcher de sourire en dépit de la douleur. Cela faisait deux fois en quelques minutes à peine.

—D'accord, mais si ça ne t'aide pas…

Il lui attrapa le poignet, et quand elle tressaillit, il se maudit d'être une telle brute et desserra sa prise.

—Pas de docteur. Promets-le-moi.

—Ça ne me plaît pas… mais d'accord.

Serena ouvrit la porte. Rassemblant le peu de force qui lui restait, Wraith se traîna jusqu'à son lit. Il était mou. Froid. Putain, il allait mourir ici, n'est-ce pas ?

—Tu ne vas pas mourir, dit Serena, et il comprit qu'il avait parlé tout haut. Maintenant, dis-moi de quels médicaments tu as besoin ? Où sont-ils ?

—Sac. Sous le lit.

Il l'entendit fouiller à l'intérieur, puis les sons s'éloignèrent, et le monde disparut et devint noir.

CHAPITRE 21

S erena essaya de contrôler sa peur tandis qu'elle tirait des flacons de cachets et des sachets remplis d'une substance rouge du sac de Josh. Mais la panique se faisait sentir et deviendrait très vite ingérable. Il lui avait dit qu'il était mourant, mais elle avait supposé qu'il lui restait un peu de temps. Or, la situation semblait… désespérée.

Ses larmes coulaient librement sur ses joues. Elle n'avait pas pleuré, vraiment pleuré, depuis des années. Il y avait eu bien trop de sanglots quand elle luttait contre la maladie, et encore plus quand sa mère était morte. Mais ça… Seigneur, tant de choses s'étaient passées depuis qu'elle avait rencontré Josh, des bonnes et des mauvaises. Elle venait de perdre sa bénédiction… elle ne supporterait pas de perdre Josh aussi.

Ses mains tremblaient alors qu'elle rassemblait les bouteilles et l'une des petites poches de liquide écarlate. Josh était allongé face à elle, la respiration laborieuse, le front emperlé de sueur.

—Josh. (Elle lui caressa le visage.) Josh ? Tu m'entends ?

Pas de réponse. Elle lui tapota la joue, d'abord avec douceur, puis avec plus d'impatience.

—Josh !

—Mmm ?

Son soulagement fut de courte durée quand il commença à convulser et que ses yeux roulèrent dans leurs orbites.

Elle se sentit impuissante, ce qui redoubla ses larmes, et quand il se calma enfin, elle sanglotait.

—Josh, j'ai tes médicaments.

Sa tête dodelina vers l'avant, et il grogna.

—L-le sachet… pilules.

—En même temps?

—Mmoui.

Elle sortit un cachet de chacun des deux flacons, déchira le paquet et mit les médicaments dans la bouche de Josh. D'une main, elle lui redressa la tête et de l'autre elle l'aida à boire. Il déglutit. Ensuite, elle déposa une couverture sur lui. La main de Josh prit la sienne et elle sentit sa faiblesse.

—Je vais mourir. Mais… merci.

—Tu vas très bien t'en sortir, murmura-t-elle. Bats-toi, d'accord?

Il prit une inspiration sifflante qui la fit frissonner. Elle se laissa tomber sur le sol et s'adossa au lit, portant la main à son collier par habitude, avant de se rappeler que Byzamoth le lui avait volé.

La situation était grave. Elle devait appeler Val. Il pourrait sans doute aider Josh. Elle savait que c'était le cas. Elle tira le téléphone portable d'une poche de sa jupe. Pas de réseau.

Putain de merde!

Quelqu'un frappa à la porte, et elle sursauta, son pouls s'accélérant aussitôt.

—Sécurité! Ouvrez.

Elle se força à se relever pour affronter les deux Égyptiens debout dans le couloir. L'un d'eux inspectait la porte enfoncée de son compartiment.

—Bonjour, madame, dit l'autre, montrant les dégâts. C'est votre chambre?

—Oui. Quelqu'un s'y est introduit.

—Certains passagers rapportent que c'était... un monstre ?

Elle sourit et espéra qu'ils ne voyaient pas sa lèvre trembler.

—Juste un homme.

Les Égyptiens prirent sa déposition – elle leur expliqua qu'un individu avait essayé de l'agresser et s'était enfui – et quand elle eut fini, ils la laissèrent tranquille pour aller interroger d'autres témoins.

Elle referma la porte et retourna auprès de Josh, se demandant quand – et non pas si – Byzamoth récidiverait.

Il n'en avait pas fini avec elle. Il reviendrait la chercher, il ne renoncerait pas tant qu'il ne lui aurait pas pris sa virginité. Elle frémit, imaginant l'horreur.

Armé de Heofon, il avait prétendu qu'il amènerait la fin des temps.

—Je suis désolée, maman, murmura-t-elle.

Sa mère lui avait fait confiance pour protéger le collier, et Serena avait échoué. D'une manière ou d'une autre, elle devait le récupérer, mais elle était sans défense contre Byzamoth, et l'attaquer dans ces conditions équivalait à lui servir son hymen sur un plateau.

La vision de l'ange déchu en train de lui sauter dessus et de lui arracher ses vêtements s'imposa de nouveau à son esprit. Elle n'oublierait jamais ses viles paroles, ni l'odeur de soufre et d'excréments de son haleine.

Cette fois, Josh l'avait sauvée, il s'était montré assez talentueux et fort pour affronter Byzamoth et en sortir victorieux. Mais il était en train de mourir. Il n'aurait pas la force de la protéger encore. Byzamoth allait la violer et mettre ses plans diaboliques à exécution.

À moins qu'elle puisse récupérer Heofon. Ou que quelqu'un puisse s'en charger à sa place. Quelqu'un comme Josh.

Elle ferma les yeux, sachant ce qui lui restait à faire.

Les mains de Serena lui procuraient des sensations extraordinaires. Wraith n'avait jamais rien éprouvé de semblable. Elles le vénéraient, pétrissaient sa chair et la brûlaient alors qu'elles descendaient toujours plus bas vers son ventre. Il sentit sa bouche sur son torse, et ses coups de langue le firent siffler de plaisir.

Plus bas.

Oh, oui, comme ça.

Il garda les bras de chaque côté du corps et la laissa s'amuser, déboutonner son jean et sortir sa bite. Il pensait qu'elle allait le sucer, mais elle s'installa à califourchon sur lui. Son sexe humide et chaud l'entoura quand elle commença à bouger, massant son membre entre ses lèvres lubrifiées.

Merde, c'était un rêve extra. Il avait eu tellement envie de lui faire l'amour, et là, dans son sommeil, il le pouvait enfin. Il grogna presque quand elle changea l'angle de son bassin pour positionner le gland de sa verge à l'entrée de son vagin.

—Je t'aime, Josh.

Josh. Même dans ses rêves, elle n'arrivait pas à l'appeler par son vrai nom. Il serra le drap dans ses poings, laissant les vibrations du train engourdir son esprit quand tout ce qu'il voulait, c'était donner un grand coup de reins pour la prendre.

Le train… le train ? Josh ?

Ce n'est pas un rêve !

Il ouvrit vivement les yeux, et, oh, par les feux profanes de l'Enfer, aperçut Serena au-dessus de lui, prête à s'empaler sur son érection.

—Non!

Il l'attrapa frénétiquement par la taille, mais il était trop faible. Elle l'enfonça en elle, enfouissant son pénis jusqu'au bout, et son hymen se rompit. Elle cria de douleur et dut se fourrer le poing dans la bouche.

Aussitôt, une énergie étrange et merveilleuse s'empara de Wraith, courant dans ses veines et faisant battre son cœur. La faiblesse qui l'avait forcé à s'allonger laissa place à une grande force et le pouvoir rugit en lui.

—Oh, ma chérie, souffla-t-il. Oh… putain, qu'est-ce que tu as fait ?

Elle devait savoir qu'elle venait d'enclencher le compte à rebours de sa propre mort.

—Je ne pouvais pas te laisser mourir. (Elle baissa les yeux sur lui, son regard brûlant et humide. Elle sourit, puis tressaillit quand elle remua un peu.) Je sais que tu as dit que tu ne pouvais pas me donner ce que je veux, mais c'est déjà fait.

Il aurait voulu protester, contredire ses paroles, et ce qu'elle croyait savoir, mais il en fut incapable. Les sentiments qu'il avait pour elle étaient trop profonds.

—Je n'aurais pas dû te dire…

—Chut. (Elle enfonça ses ongles dans ses pectoraux, lui procurant un plaisir exquis.) J'ai attendu cet instant trop longtemps pour le gâcher avec des regrets.

Pourtant, il ne pensait pas pouvoir ressentir autre chose, jusqu'à ce qu'elle fasse remonter ses doigts le long de son torse et effleure ses tétons. Le dos arqué, elle ondulait des hanches au gré de la vague de son plaisir, qui montait. Il se sentit pulser en elle, son désir devenant plus grand à chaque seconde.

Il aurait l'éternité pour éprouver des regrets. En cet instant, il devait s'assurer que la première fois de Serena serait un moment inoubliable pour elle. Pour eux deux.

Il lui passa une main derrière la tête pour l'attirer vers lui jusqu'à ce que leurs lèvres se rencontrent. Embrasser Serena était l'un des plus grands plaisirs qu'il connaisse. Elle s'ouvrit à lui, et il glissa sa langue pour aller à la rencontre de celle de la jeune femme. Il détestait devoir se montrer prudent pour qu'elle n'ait pas de contact trop intime avec ses canines, mais pour le moment, c'était une bonne chose. Il venait de la dépuceler, il n'était pas question qu'il se conduise comme un animal.

Mais même s'il essaya de se montrer civilisé, certains instincts ne pouvaient pas être étouffés. Il remonta une jambe et l'agrippa par les hanches pour aller et venir plus vite et plus fort. Il avait besoin d'aller toujours plus profond. Si profond qu'il ne ressortirait plus jamais. Mais quand il l'entendit gémir de douleur, il se figea. Elle avait toujours mal. Dieux, il n'était qu'une brute.

—Je suis navré. (Il embrassa ses larmes.) C'est si bon… si merveilleux… d'être en toi.

Serena lui caressa le cou, juste au-dessus de la jugulaire, et il lui vint le désir complètement fou de lui demander de le mordre.

—Aucun problème. Je savais que ce serait douloureux. (Elle tressaillit.) Mais pas à ce point.

—Je veux t'aider à te sentir mieux, *lirsha*.

—*Lirsha*?

Merde. Eh bien, il ne pouvait pas lui dire que cela signifiait « ma chérie » en langage seminus. En fait, il ne voulait donner aucune explication.

—Chut. (Il la souleva, et la friction soyeuse et mouillée des parois de son vagin faillit le faire jouir.) Fais-moi confiance.

Elle se mordit la lèvre, son expression devenant plus détendue, et hocha la tête. Descendant le long du corps de Serena, il la poussa plus haut sur le lit, jusqu'à ce que sa bouche trouve l'entrée de sa chatte. Le lit était petit, aussi avait-il les jambes coincées contre le mur, mais il était à l'endroit où il voulait être.

Serena gémit quand il l'embrassa et fit rouler son clitoris enflé entre ses lèvres. Puis il plongea une langue avide à l'intérieur de la jeune femme, lui donnant une longue caresse humide. Quand il poussa plus profond pour la guérir, elle cria sa jouissance et se cabra. Il dut enrouler ses bras autour de ses cuisses pour la maintenir en place.

Quand ce fut fini, elle retomba, toute molle, et il la ramena sous lui sans problème.

— Tu vas bien ?

— Oh, oui, murmura-t-elle d'une voix encore rauque. Waouh.

— Et ça ne peut qu'être meilleur la deuxième fois.

Une étincelle s'alluma dans le regard de Serena.

— Vraiment ?

— Bien sûr.

Il se positionna entre les cuisses de Serena, le bout de sa queue à l'entrée de son vagin. S'appuyant sur ses coudes, il l'embrassa jusqu'à ce qu'ils soient tous les deux pantelants au point de se frotter l'un contre l'autre. Les ondulations du bassin de la jeune femme le rendaient dingue. Il haleta, et quand elle lui passa les jambes autour de la taille, il sut qu'il ne pouvait plus attendre. Il essaya d'être doux, mais il était tellement excité, et Serena était si mouillée…

Il la pénétra d'un seul mouvement fluide.

— Ça va ? demanda-t-il, mais ce serait un miracle si elle avait compris, parce que les mots avaient jailli dans un grognement d'extase.

—Cesse de me poser toujours la même question. (Elle serra les cuisses autour de lui et arqua le dos.) Continue. S'il te plaît.

S'agrippant à son cou pour faire levier, elle se mit à bouger, et merde, il allait devoir s'accrocher, parce que la chevauchée s'annonçait rude.

Il n'arrivait pas à croire qu'il fasse cela… avec une humaine, une vierge qui plus est, et une personne à laquelle il tenait vraiment. Mais il refusait d'y penser. Il voulait lui donner une première fois dont elle se souviendrait toute sa vie.

Sauf qu'elle n'avait plus l'éternité devant elle.

Un grognement mauvais échappa aux lèvres de Wraith. Il se fichait qu'il n'existe pas de remède à sa maladie. Il devait y avoir une autre solution. Il la sauverait. Il le fallait. Puis elle serait sienne.

—Mienne…

—Oui, acquiesça Serena, attirant la bouche de Wraith vers sa gorge. Embrasse-moi juste là. Comme dans mon rêve.

Celui avec le vampire. La simple pensée de la mordre l'excita tellement qu'il sentit ses canines jaillir de ses gencives. Il les força à se rétracter et se jeta sur sa gorge pour l'embrasser et la sucer, sachant qu'il allait lui laisser une marque. Mais qu'importe. Il désirait la marquer de toutes les façons imaginables.

Il voulait aussi être doux, mais elle lui donnait tellement de plaisir qu'il en perdait tout contrôle. Et soudain, il se retrouva à aller et venir en elle comme une bête en rut, suant et grognant, tandis qu'il sentait monter la jouissance.

Elle lui griffa les épaules et cria, mais il sut que ce n'était pas de douleur. Elle le serrait en elle, l'invitant toujours plus profond, ses hanches ondulant dans un rythme sauvage et violent.

Des ondes de plaisir vibrèrent dans ses testicules et remontèrent le long de son sexe ; son sperme était prêt à jaillir. Soudain, n'en pouvant plus, il jouit… une vague aveuglante et brûlante l'emporta une fois, puis une deuxième… et enfin une troisième.

La chair douce de Serena se serrait autour de lui à chacun de ses orgasmes. Wraith avait l'habitude d'en avoir plusieurs, c'était vraiment super d'être un incube, mais il savait que c'était une chose rare pour la plupart des femelles. Les orgasmes à répétition dans les bras d'un seminus, voilà ce qui mettait les femmes dans leur lit, et alors qu'il retombait après son cinquième, il regarda Serena en avoir encore deux.

Haletant, il roula sur le côté pour ne pas l'écraser sous son poids, mais il ne la lâcha pas. Il la fit pivoter en même temps que lui pour rester en elle. Il sentit son vagin se contracter encore, annonçant un autre orgasme. Les yeux fermés, elle laissa sa tête retomber en arrière et entrouvrit les lèvres sur de petits cris de plaisir.

—Josh, oh… ah… oui !

Elle convulsa, et il descendit les mains jusqu'à ses fesses pour la ramener contre lui.

En temps normal, il se retirait aussitôt et laissait sa partenaire se tordre de plaisir pendant qu'il préparait son échappée. Mais c'était Serena. Ils avaient parlé de la poussée d'adrénaline, de la chasse qu'ils aimaient tous deux, et il n'avait jamais ressenti cela avec aucune autre fille… Faire l'amour avec elle, c'était le pied, l'excitation ultime, et il voulait être présent à chacun de ses gémissements, de ses halètements, de ses frémissements.

—Wraith. (Sa voix n'était qu'un murmure guttural contre son oreille.) Appelle-moi Wraith quand tu vas jouir.

—Maintenant, gémit-elle. Je jouis maintenant… Wraith !

Il eut un autre orgasme rien qu'en l'entendant prononcer son nom. Après, ils retombèrent ensemble, la peau luisante de transpiration, les poumons en feu, aspirant l'oxygène à grosses goulées comme s'il n'y en avait pas assez dans le train.

— Merci, dit-elle dans une inspiration saccadée. Dieu, merci.

Elle le remerciait ? Elle lui avait fait un don inestimable, sacrifié sa propre vie pour lui offrir une bénédiction qu'il ne méritait pas.

Alors, non, il n'avait pas le droit d'accepter ses remerciements, et il n'était pas sûr de devoir les lui retourner.

Parce que en lui sauvant la vie, d'une certaine manière, Serena venait de le tuer un peu.

CHAPITRE 22

E idolon éprouvait un étrange mélange de soulagement et d'anxiété quand il raccrocha le téléphone après avoir parlé à Wraith. Assis en face de lui dans son bureau, Shade mâchait un chewing-gum en attendant qu'il lui fasse part des nouvelles.

Wraith avait récupéré la bénédiction de Serena, ce qui expliquait qu'Eidolon se sente prêt à courir le marathon, mais son petit frère était tombé amoureux de l'humaine, ce qui ne pouvait que finir de façon désastreuse. Surtout parce qu'il venait d'ordonner à Eidolon de trouver un moyen de la sauver à tout prix, et rien de ce qu'il avait pu lui dire ne l'avait ramené à la raison.

—Shade, il a pris la protection, mais toutes les nouvelles ne sont pas bonnes…

Reaver entra… ou plutôt, il franchit le seuil en titubant. Les cheveux de l'ange, qui étaient habituellement brillants et impeccables, étaient emmêlés et ternes, et ils tombaient devant ses yeux injectés de sang. Ses mains étaient noircies par du sang séché, et sa peau si pâle que ses veines y dessinaient une carte de la douleur.

—Putain de merde! s'écria Shade, bondissant sur ses pieds comme s'il voulait rattraper Reaver.

—Oubliez-moi, croassa ce dernier. Serena. Il faut la protéger.

—Oh, alors maintenant, tu es prêt à nous aider? demanda Eidolon, et Reaver inclina la tête en signe d'assentiment. Bien. Qu'est-ce que son collier a de spécial?

—Il y a des choses dont je ne peux pas parler.

Reaver croisa le regard d'Eidolon, ses lèvres craquelées trahissant sa résolution.

—Bon sang, Reaver, il a été volé, et ce n'est pas une mince affaire!

Le visage de Reaver perdit le peu de couleur qui lui restait. Il commença à chanceler, et Eidolon se leva pour le rattraper avant qu'il tombe. Heureusement, l'ange réussit à s'appuyer au mur.

Parfait. Eidolon détestait l'admettre, mais l'idée de toucher un être d'origine divine lui flanquait les jetons.

—Impossible, dit Reaver. Ce que tu dis est impossible.

—C'est pourtant la vérité. Alors, j'ai besoin d'en savoir davantage sur le pendentif. Tout de suite.

Les yeux bleu clair de Reaver étaient aussi durs que des diamants, mais hantés, quand il les leva sur Eidolon.

—C'est Armageddon au bout d'une chaîne, répondit-il, d'un ton vibrant et détachant chaque syllabe.

Shade cessa de mâcher son chewing-gum.

—Répète ça.

—L'amulette. C'est un morceau du Paradis.

—Euh… du Paradis. Littéralement?

—Oui.

Eidolon et Shade échangèrent un regard interloqué, parce que ce n'était pas seulement gros, mais énorme.

—Il faut nous en dire plus, Reaver.

L'intéressé se passa les doigts dans les cheveux. Eidolon lui accorda une minute pour reprendre contenance, parce qu'il semblait toujours sur le point de perdre connaissance.

Enfin, Reaver cessa de triturer sa crinière et se mit à faire les cent pas… lentement, et en boitant, mais quand même.

— Le *Daemonica* mentionne une clé et une serrure célestes.

Eidolon hocha la tête, parce qu'il connaissait ce passage de la bible des démons, mais vaguement. Les érudits démoniaques essayaient de le déchiffrer depuis des siècles.

— Continue.

— Il est écrit que quand Satan fut chassé du Paradis, il en emporta un morceau avec lui dans l'espoir qu'il l'aiderait à y retourner un jour. Il le garda en lieu sûr, puis, durant une bataille entre le Bien et le Mal, l'ange Hizkiel réussit à le reprendre. Mais des milliers d'années de corruption l'avaient altéré. Le morceau de Paradis ne pouvait pas être autorisé à entrer au Ciel, de peur qu'il ne le souille. Et il ne pouvait pas rester sur Terre non plus, de crainte que des démons le trouvent et s'en servent pour ouvrir la porte céleste entre le Paradis et l'Enfer. Il fut donc décidé qu'il resterait sous la protection des humains, puisqu'en définitive la lutte de pouvoir entre le Bien et le Mal a toujours été au sujet de l'humanité. S'ils échouaient, ils seraient responsables de leur propre chute.

Eidolon avait un mauvais pressentiment au sujet de cette histoire, surtout à présent que Wraith était coincé dans un conflit entre le Bien et le Mal.

— Donc, il a été laissé à la garde d'un humain bénit par les anges ?

— Oui. Mais pas seulement un, de nombreux humains. Serena est la plus récente. En théorie, il devrait toujours être en sécurité. (Reaver secoua la tête.) Je ne crois même pas qu'une autre Sentinelle pourrait contourner la protection. Certaines se sont retrouvées sur les champs de bataille, et elles n'ont jamais pu s'affronter.

— Ce n'est pas un autre humain sous protection angélique qui l'a pris, dit Eidolon. C'est un ange déchu. Son nom est Byzamoth.

— Byzamoth ?

Une secousse ébranla l'aile administrative, faisant voler les vitres en éclats, et l'hôpital trembla si fort qu'Eidolon se demanda si les humains pouvaient l'enregistrer sur leur échelle de Richter.

Shade s'avança vers l'ange.

— Hé, mec, calme-toi. Nous aimons avoir un toit au-dessus de nos têtes. Si possible intact.

— C'est un peu tard pour ça, marmonna Eidolon, mais puisque Wraith n'était plus mourant, tout redeviendrait normal à l'UG.

Ils auraient plus de mal à recruter du nouveau personnel.

— Byzamoth. (Un feu bleu brûlait dans les prunelles de Reaver.) Wraith en est sûr ?

— C'est ce qu'il a dit. Pourquoi ? C'est qui, ce type ?

Reaver lança une chaise contre le mur si fort qu'elle s'enfonça dans le plâtre. Eidolon ne l'avait jamais vu si remonté. Par les feux de l'Enfer, il ne l'avait même jamais vu énervé.

— C'était un ange destructeur. Aujourd'hui, c'est un démon destructeur. Il est tombé au cours de la première guerre au Paradis. S'il a le collier et la protection…

— Pas cette dernière. C'est Wraith.

Reaver aboya un rire amer.

— C'est un jour bien triste, parce que me voilà soulagé que Wraith ait pris la bénédiction de Serena.

Shade se passa une main sur le visage.

— D'accord, alors qu'est-ce que Byzamoth compte faire avec ce truc ? C'est un ange déchu, il n'a pas besoin de ça pour devenir invincible.

— Non, mais il a besoin du sang d'une Sentinelle pour faire fonctionner l'amulette et ouvrir la porte entre le Paradis et l'Enfer. S'il était en possession du pendentif et de la protection, il pourrait se servir du sien à sa convenance. Mais puisqu'il n'a pas la bénédiction, il a besoin de celui de la Sentinelle qui le gardait.

— Mais Serena n'est plus protégée.

— Exactement. Et quand il l'apprendra, il aura besoin de sacrifier celui à qui elle l'a transmise. (Reaver cessa enfin de faire les cent pas.) La bonne nouvelle, c'est que si quelqu'un peut prendre soin de lui-même, c'est bien Wraith.

— Et apparemment, la protection ne fonctionne pas contre Byzamoth.

Reaver acquiesça.

— Je ne crois pas que qui que ce soit ait anticipé cette éventualité.

— Autrement dit, qu'un ange puisse contourner la protection, même s'il a été déchu.

— Oui.

— Alors, qu'est-ce que Byzamoth va faire avec l'amulette, au juste ?

— Il ouvrira le Paradis aux forces du mal. Les démons s'engouffreront à l'intérieur. (Reaver chancela quand il se laissa tomber dans un fauteuil.) Les humains se sont toujours focalisés sur l'Apocalypse. Ils voient ça comme la fin des temps. Mais pour les croyants, ce n'est pas si terrible. Ils savent qu'après la bataille entre le Bien et le Mal, les justes iront au Paradis.

La voix de Reaver devint aussi ténue que l'air aux confins les plus sombres de Sheoul.

— Les humains croient que l'Apocalypse sera l'ultime bataille. L'enfer sur terre. Mais avec le pendentif, Byzamoth ouvrira la porte entre le Paradis et Sheoul, et la guerre sera livrée dans plusieurs royaumes, à une échelle inimaginable. Le Paradis pourrait… cesser d'exister, et les âmes seront alors redirigées vers Satan. Les humains pourraient devenir prisonniers d'un enfer si terrible qu'ils ne peuvent même pas le concevoir.

Le regard de l'ange s'assombrit.

— Mince, c'est bien pire que l'Apocalypse. C'est la fin de toute existence pour les vaincus.

Shade, Eidolon et Reaver passèrent l'heure suivante à se quereller au sujet de la conduite à adopter, mais tout revenait toujours à Wraith.

— Il doit récupérer le collier, dit Shade, ouvrant la bouteille de Fanta citron qu'il avait été chercher dans la salle de repos.

Il avait également appelé Runa pour la prévenir qu'il rentrerait tard. Elle avait semblé aussi épuisée que lui, mais avec quatre bébés à la maison, ce n'était pas étonnant.

— Non ! s'écria Reaver en frappant du poing sur le bureau d'Eidolon. Si Wraith combat Byzamoth et réussit à le vaincre, il sera en possession de l'artefact le plus puissant de l'univers. Je ne crois pas que l'un d'entre nous le souhaite. Les Aegis doivent le reprendre.

Shade ricana.

— Cette bande d'incapables…

Eidolon lui flanqua un coup d'agrafeuse dans l'épaule.

— Tu parles de ma femme, tu sais.

— Et que tu le veuilles ou non, ils sont les Gardiens du royaume terrestre, renchérit Reaver.

Eidolon, qui était en train d'effectuer des recherches sur les prophéties bibliques et démoniaques, releva la tête de son ordinateur.

—Quoi qu'il soit en train de se passer, ça arrive très vite. Tayla dit qu'au cours des dernières douze heures des démons sont apparus sur la terre pour s'emparer de trois sites sacrés en Israël. Les cellules locales de l'Aegis sont débordées. Cela coïncide avec le moment où Byzamoth a volé l'amulette.

—Par les feux de l'Enfer, marmonna Shade. Il fallait bien que Wraith déclenche Armageddon.

Il pensait à ses fils, si petits et sans défense, et à Runa, qu'il aimait tellement que c'en était douloureux. Il ne supportait pas l'idée qu'ils puissent être pris dans cette guerre.

—C'est bien pire, protesta Reaver, comme si Shade avait besoin qu'on le lui rappelle.

—Pourquoi maintenant ? demanda Eidolon. Ce connard de Byzamoth est très vieux, alors pourquoi n'a-t-il pas mis la main sur l'amulette et la bénédiction il y a des années ?

—Les anges déchus ne peuvent pas sentir les Sentinelles. (Reaver secoua la tête.) J'ignore comment il a pu trouver Serena.

Eidolon pianota des doigts sur son bureau, et alors que Shade s'apprêtait à les lui briser, il se figea.

—Wraith a dit que Byzamoth n'avait qu'une aile. Ça a toujours été le cas ?

—Pas que je sache.

Shade fronça les sourcils.

—Où tu veux en venir ?

—Dans le château de Roag, Runa a arraché l'aile d'un ange déchu. Je me demande pourquoi Roag avait embauché une telle créature.

Reaver ricana.

—Impossible. Aucun ange ne servirait un démon.

—Exactement. Mais s'il était là pour obtenir quelque chose en échange ?

—L'Œil d'Eth, soupira Shade.

Reaver s'immobilisa.

—Qu'est-ce qu'il vient faire là-dedans ?

—Roag l'a volé dans ma collection en même temps que la nécrotoxine corrosive, répondit Eidolon, recommençant à pianoter sur le bureau.

—Tu étais en possession de l'Œil d'Eth ?

—Oui, mais nous ne pouvions pas l'utiliser.

—Parce que seuls les anges peuvent s'en servir pour rechercher quelque chose. Si Byzamoth l'a, l'orbe l'a aidé à localiser l'amulette. (Reaver jura.) C'est pour ça que j'ai senti le voile qui dissimulait Serena se désintégrer… un effet secondaire en quelque sorte.

» Nous devons impliquer l'Aegis, répéta-t-il comme un putain de disque rayé.

—Je suis d'accord, acquiesça Eidolon, contournant son bureau. Tayla et Kynan vont devoir expliquer la situation au Sigil. En détail. C'est bien trop important pour qu'on s'en charge seuls. D'autant qu'ils sont entraînés à pourchasser des êtres comme les anges déchus. (Il se tourna vers Reaver.) Quand Byzamoth essaiera-t-il d'ouvrir la porte ?

—À la deuxième aube après avoir versé le sang de la Sentinelle. S'il ne l'utilise pas à ce moment-là, il aura raté son unique occasion. S'il avait pris la bénédiction de Serena lui-même, il aurait un meilleur contrôle sur le timing. Désormais, il est à la merci de Wraith : il doit le trouver et le saigner.

—Où est-ce que Byzamoth va emporter le sang et l'amulette ? demanda Eidolon.

—Jérusalem. Le Mont du Temple. Mais il devra d'abord avoir le sang. Où est Wraith ?

—En Égypte.

—Faites-le rentrer, dit Reaver. Nous pourrons le protéger, ici, à l'hôpital.

— Ça marche.

Mais Eidolon paraissait soucieux, sans doute parce que obliger Wraith à se tenir tranquille, c'était comme essayer d'enchaîner un fantôme.

— En attendant, Tayla va contacter le Sigil et les cellules proches de Jérusalem. Kynan s'occupera de dire aux X qu'ils doivent se tenir prêts à livrer bataille.

Shade jura. Les prophètes humains et démoniaques annonçaient la fin du monde depuis des siècles, et il semblait qu'ils allaient avoir raison.

Chapitre 23

Serena redoutait de passer ce coup de fil, mais elle le devait, à présent qu'elle avait du réseau.

— Serena ?

Val semblait plus inquiet que jamais, aussi répondit-elle très vite.

— C'est moi, Val. Tout va bien.

Si « bien » pouvait couvrir le fait qu'elle avait perdu son collier, sa virginité et sa bénédiction en quelques heures.

— Dieu merci ! (Elle entendit un craquement de cuir et comprit qu'il venait de s'asseoir.) Où es-tu ?

— Le train arrivera à Alexandrie dans un quart d'heure.

— Et tu vas rentrer immédiatement ?

Le cœur de la jeune femme se mit à battre plus vite.

— Pas exactement. Il y a un problème.

À l'autre bout du fil, le fauteuil grinça.

— Lequel ?

Comme elle ne répondit pas, la voix de son mentor devint sourde et menaçante. Elle l'avait vu vraiment en colère une seule fois, et elle ne voulait plus jamais en faire l'expérience.

— Qu'est-ce qui s'est passé ?

— C'est Byzamoth.

— Le démon ?

Elle déglutit ; elle avait la bouche sèche.

— Il n'est pas seulement un démon. C'est un ange déchu.

— Dis-moi tout, maintenant.

Son ton impérieux signifiait : « ne discute pas ou sinon… »,
et elle savait qu'il valait mieux obéir. Elle commença donc
par le début, et termina par :

—Il a tué le Régent. Et… et il m'a attaquée.

—Il a pris le collier ?

—Oui.

—Et la bénédiction ?

—Disparue aussi.

Il jura, puis il inspira de manière saccadée. Quand il
reprit la parole, ses mots étaient entrecoupés.

—J'aurais dû savoir. Il y a eu des attaques de démons
partout dans le monde. (Le son de sa respiration se superposa
à celui des touches du clavier de son ordinateur.) Tu
vas… bien ?

—Josh prend soin de moi.

—Pas assez bien ! Où est-ce qu'il était quand Byzamoth
t'a attaquée ?

—Il s'est battu avec, Val. Les choses auraient pu bien
plus mal tourner.

Il marmonna quelque chose qu'elle ne put entendre.

—Quand tu descendras du train, va directement à
l'adresse que je vais demander à David de t'envoyer par texto.
Il ajoutera les instructions pour entrer. Tu m'attendras là-bas.

—D'accord. Où es-tu ?

—Toujours à Berlin. C'est pire qu'un zoo, ici… attends.

Elle entendit des bruits dans le fond, de nombreuses
voix, certaines plus fortes que les autres. David criait. Les
noms « Tayla » et « Kynan » furent accompagnés de jurons.
Et enfin, Val revint au téléphone.

—Serena ? (Son murmure guttural lui apprit qu'elle avait
des ennuis.) Byzamoth a le pendentif, c'est ça ? Mais est-ce
qu'il a la bénédiction ?

Oh, Seigneur.

— Serena !

— Non, souffla-t-elle. C'est Josh.

Il jura à son tour, puis il y eut un silence tendu avant qu'il dise :

— Je suis furieux contre toi, mais c'est sans doute une bonne nouvelle. Écoute, je dois y aller. Nous avons une réunion d'urgence, et il semblerait que ça ait un rapport avec toi. Je t'appellerai dès que j'aurai du nouveau. Va à l'adresse indiquée. Les Aegis y enverront des renforts dès que possible.

— Il n'y a personne là-bas ?

— Toutes les cellules de la région se trouvent en Israël. Ça prendra du temps pour t'envoyer de l'aide. En attendant, reste sur tes gardes.

— Compris.

Val lâcha une autre bordée de jurons. Puis elle entendit le fauteuil protester, et un profond soupir. Le connaissant bien, elle sut qu'il caressait son bouc.

— Comment tu te sens ?

— Bien pour le moment. (Elle avait un peu la nausée, mais il était inutile d'inquiéter Val outre mesure.) Combien de temps, à ton avis ? Avant que, tu sais…

— Je n'en suis pas certain. (Sa voix se brisa.) La maladie devrait progresser rapidement.

— Mon espérance de vie ?

Il soupira.

— Je dirais quelques jours, peut-être seulement quelques heures…

Wraith n'était pas d'accord avec le plan de Serena. Quand la jeune femme lui avait annoncé qu'ils allaient à une adresse que Val lui avait donnée, toutes ses sonnettes d'alarme s'étaient mises à hurler. Alors qu'ils approchaient de la maison, à la lisière du quartier grec d'Alexandrie, le bruit dans sa tête était si fort qu'il aurait pu venir de la fanfare militaire des Enfers.

Ils étaient à pied, étant descendus du taxi à plusieurs pâtés de maisons de leur destination. Wraith avait voulu approcher par l'arrière, arriver sans être vus, au cas où on les aurait observés. Byzamoth voulait toujours mettre la main sur Serena, puisqu'il ignorait sans doute encore que Wraith avait désormais la bénédiction.

« Il est à moi. Et elle aussi. »

Bon sang, chaque fois qu'il pensait à ce qui aurait pu arriver, à ce que l'ange déchu désirait toujours, les instincts meurtriers de Wraith repassaient au premier plan. Ce qui était étrange, parce que d'ordinaire rien ne pouvait détrôner le sexe.

Il avait vraiment très envie de savoir qui renseignait Byzamoth sur les déplacements de Serena. Wraith allait attraper ce salaud et l'étrangler avec ses propres intestins.

Ils étaient presque arrivés à destination quand la respiration de Serena devint sifflante. Wraith s'écarta du trottoir pour la conduire à l'ombre d'un palmier. Des taches rouges lui coloraient les joues et des cernes sombres étaient apparus sous ses yeux, pourtant, elle lui sourit.

— Tu as besoin de te reposer ?

— C'est juste la poussière dans l'air. Ce n'est rien.

Son mensonge lui fit mal. Il voulait qu'elle puisse s'appuyer sur lui, qu'elle accepte son aide. Et il avait besoin de la mettre à l'abri, dans un endroit moins exposé où elle pourrait se reposer.

Ils s'arrêtèrent devant une maison ressemblant à toutes celles qui l'entouraient. Mais Wraith put dire aussitôt qu'elle n'avait rien de banal. À part un agent des forces spéciales, un voleur ou Wraith, nul n'aurait repéré les fils du système d'alarme savamment dissimulés qui couraient autour des portes et des fenêtres. Les murs étaient si épais qu'ils avaient dû être renforcés. Une couche de retardateur de flammes avait été passée sur les façades et le toit. Et sous ce dernier, les fentes «décoratives» découpées dans le plâtre avaient juste la bonne taille pour le canon d'un fusil.

Quand il s'accroupit près d'une pierre ornementale dans un coin du jardinet, il remarqua les symboles protecteurs gravés dessus.

—Je n'aime pas ça, dit-il en se redressant de toute sa hauteur. Quelque chose cloche.

—Val ne m'enverrait pas dans un lieu qui ne soit pas sûr.

Oh, pour être sûr, il l'était. Bien trop à son goût. Serena toussa, et il mit de côté sa paranoïa. Rien ne pouvait être trop sécurisé pour la jeune femme. Il sonda quand même les environs, prenant note des véhicules, des bâtiments et même des foutus oiseaux tandis qu'il parlait.

—Tu es malade. Il faut rentrer se mettre à l'abri.

—J'ai la gorge sèche, c'est tout.

Wraith pivota pour la regarder à travers le verre ambré de ses lunettes de soleil.

—Ne me raconte pas de conneries. Nous avons vécu trop de choses ensemble.

Assez pour qu'il ait envie de l'envelopper dans une couverture pour l'emmener à l'UG, où il savait pouvoir la protéger. Du moins de Byzamoth, car sa maladie était le genre de monstre qu'il ne savait pas combattre.

—Je sais.

Elle serra les bras autour de son propre buste et se dandina d'un pied sur l'autre. Il s'en voulut de l'avoir mise mal à l'aise, mais le temps pour faire l'amour et prétendre qu'elle ne venait pas de se suicider était révolu. Wraith était un combattant, et il était en mode «éliminer la menace».

Surtout qu'elle pesait désormais sur Serena.

Il observa la maison.

—Qu'est-ce que Val t'a dit au sujet de cette baraque ?

Elle tira sur un volet qui dissimulait un boîtier accroché au mur. Elle composa un code à plusieurs chiffres et récupéra une clé.

—Juste qu'elle est protégée contre les vampires.

—Contre les vampires ?

Il espéra qu'elle n'avait pas remarqué qu'il s'était étranglé. Serena posa la main sur sa gorge, puis elle la laissa retomber.

—Je lui ai demandé pourquoi pas contre les démons, et il a répondu que les sorts pour éloigner les vampires sont plus ciblés et durent plus longtemps. Avec les démons, c'est différent. À moins de se protéger de chaque espèce, une à une…

—Il faut un sort plus général, et ils n'agissent jamais sur une très longue période.

—Exactement, acquiesça-t-elle.

Elle entra dans la maison, mais il resta un peu en arrière, ne sachant pas de quelle manière le sort anti-vampire allait agir sur lui. Il n'en était pas vraiment un, mais il préférait ne pas courir le risque. Le sort n'affectait peut-être que les morts-vivants, ce qui serait sage puisqu'ils étaient au pays des momies, ou bien tous les buveurs de sang sans aucune distinction ?

—Tu viens ?

Il haussa un sourcil.

—C'est une invitation ?

—T'es un vampire ?

—Ouais.

—Super, répondit-elle, et son ton sensuel l'atteignit au creux des reins. Entre.

—Un jour, à cause de ton penchant pour les vampires, tu te feras mordre, dit-il sur un ton d'avertissement.

Il ne plaisantait qu'à moitié, parce qu'il avait vraiment très envie d'être celui qui planterait ses crocs dans le cou de Serena.

—J'espère bien.

Elle ouvrit la porte toute grande.

—Tu es impossible! (Il n'avait pas besoin d'invitation pour entrer dans une habitation, mais si celle-ci était protégée, cela ne pouvait pas faire de mal.) Je vais faire le tour du périmètre, ajouta-t-il. On n'est jamais trop prudent.

Il voulait surtout découvrir quels autres mauvais tours lui cachaient les lieux.

—Je vais voir s'il y a quelque chose à manger. Il faudra sans doute aller faire les courses.

Elle se tenait sur le seuil, les cheveux soulevés par la brise et brillants au soleil, et il eut envie d'elle. Tout de suite.

Il se jeta sur elle comme un boulet de canon et étouffa avec sa bouche le petit cri surpris de Serena, qui se transforma aussitôt en soupir de contentement tandis qu'elle se coulait contre lui. Ce n'était malheureusement pas le moment de faire des galipettes, mais le message de Wraith fut très clair.

Il la prendrait de toutes les manières possibles dès qu'elle serait guérie. Parce qu'il n'imaginait pas une seule seconde que le pire pouvait arriver.

Puis il trouverait un moyen de s'unir à elle. Les humaines ne pouvaient pas se lier aux démons seminus, mais il devait exister une solution à ce problème. Oui, tout se passerait bien.

Bien sûr. Dès qu'elle lui pardonnerait de lui avoir menti, de l'avoir séduite et, oh, d'être un démon.

Merde. Il vivait au pays enchanté. Il ne lui manquait que des oreilles de souris et de la poudre de fée.

Jurant en silence, il s'écarta d'elle et fit le tour de la maison. Rien n'était évident, mais il repéra d'autres signes qu'il ne s'agissait pas d'une habitation ordinaire. La propriété était entourée par un fossé étroit et peu profond, quasiment invisible à l'œil nu, qui contenait le cercle protecteur composé de sel, cendres ou eau bénite... n'importe quelle substance propre à protéger du mal.

Son inspection lui fit découvrir d'autres bizarreries, dont un certain nombre de petits pieux en argent, plantés dans le sol, formant un pentagramme géant.

Wraith se dirigea finalement vers la porte, mais il s'arrêta sur le seuil. Il entendit Serena tousser quelque part à l'intérieur. Si le sort anti-vampire agissait contre lui, elle n'en saurait rien. Prenant une profonde inspiration, il fit un pas en avant.

Il ne se passa rien. Cool. Il se demanda s'il aurait dû être affecté, s'il n'avait pas bénéficié de la bénédiction.

Serena buvait un verre d'eau dans la cuisine, alors il visita les autres pièces. Dans l'une du fond, il trouva un coffre en bois. Quand il l'ouvrit, son sang se glaça.

Il était rempli d'armes : épées, pieux, bouteilles d'eau bénite, cordes, couteaux et stangs dont les lames étaient chacune revêtues d'un métal distinct pour tuer différents types de démons. C'étaient des armes aegies.

Ses soupçons venaient d'être confirmés : il était dans une de leurs forteresses.

Il referma le coffre et se dirigea vers la cuisine, où Serena avait sorti deux sodas du réfrigérateur et les avait posés sur la petite table.

— J'ai trouvé des boissons et des conserves. Des pâtes…

Il frappa le comptoir de ses deux mains, assez fort pour la faire sursauter.

— Quand est-ce que le reste de l'équipe doit arriver ?

Prisonnière entre ses bras, elle leva sur lui des yeux surpris.

—L'équipe ? Je ne sais pas de quoi tu parles.

—Moi je crois que si.

Elle se libéra de la cage improvisée et se campa devant lui, poings sur les hanches.

—Je n'aime pas que tu me parles sur ce ton.

—Et moi, je n'aime pas qu'on me mente.

—J'ignore toujours de quoi tu parles, riposta-t-elle.

Il la croyait, mais il était énervé et épuisé. Et il était un putain de démon debout au beau milieu du camp ennemi.

—Je croyais que Val devait venir seul.

Et la situation serait déjà bien assez difficile comme cela. Il allait devoir pénétrer dans son cerveau et se montrer inventif quand il recréerait ses souvenirs du vrai Josh.

—Eh bien, Seigneur Dieu, je suis navrée d'avoir oublié de préciser que nous serions rejoints par des renforts. Quelle importance ? (Elle lui posa la paume sur le front.) Tu vas bien ? Tu agis bizarrement.

Par les feux de l'Enfer. Il la rendait soupçonneuse en perdant ainsi le contrôle.

—Je vais bien.

—Tu me dois une explication, Josh. Nous avons vécu trop de choses ensemble pour que tu te fermes maintenant, dit-elle, lui renvoyant ses reproches.

Putain. Elle avait raison. Ce qui le mit en colère. Surtout parce que ses mensonges lui pesaient comme s'il portait une bête de deux tonnes sur les épaules, et sa culpabilité était presque palpable. Peut-être devrait-il lui dire la vérité. Si elle connaissait sa véritable nature… alors quoi ? Elle le haïrait juste un peu plus tôt.

Dieux, cette histoire sentait mauvais.

Il ne lui répondit pas, parce qu'il avait l'impression que sa langue était collée à son palais. Serena finit par se masser les tempes et secouer la tête.

— Serena ? Qu'est-ce qui ne va pas ?

— Mal au crâne, marmonna-t-elle. J'ai besoin de m'allonger. Ça t'ennuie ?

Oui, beaucoup. Tellement, en fait, que son cœur se déchira en deux. Parce qu'il savait qu'une fois couchée, elle ne se relèverait plus.

Serena venait d'enfiler un débardeur et un short et regardait le lit comme un vieil amant quand son téléphone portable sonna. Se sentant anormalement faible, elle le tira de son sac à dos et décrocha.

— Val ?

— Où es-tu ? aboya-t-il.

Elle soupira.

— Bonjour à toi aussi.

— Où es-tu ? répéta-t-il.

Un soudain accès de terreur lui coupa les jambes et, chancelante, elle s'assit sur le lit.

— Dans la maison dont tu nous as envoyé l'adresse. Pourquoi ?

— « Nous ». Alors, tu n'es pas seule.

— Josh est avec moi.

Il y eut un silence à l'autre bout du fil, rompu par quelqu'un murmurant quelque chose à Val. David.

— Écoute-moi très attentivement, Serena.

— Tu commences à me faire peur.

— Bien. Tu es seule pour le moment ? Personne ne peut t'entendre ?

Elle coula un regard en direction de la porte close.

— Non, mais qu'est-ce que ça veut dire ?

— Dans la plus petite pièce de la maison, au fond, il y a un coffre plein d'armes. Je veux que tu ailles prendre toutes celles que tu pourras, puis que tu t'enfermes dans ta chambre à double tour. Nous devrions être à Alexandrie d'ici quelques heures.

Elle eut la chair de poule.

— Val ? (Sa voix tremblait tandis qu'un grand frisson la secouait.) Qu'est-ce qui se passe ?

— Je viens de parler à Josh, dit-il, son ton glacial manquant de la faire défaillir, et l'homme qui t'accompagne n'est qu'un imposteur.

CHAPITRE 24

Wraith éteignit le feu sous la casserole et ouvrit les placards à la recherche d'un bol. Il avait préparé de la soupe pour Serena, et il voulait la lui servir avant qu'elle s'endorme.

Sa poche vibra, et il jeta un coup d'œil à son téléphone portable. C'était Eidolon.

—Quoi? dit-il tout en versant le liquide bouillant.

—Il faut rentrer. Utilise la Porte des Tourments la plus proche.

—Impossible.

—Écoute-moi, Wraith. Tu es en danger. Byzamoth va essayer de te retrouver.

Wraith se raidit.

—Je croyais que la bénédiction ne pouvait être transférée que par le sexe. S'il pense pouvoir me l'arracher de cette manière… ah, eh bien, je ne joue pas pour l'autre équipe, et même si c'était le cas, bon sang, tu devrais le voir quand il a sa forme normale…

—Il ne veut pas coucher avec toi.

Wraith sortit une cuillère d'un tiroir.

—Bizarrement, je suis à la fois dévasté et soulagé.

La voix d'Eidolon prit un ton agacé, comme toujours.

—Il a besoin du sang d'une Sentinelle. Quand il découvrira que Serena n'est plus bénie, il voudra le tien.

—Il n'aura pas ça non plus.

—Merde, Wraith, tu dois rentrer à l'hôpital, où il n'osera pas venir te chercher !

Wraith jeta un coup d'œil dans le couloir pour s'assurer que Serena était toujours dans sa chambre.

—Je suis en pleine forme, maintenant, frangin. Je peux me le faire.

—Il est immortel.

—Je peux quand même lui faire très mal.

—Le risque n'en vaut pas la chandelle. Nous avons discuté avec Reaver. La bénédiction ne te protège pas contre les anges déchus. Rentre à la maison.

—Je n'abandonnerai pas Serena.

—Ramène ton cul ici par la première Porte des Tourments ! Immédiatement !

—Tu sais quoi ? (Wraith posa la casserole sur la plaque, éclaboussant les murs de soupe.) Je t'emmerde, Eidolon.

—Nous venons te chercher.

Wraith prit une profonde inspiration. Ce devait être la première fois de sa vie qu'il s'efforçait de reprendre son calme.

—Eidolon, ça n'a rien à voir avec un de mes accès de rébellion ou d'entêtement sans fondement, ou encore une attitude suicidaire. Pour la première fois de ma vie, je fais quelque chose pour quelqu'un d'autre. Je vais protéger Serena, et trouver un remède pour la guérir.

—Vraiment ? demanda une voix froide dans son dos. (Wraith se retourna et découvrit la jeune femme dans le couloir. Ses yeux étincelaient… et elle tenait un stang.) Qu'est-ce que tu comptes faire, Josh ?

—Euh… salut. Qu'est-ce que tu…

Elle lança la lame en forme de S sur lui, et même s'il était certain qu'elle avait voulu le tuer, l'arme vira sur la gauche et brisa le bol de soupe.

— Je savais qu'elle ne t'atteindrait pas, puisque tu es protégé, mais ça m'a fait un bien fou.

Waouh, elle était remontée ! Wraith posa le téléphone et s'avança vers elle.

— Qu'est-ce qui se passe, Serena ?

Elle recula de plusieurs pas, jusqu'à ce que son dos touche la porte de la chambre.

— Qui es-tu ? Qui es-tu, en vrai ?

Oh, merde.

Elle tremblait de fureur.

— Et tu n'as pas intérêt à me dire que tu t'appelles Josh !

— Wraith. Je t'ai dit que je m'appelais Wraith.

— Pourquoi je te croirais, alors que tu ne m'as raconté que des mensonges ?

Sa voix était morne, comme si la tristesse l'avait vidée de sa substance.

La culpabilité serrait la poitrine de Wraith comme dans un étau. Pour la première fois de sa vie, il comprenait ce que c'était d'infliger de la douleur à quelqu'un qui ne le méritait pas.

— Je n'ai pas menti... sur tout, répondit-il sans conviction, parce qu'il l'avait fait sur toutes les choses importantes.

— C'est ça. Pourquoi tu as fait ça ? Je veux dire, je peux le deviner, mais je désire l'entendre de ta bouche de menteur.

— J'allais mourir, Serena. J'avais besoin de la bénédiction pour vivre. (Il fit un pas infime vers elle.) Ce n'est pas aussi terrible qu'il y paraît.

Ah, non ? C'était pourtant bien pire.

— Tu savais que je mourrais ? Avant que je te le dise ?

Il détourna les yeux, puis il se força à croiser son regard. Elle méritait au moins cela.

— Oui.

Elle pâlit et chancela.

— Oh, mon Dieu ! Tu n'es qu'un salaud écœurant et assassin !

— Serena, écoute-moi…

Elle lui claqua la porte au nez. Et la verrouilla. Elle devait savoir que cela ne l'empêcherait pas d'entrer, mais au moins elle avait essayé. Il l'enfonça d'un coup de pied.

— Nous n'en avons pas encore fini.

Les yeux de Serena étaient brillants de larmes.

— Si, tout est fini. Fini. Je veux que tu t'en ailles ! hurlat-elle. Fiche le camp ! Barre-toi et laisse-moi mourir en paix.

— Je ne peux pas faire ça. Je ne te laisserai pas sans protection.

— Sans protection ? Tu te moques de moi ? Tu m'as tuée !

La douleur lui laboura les entrailles, bien pire que tout ce que le poison avait pu lui faire.

— Je ne voulais pas que ça arrive, avoua-t-il d'une voix rauque. J'avais décidé de te laisser ta virginité. Je ne pouvais plus, pas après avoir appris à te connaître. C'est pour ça que j'allais descendre du train au Caire.

— Comme c'est noble, dit-elle, cassante. Tu as dû tellement souffrir quand je me suis jetée sur toi.

— Ça, dit-il avec lenteur, pour qu'elle ne doute pas de la véracité de ses paroles, ça a été la plus belle nuit de ma vie.

— Je n'ai aucun mal à te croire, ricana Serena. Probablement parce que tu n'allais plus mourir.

Il vint se camper devant elle si vite qu'elle cligna des yeux, se demandant sans doute comment il avait pu se déplacer aussi rapidement.

— Non. Parce que pour la première fois de mon existence, j'ai fait l'amour à quelqu'un. Tu peux me traiter de menteur à bien des sujets, mais pas celui-là. Et je te jure que tu as été la première, et que tu seras la dernière.

Une peine glacée lui transperça le cœur. Il avait besoin de sexe, ou il souffrirait le martyre, mais il ne ferait plus jamais l'amour à une femelle.

Serena déglutit avec peine, mais l'instant suivant, la fureur la submergea de nouveau, et elle le repoussa. Quand il ne bougea pas, elle le contourna pour aller se réfugier à l'autre bout de la pièce. Ces cinq mètres lui semblèrent autant d'années-lumière.

Soudain, le Mal fit son apparition dans la maison, augmentant la pression de l'air avec la violence d'un orage de printemps. Les fenêtres implosèrent, et un nuage noir et mouvant entoura Serena. Quand il se solidifia, Byzamoth la tenait contre son torse, une main plaquée sur la bouche de la jeune femme. Il souriait.

—Salut, *Josh*, dit l'ange déchu, qui connaissait la vérité, apparemment. (Il regarda Wraith, puis Serena, prêt à la poignarder dans le dos.) Merde, dis-moi que ce n'est pas vrai ! Dis-moi que cette petite pute ne t'a pas donné sa bénédiction…

—J'aimerais te dire ça, répondit Wraith, mais ce serait un mensonge.

Serena émit un son outragé, et Byzamoth retira sa main pour lui permettre de s'exprimer.

—Oh, alors maintenant, tu décides d'être honnête ?

Même si sa gifle verbale fit mouche, il ne prêta pas attention à Serena. Si Byzamoth apprenait combien l'humaine comptait pour Wraith, il aurait une arme toute trouvée contre lui.

—Alors, Byza, qu'est-ce qui m'a trahi ? Quelqu'un t'a donné l'info ? Ou c'est juste une sorte d'aura post-orgasmique ?

Byzamoth siffla.

—Un truc comme ça, petite merde. Tu n'as pas de protection contre moi.

Il poussa Serena vers le lit. Elle rebondit maladroitement et se cogna la tête. Byzamoth tira une épée de sous sa robe, une lame argentée et terne. Près de la poignée, une fine ligne bleu azur brillait, à côté de symboles qui pulsaient. L'ange déchu la pointa vers Serena, sans quitter Wraith des yeux un seul instant.

— Pas de mouvement brusque ou je l'embroche. Ma spécialité, c'est la destruction, sem. Alors, je sais comment me battre.

Merde, Wraith allait arracher le cœur de ce salaud et le lui faire bouffer.

— Tu as vraiment foutu un sacré bordel. (Byzamoth montra Serena d'un léger mouvement de son arme.) Et tu l'as bien baisée. Au propre comme au figuré.

Il montra les dents.

— Qu'importe, continua-t-il. J'aurais quand même ce que je veux. La destruction. La tienne. La sienne. Celle du monde tel que tu le connais. Je crois que je vais commencer petit avant de faire mon chemin jusqu'à un acte de destruction massive.

Le regard de Serena indiquait clairement que si elle mettait la main sur l'ange déchu, il le regretterait.

— Dis adieu à tes plans, parce que tu ne t'en tireras pas comme ça, tu sais.

Byzamoth éclata de rire et baissa sa lame comme s'ils ne lui faisaient pas peur.

— On se croirait dans un mauvais film. Les gentils n'ont plus la moindre chance de survivre, mais putain ils ont encore du cran. « Tu ne t'en tireras pas comme ça, tu sais », singea-t-il.

Wraith chargea l'ange déchu. Celui-ci pivota et leva sa lame. Serena poussa un cri, et Wraith se figea. Une entaille de dix centimètres zébrait l'épaule de la jeune femme, ses bords aussi nets et précis qu'un coup de scalpel. L'épée ne l'avait pourtant même pas effleurée, mais elle lui avait tranché la chair et Byzamoth la pointait à présent sur sa gorge.

— Serena !

— Ça va, dit-elle en plaquant une main sur la blessure qui saignait. Ça va.

— Quel courage. (Byzamoth leva les yeux au ciel.) Ça a vraiment une quelconque importance, Serena ? Étant donné ton état ?

Le regard de Wraith se posa sur l'ange déchu.

— Va au diable, fils de pute.

Il serrait et desserrait les poings, désirant les avoir autour de la gorge de Byzamoth.

— C'est déjà fait. Mais toi aussi, non ? (Il fit une autre entaille dans le bras de Serena pour attirer son attention, et elle ne tressaillit même pas.) Tu vas payer pour l'avoir préféré à moi.

— Parce que tu croyais avoir la moindre chance ?

Ses lèvres se retroussèrent, et Wraith s'attendit presque à voir des crocs. En d'autres circonstances, il aurait trouvé cela sexy.

— Josh est peut-être un menteur, mais au moins il est humain, ajouta-t-elle.

Byzamoth comprit, et il se tourna vers Wraith. Serena choisit cet instant pour se jeter sur l'ange déchu. Wraith bondit pour l'intercepter, mais rapide comme l'éclair, Byzamoth attrapa la jeune femme, lui passant un bras autour du cou, et la souleva du sol.

— Idiote, lui souffla-t-il à l'oreille. C'est un démon. Un incube, maître dans l'art de la séduction. Tu as transmis ta bénédiction à un démon aussi mauvais que je le suis, stupide petite pute humaine.

— Menteur ! cria-t-elle, mais quand elle se tourna vers Wraith, son expression s'assombrit. Josh ? Dis-lui.

Il garda le silence. Qu'aurait-il pu ajouter ? Elle cessa de se débattre pour le regarder sans ciller, comme si elle ne l'avait jamais vu.

—Ça en valait la peine, Serena ? Avoir un démon entre tes cuisses valait-il que tu y laisses la vie, sale putain ?

Wraith sursauta, furieux. Serena était bonne, pure, tout le contraire de lui-même.

—Retire tes sales pattes d'elle !

—Oui, renchérit Serena. Allez. Pour que je puisse le tuer.

Byzamoth la lâcha en riant. À l'instant où ses pieds touchèrent le sol, Serena se jeta sur Wraith. Elle le gifla si fort que sa tête partit sur le côté. Elle lui martela ensuite le torse de ses poings. Il ne se défendit pas. Fermant les yeux, il accepta tous les coups, souhaitant qu'elle frappe plus fort, qu'elle fasse couler son sang.

—Fils de pute ! hurla-t-elle. Maudit fils de pute. Je te hais !

Ses larmes formaient des rivières sur ses joues. Il sentait sa fureur, sa peur, et elles le blessaient comme aucune arme n'y était jamais parvenue.

Elle continua ainsi, s'affaiblissant à vue d'œil. Et plus ses forces la quittaient, plus elle blêmissait. Elle chancela, cligna des yeux qui n'accommodaient plus, puis elle s'écroula. Wraith la rattrapa avant qu'elle touche le sol et la souleva dans ses bras, sentant la fragilité de son corps, la délicatesse de ses os. Il se demanda si c'était nouveau ou si Serena avait toujours été comme cela. Si oui, il avait choisi de ne pas le remarquer.

L'enflure d'ange déchu choisit ce moment pour l'attaquer, alors qu'il avait les mains prises. Byzamoth décrivit un arc de cercle avec son épée, atteignant Wraith aux mollets. Un bruit d'os brisé résonna, et une douleur terrible le submergea tout entier.

Soudain, Wraith eut les pieds fauchés, mais il put se retourner en tombant pour amortir sa chute sur une épaule et protéger Serena. Ses jambes ne fonctionnant plus, il n'arriva pas à se relever pour se venger de son ennemi, et l'ange déchu ne lui accorda aucune pitié. Il lui écrasa le crâne avec sa botte à plusieurs reprises et le roua de coups. Wraith ne put que rouler au-dessus de Serena pour éviter qu'elle soit atteinte.

Il sentit qu'on le transperçait, la lame pénétrant dans son dos pour ressortir par son ventre. Une fois, puis deux. Un son humide d'acier grattant contre de l'os hurla à ses oreilles, et pour la troisième fois, il eut l'impression qu'on lui fouaillait les entrailles avec un fer chauffé au rouge. Sa vision devint floue, mais il réussit quand même à voir la pointe ensanglantée d'une épée entre son corps et celui de Serena.

Oh… oh, Dieux…

Il avait été frappé dans le dos et empalé, la lame manquant d'un cheveu Serena.

Tournant lentement la tête, il vit Byzamoth sourire. Puis le démon s'accroupit près d'eux et récupéra un peu du sang de Wraith dans une fiole tirée de sous ses robes.

— « Et le sang du Protégé ouvrira les Portes d'Abyssos. »

— Non.

La voix de Serena n'était qu'un murmure alors qu'elle rampait difficilement de sous Wraith.

— Maintenant, petite pute, tu vas pouvoir regarder ton amant démoniaque mourir. (Byzamoth lui caressa la joue d'un doigt.) Je crois que quand j'aurai pris la place de Dieu, je ferai de toi mon esclave sexuelle. Tu vois, je peux te maintenir en vie, et très vite, tu me supplieras de te laisser mourir.

Byzamoth pivota sur lui-même de manière très théâtrale et disparut dans un nuage de fumée noire. Wraith grogna et tomba sur le flanc, mouvement qui déplaça la lame dans son corps et accrut la douleur.

—Josh ? Josh !

—Wraith, dit-il entre ses dents, du sang formant des bulles au coin de sa bouche à chacun de ses mots, chacune de ses expirations.

Il allait mourir. Il avait entraîné Serena à travers toutes sortes de conneries, il lui avait pris sa virginité et sa bénédiction…

Tout cela pour rien.

Lore approchait de l'entrée des ambulances de l'UG avec nervosité. Il avait mené son enquête auprès de certains patients de l'hôpital, et apparemment, Gem ne lui avait pas menti. Les combats dans l'établissement étaient inhabituels. Mais il n'avait pas envie de prendre de risque. Il avait beau être un assassin, il n'était pas stupide, et il mettait sa propre vie au-dessus de tout le reste.

Il avait également appris qu'Eidolon et Shade étaient ce que l'on appelait des seminus. Des démons du sexe. Cool. Mais Lore ne savait pas ce qui les différenciait des autres incubes. Sans doute parce que même s'il était un démon, Lore avait été élevé par les humains et n'avait mis les pieds à Sheoul pour la première fois que trente ans auparavant.

Il avait toujours vécu en marge des deux sociétés, mais il avait appris à utiliser les Portes des Tourments. Ces trucs étaient vraiment bizarres. Il ne s'en servait qu'en cas de nécessité, détestant l'impression de tiraillement qui accompagnait chaque voyage, comme s'ils absorbaient peu à peu son humanité.

Il était un assassin, mais pas un monstre. Enfin, sans doute que si en réalité, mais s'il s'accrochait à ses racines humaines, il pouvait continuer à prétendre le contraire.

Sans pitié, il gronda, laissa pendre ses mains et entra dans l'hôpital. Il avait un boulot à accomplir, et c'était le moment.

À l'intérieur, tout était étrangement désert et calme. Il ne vit que Gem, assise au bureau de triage. Elle le salua d'un sourire triste.

—Salut, Gem. Ça n'a pas l'air d'aller.

—Ce n'est rien, répondit-elle, et il se demanda si son humeur chagrine avait un quelconque rapport avec l'imbécile qu'elle appelait Kynan.

Il allait se renseigner. Peut-être avait-elle envie de le voir mort, parce que Lore serait heureux de faire cela pour elle, gratuitement.

—Je peux tuer quelqu'un pour toi ? Pour te rendre la vie plus belle ?

—C'est la proposition la plus gentille qu'on m'ait faite depuis longtemps. (Elle lui adressa un vrai sourire cette fois, et le cœur de Lore s'emballa un peu.) Qu'est-ce que je peux faire pour t'aider ?

—J'aimerais voir Eidolon et Shade.

—Ils doivent être dans le bureau d'Eidolon. Si tu cherches du boulot, c'est le moment rêvé. Nous manquons cruellement de personnel. Continue jusqu'au bout du couloir. Tu ne peux pas le rater.

Il éprouva un léger accès de culpabilité. Il se foutait des deux frères, mais Gem ne serait peut-être pas ravie quand elle découvrirait ce qu'il avait fait.

Lore chassa ce sentiment, parce qu'il devait répondre à un démon bien plus puissant que Gem. La jeune femme s'en remettrait. Le salaud qui tenait la vie de Lore entre ses mains, non.

—Merci, dit-il. On parlera plus tard.

Comme le reste de l'établissement, le corridor était sombre, chichement éclairé par des ampoules rouges protégées par des grilles. Lore passa devant des cages, des canalisations d'où montaient des bruits d'ondulation, et remarqua qu'un liquide noir s'écoulait dans un caniveau aménagé dans le sol.

Cet endroit était vraiment étrange.

Il trouva les seminus dans la pièce indiquée par Gem.

Lore présuma qu'Eidolon était celui qui criait dans le téléphone, appelant le nom de Wraith. Alors qu'il observait les deux frères, Shade se plia en deux et jura dans un murmure.

— Eidolon… (Shade prit une inspiration sifflante.) Wraith est blessé… putain, c'est grave.

C'était le moment de frapper. Lore se précipita à l'intérieur de la pièce tandis qu'Eidolon contournait son bureau. Il avait oublié de retirer son gant, mais il était trop tard. Il attrapa l'autre démon par le bras droit, juste au moment où il atteignait son frère.

Il ne se passa rien. Bon sang! Eidolon pivota sur les talons, et Lore lui flanqua son poing en pleine figure. Le seminus recula en titubant, et l'instant suivant, Shade balançait le sien en direction de la mâchoire de l'assassin. Lore tomba comme une masse, son bras meurtrier coincé sous lui. Il n'eut que le temps de lâcher un grognement étouffé avant que Shade lui écrase la trachée avec son pied botté.

— Putain de merde!

Eidolon se tenait au beau milieu de son bureau, les yeux rouges, du sang dégoulinant de son menton.

Shade grogna et intensifia la pression sur le cou de Lore. Il garderait la marque de la semelle pendant au moins une semaine.

— Tu vas mourir, mec.

— Comment ça a pu arriver, bon sang?

— Eh bien, Eidolon, cette raclure est entrée et t'a frappé, alors je l'ai cognée à mon tour…

— Pas ça! Le sort de havre. Nous l'avions réactivé.

Shade tourna vivement la tête.

—Alors, comment il a pu t'attaquer ?

Il recula, et Lore put prendre de grandes bouffées d'air.

Et c'est alors qu'il vit le bras d'Eidolon, ses tatouages. *Oh, merde, merde, merde…*

—Bonne question… Lore ? dit une voix de femme sur le seuil de la porte.

Gem. Super. Les choses allaient de mal en pis. Elle le foudroyait du regard.

—Je suppose que tu es le putain d'assassin ? Bien vu de m'avoir utilisée pour pénétrer dans l'hosto. Les gars, je crois que vous devriez le tuer.

Waouh, elle était sanguinaire ! Lore adorait cela, chez une femme.

—Avec joie, gronda Shade. Et même si j'aurais voulu faire durer le plaisir, il va falloir que je me dépêche. On n'a pas le temps de jouer. Wraith a besoin de nous.

Il s'avança vers Lore avec un regard meurtrier.

Celui-ci roula sur lui-même et retira sa veste dans le même mouvement.

—Attends ! (Il s'assit.) Mon bras.

Eidolon voulut le saisir par le poignet, mais Lore esquiva.

—Non. Mon contact tue.

Sauf que ces deux-là semblaient immunisés.

—Putain, c'est quoi encore, ce cirque ? demanda Shade en retirant sa propre veste.

Lore le regardait sans ciller.

Les deux seminus arboraient les mêmes marques que lui, sauf que les leurs étaient plus foncées, moins diluées.

—Montre-moi le symbole tout en haut, dit Eidolon.

Lore tira avec lenteur sur son col, exposant la base de son cou et la flèche tordue qui y était dessinée.

— Par les cercles de l'Enfer, marmonna Shade, inclinant la tête sur le côté pour montrer le même symbole… sauf que le sien était surmonté d'un œil.

Au-dessus de celui d'Eidolon, il y avait une balance.

Lore cligna des yeux.

— Qu'est-ce que ça signifie ?

L'expression d'Eidolon s'assombrit.

— À moins qu'il s'agisse d'une mauvaise blague, ça veut dire que nous sommes frères. Oui, d'une manière ou d'une autre, nous sommes des putains de frangins.

Gem regarda Lore en secouant la tête et en faisant claquer sa langue.

— Eh bien, eh bien… il va falloir nous fournir une explication.

— Pas le temps pour ça, interrompit Shade. Nous devons retrouver Wraith. Gem, va chercher les menottes brackennes. Lore ici présent va découvrir notre conception de l'amour fraternel.

Chapitre 25

Il s'était passé tellement de choses, que Serena ne savait plus quoi penser ou ressentir. Tout ce qu'elle savait, c'était que l'humain dont elle était tombée amoureuse n'en était pas un, et qu'il se vidait de son sang.

Elle ignorait ce qu'elle pouvait faire pour l'aider, mais une chose était certaine : elle ne devait en aucun cas toucher à l'épée qui l'épinglait au sol comme un insecte dans la vitrine d'un entomologiste. La lame le traversait de part en part, et sa poignée émettait toujours une lueur bleutée qui devenait de plus en plus faible à mesure que la vie le quittait.

Impuissante, elle ne pouvait que rester assise là et essayer de ne pas vomir.

— S-Serena…

Son nom sortit dans un gargouillis ensanglanté, et elle sentit son estomac se serrer. Elle devrait le haïr… elle le haïssait… mais elle ne pouvait pas supporter ça, elle était incapable de le regarder souffrir.

— Qu'est-ce que je peux faire ?

Elle lui passa la main dans les cheveux et se souvint d'avoir fait le même geste pendant qu'il éjaculait en elle.

Qu'il soit maudit.

— Tes frères, je peux les appeler, non ? Ils sont vraiment médecins ?

Il ne répondit pas. Elle chercha son pouls avec frénésie : celui-ci battait faiblement contre ses doigts, mais au moins Josh était toujours en vie.

Serena devait trouver son téléphone portable. Elle appellerait tous les numéros de son répertoire jusqu'à ce qu'elle trouve de l'aide. Avec maladresse, parce que ses jambes s'étaient engourdies à force de rester dans la même position, elle se leva, mais elle n'avait pas fait un pas quand elle entendit quelqu'un tambouriner à la porte.

Une arme. Elle avait besoin d'une arme… Il y eut un craquement de bois. Puis elle entendit des bruits de pas précipités. Instinctivement, elle s'agenouilla près de Josh, pour le protéger, mais quand elle vit débouler deux hommes gigantesques… enfin, deux démons, parce que c'est ce qu'ils étaient… elle faillit aller se cacher en rampant.

Josh lui avait dit qu'il avait deux frères, et à l'exception de la couleur de leurs cheveux, qui étaient presque noirs, les deux nouveaux arrivants lui ressemblaient assez pour être du même sang.

— Oh, putain, dit celui aux cheveux longs, qui était vêtu de cuir noir de la tête aux pieds.

Il se figea, le regard rivé sur l'épée qui transperçait le corps de Josh.

L'autre, vêtu d'une tenue d'hôpital, traversa la chambre en courant pour s'agenouiller près du blessé.

— Frangin ? C'est Eidolon. Tiens bon. (Il se tourna vers la porte.) Shade.

Le dénommé Shade sembla se secouer pour reprendre ses esprits. Il s'avança et posa le sac qu'il portait.

— Nous devons l'emmener à l'hôpital.

— Il n'y arrivera jamais.

— Nous devons quand même essayer.

—Qu'est-ce que tu suggères? De le porter dans les rues d'Alexandrie avec une épée plantée dans le corps? Ou bien de prendre un taxi? Le bouger risque de le tuer!

Shade toucha la nuque de Josh et aboya des mots dans une langue rude et gutturale qu'elle ne connaissait pas, mais qu'elle comprit quand même.

—Laisse-moi évaluer les dommages internes.

Serena se tint immobile, espérant qu'ils l'avaient oubliée. Shade ferma les yeux et se concentra. Les tatouages sur sa main, identiques à ceux de Josh, se mirent à luire.

—Merde, murmura-t-il. Reins, foie, estomac… putain, il est mal barré. La lame a sectionné l'aorte. Si nous la retirons, il se videra en quelques secondes.

Eidolon tourna son regard farouche, où brillaient des étincelles rouge et or, vers la jeune femme.

—Qu'est-ce qui s'est passé?

—C'est… c'est un démon.

Seigneur, c'était vraiment une remarque stupide, puisque ses frères en étaient aussi. Mais son esprit semblait complètement embrumé. Il s'était passé tant de choses au cours des quinze dernières minutes, bien trop pour que son cerveau puisse toutes les assimiler.

—Oui, on le sait. (Son ton était pragmatique et professionnel. Et effrayant.) Comment a-t-il été empalé?

Ah, oui.

—Byzamoth. Un ange déchu. Il voulait le sang de… de Josh.

—Wraith, gronda Shade tout bas. Il s'appelle Wraith.

Ce dernier gémit. Ses paupières papillonnèrent, puis il ouvrit les yeux.

—Aidez…

—Nous sommes là, murmura Eidolon. Nous allons te sauver.

— Non, toussa Wraith, projetant du sang partout. Serena. Il faut… prendre soin d'elle.

— Elle va bien, frangin. Pour le moment, nous devons nous occuper de toi.

— Promettez… moi.

Shade jura de façon très colorée, en bon anglais, cette fois.

— Promettez…

— Oui, oui, marmonna Shade. Et maintenant, relax. Il faut que tu te détendes.

Eidolon et Shade échangèrent un regard.

— Je dois retirer l'épée, dit Eidolon.

— Il mourra.

— Je sais. Nous devons lui faire une perfusion.

— J'installe une voie centrale.

Shade fouilla dans le sac médical qu'il avait apporté et inséra rapidement un cathéter dans le cou de Josh. Eidolon accrocha une poche de sang à la poignée de porte, et Shade la relia au cathéter. Ensuite, il installa une seconde poche de sang… et tendit le tube à Serena.

— Vous allez devoir le nourrir.

Elle recula.

— Quoi ?

— Tenez le tuyau entre ses lèvres. Il a besoin de boire.

Oh, Seigneur, c'était un vrai cauchemar.

— Je ne comprends pas.

Elle n'avait toujours pas esquissé le moindre geste, et son hésitation lui valut un regard courroucé des deux démons.

— C'est un vampire, expliqua Shade d'un ton cassant. Nous avons besoin de lui donner du sang, de toutes les manières possibles. Maintenant, magnez-vous ou il mourra.

Un vampire ? Mais, il l'avait mise en garde contre eux ! Et il était chaud. Son cœur battait. Il se déplaçait au soleil. Il ne pouvait pas être un vampire.

« — T'es un vampire ?

— Ouais. »

D'accord, il avait admis en être un, mais… elle secoua la tête. C'était vraiment dingue.

Shade jura.

— Laissez tomber.

Il posa le sang près de l'épaule de Josh et inséra le tube dans sa bouche, mais celui-ci ressortit aussitôt. La poche se coucha.

— Je vais le faire, dit enfin Serena.

Elle glissa la « paille » entre les lèvres sèches et exsangues de Josh. Il ne but pas ; il ne fit aucun mouvement.

— Appuyez sur la poche.

La voix de Shade était rauque, ses tatouages luisaient.

Elle obéit, et du sang remonta dans le tube. Avec une curiosité morbide, elle le regarda s'infiltrer dans la bouche de Josh… et couler de l'autre côté. Il ne déglutissait pas.

— Merde, souffla Eidolon. Allez, Wraith. Bats-toi ! Putain, je ne veux pas te perdre.

Les yeux de Serena la piquèrent. Peut-être haïssait-elle Josh – elle ne pouvait pas penser à lui comme à Wraith – à cause de sa trahison, mais il venait de demander à ses frères de l'aider, alors qu'il était bien plus mal en point qu'elle. Et elle ne voulait pas le voir mourir. Une partie d'elle-même l'aimait encore. Se penchant au-dessus de lui, elle lui effleura la joue du bout des lèvres.

— S'il te plaît, souffla-t-elle. Bois.

Elle lui caressa la bouche et y fit couler un peu plus de sang. Josh entrouvrit les lèvres, oh, à peine, mais assez pour qu'elle trouve cela encourageant.

— C'est ça. Goûtes-en un peu.

Ses frères travaillaient dans la frénésie, s'aboyant des ordres et des rapports. Le bruit chuintant des gants chirurgicaux s'agitant dans le sang et les chairs à vif était horrible. Eidolon avait réussi à refermer une des blessures, et il utilisait à présent un scalpel pour ouvrir encore plus la suivante.

—Contrôle sa douleur, Shade, dit-il en posant la lame. Ça va lui faire un mal de chien.

Les tatouages de Shade luisirent de plus belle quand Eidolon introduisit les mains à l'intérieur du corps de Josh. Prise de nausée, Serena détourna le regard. Mais les sons humides alimentèrent son imagination tout le temps que cela dura. Leurs voix feutrées et leur langage médical n'auguraient rien de bon, comme s'ils s'étaient déjà résignés au fait que Josh ne s'en sortirait pas.

Ce dernier n'avait toujours pas avalé une goutte.

—Bois, Josh. Allez.

Hésitante, elle lui fourra un doigt dans la bouche, pas très sûre de savoir ce qu'elle faisait, sinon qu'elle devait agir. Il était un vampire, n'est-ce pas ? Alors, il devait avoir des crocs… Elle trouva une pointe acérée et se souvint de ses rêves. Les avait-elle faits parce que inconsciemment elle avait toujours su ce qu'il était ?

Elle tâcherait de répondre à cette question plus tard. Pour l'instant, elle devait le forcer à se nourrir, et elle savait que ces crocs étaient la clé. Dans les fantasmes de ses nuits, ils étaient plus longs et plus épais. Tout doucement, elle passa le bout du doigt sur toute la longueur de celui qu'elle touchait, de la pointe à la gencive… et… avait-il grandi ?

Josh gémit et ouvrit la bouche. Oui, ses canines étaient descendues, devenant d'horribles dagues. Seigneur, comment pouvait-elle ressentir tant d'émotions à la fois ? La haine, la confusion et la peur se mêlaient, et… elle était un peu excitée aussi.

—C'est bien, murmura-t-elle, appuyant sur la poche pour faire couler du sang sur sa langue. Avale. Il faut que tu avales, d'accord ?

Le liquide ressortit à la commissure de ses lèvres. Merde. Faisant de nouveau glisser un doigt le long de sa dent, elle appuya sur le bout. Elle se raidit et sentit sa peau se percer et du sang perler de la blessure.

—Prends-le, murmura-t-elle, laissant une goutte tomber sur la langue de Josh.

Il arqua le dos comme s'il avait reçu une décharge électrique, puis, à son grand soulagement, il referma la bouche et aspira son doigt plus profond. Elle ne bougea pas, et quand il se mit à téter, le monde disparut dans un tourbillon de plaisir.

L'un de ses frères jura tout bas et prononça son nom, mais personne n'intervint. Elle eut encore la présence d'esprit d'appliquer une pression sur la poche. Quelques secondes plus tard, il buvait avec avidité, et elle aurait pu jurer que le nuage de désespoir qui s'était abattu sur la pièce avait disparu.

Elle nourrit Josh jusqu'à ce que la première poche soit vide, puis Shade lui montra comment en accrocher une autre au tube. Elle perdit toute notion de la quantité que Josh ingéra, et du temps aussi. À un moment, elle tomba en avant, et quand elle rouvrit les yeux, des taches noires avaient envahi son champ de vision. Eidolon la regardait avec inquiétude.

—Josh, souffla-t-elle. Est-ce qu'il est… est-ce qu'il va… ?

—Il va s'en sortir. Je lui ai donné un sédatif pour qu'il achève sa guérison. C'est votre tour maintenant. Il n'a pas beaucoup sucé votre sang, mais il reste l'autre problème…

Elle s'assit tant bien que mal et se rendit compte qu'ils l'avaient mise au lit.

—Je vais bien.

Elle repoussa le démon.

— Je suis médecin. Je sais que c'est faux. (Sa voix était à la fois ferme et apaisante, et elle le laissa la repousser contre les oreillers.) Je sais aussi que vous avez traversé bien des épreuves au cours des derniers jours, et que vous avez été blessée. Wraith ne se pardonnera jamais ce qu'il a fait.

— Tant mieux, dit-elle.

— Vous lui avez sauvé la vie. Et vous saviez que vous sacrifiiez la vôtre en faisant ça. Nous vous devons beaucoup. Je ferai donc tout ce que je peux pour vous aider. D'accord ?

Elle secoua la tête.

— J'ai été mordue par un mara, qui est mort. Ma maladie est incurable.

— C'est vrai.

Il était si brutal, comme les autres médecins dont elle se souvenait.

Elle étudia la tenue d'Eidolon, l'étrange symbole médical – une dague avec des ailes de chauve-souris encerclée par deux vipères – qu'il portait au bout d'une chaîne.

— Vous avez bien une sorte de centre de médecine New Age, hein ? Vous avez dit que vous feriez tout…

— Je peux vous soulager, et vous donner un peu plus de temps, mais… je suis navré, Serena. Vous allez mourir.

Wraith était fatigué de se réveiller avec l'impression qu'il s'était battu contre King Kong. Il aurait cru que la bénédiction lui aurait évité ce genre de désagrément…

Serena !

Il s'assit si vite qu'il en eut le vertige. Il lui fallut une seconde pour comprendre où il se trouvait : dans une des chambres de la maison des Aegis. Il s'assit au bord du lit, mais une main ferme le repoussa en arrière.

Shade était nez à nez avec lui.

—Waouh, détends-toi. Tu vas tomber sur le cul si tu ne te ménages pas un peu.

—Serena, croassa-t-il.

—Elle dort.

—Combien… de temps?

—Tu es resté inconscient pendant des heures. Eidolon et moi nous sommes relayés à ton chevet. Tayla nous a rejoints. Ainsi que Gem, Luc, Kynan et Reaver. Notre autre frère aussi, mais il est enchaîné. C'est une vraie tête de con. Tu vas l'adorer.

Wraith secoua la tête, mais ne réussit pas à s'éclaircir les idées.

—Pourquoi? Qu'est-ce qui se passe?

Attends, il a dit « autre frère »?

Eidolon entra, arborant l'expression sinistre qui était sa marque de fabrique, signe que les nouvelles étaient mauvaises. Wraith se rappela vaguement l'avoir vu en tenue d'hôpital un peu plus tôt, mais il portait à présent un treillis en toile beige et un simple tee-shirt noir, ce qui pour lui était une tenue décontractée.

—Nous avons un problème.

—Serena?

—Il ne s'agit pas d'elle.

—Alors, je m'en fiche, dit Wraith en se redressant de nouveau. Elle est malade. Si vous ne pouvez pas l'aider, je dois trouver quelqu'un qui le pourra.

—Ça n'aura plus aucune importance si nous ne réglons pas le problème Byzamoth.

Un grognement sourd échappa à Wraith avant qu'il ait pu l'étouffer.

—Celui-là, je vais lui arracher la gorge avec les dents.

—Parfait. Le plus tôt sera le mieux. (Eidolon se passa la main dans les cheveux, qui se dressaient en touffes

indisciplinées, comme s'il avait fait cela toute la journée.)
Il a l'intention de se servir de l'amulette de Serena et de ton
sang pour ouvrir la porte entre le Paradis et Sheoul.

— Euh… c'est mauvais, ça.

— Tu crois ? ironisa Shade.

Eidolon posa les doigts sur le poignet de Wraith pour
vérifier son pouls.

— Reaver a dit qu'il agira à l'aube.

— Où ?

— Jérusalem, répondit Shade. Le Mont du Temple.

C'était logique. Si Byzamoth voulait accomplir ce genre
de méfait, le Mont du Temple était l'endroit tout désigné. De
nombreux humains et démons croyaient que le Rocher de la
Fondation, conservé dans le Dôme du Rocher, était l'endroit
où la Création avait eu lieu et où commencerait Armageddon.

Wraith retira son bras à Eidolon.

— Je vais partir à sa recherche.

— Pas tout seul. (Eidolon lui tendit un jean.) L'Aegis est
mobilisé. Toutes les cellules qui peuvent atteindre Jérusalem
avant l'aube seront présentes, ainsi que le X et toutes les
unités militaires du paranormal de la planète.

Wraith se leva et enfila le pantalon.

— On dirait qu'on n'a pas besoin de moi.

— Byzamoth ne pourra pas être vaincu sans ton aide,
dit Tayla, qui se tenait sur le seuil.

Elle était vêtue d'une tenue de combat en cuir rouge
sombre, couleur que nombre de démons ne pouvaient pas
distinguer, et avait ramené ses cheveux en queue-de-cheval.

— D'après les rumeurs qui courent, poursuivit-elle, il a
rassemblé une armée. Les Aegis risquent de ne pas arriver à
l'atteindre à temps à cause de ses hordes.

— Mais moi, j'ai la bénédiction, alors ils ne pourront
pas me toucher.

À moins que Byzamoth se soit entouré d'anges déchus…

—Exactement. Kynan et moi avons coordonné notre plan d'attaque avec ceux des Aegis et des unités militaires. Ce que nous te demandons, c'est d'empêcher Byzamoth de terminer le rituel jusqu'à ce que nous puissions prendre le relais.

—Et qu'est-ce que vous comptez faire alors ? Je te rappelle, tueuse, qu'il est immortel !

—La même chose que toi. Lui faire mal. L'empêcher d'agir et lui reprendre l'amulette. D'après Reaver, il dispose d'une fenêtre de quelques minutes pour ouvrir la porte. (Elle sourit.) Et puis, les Aegis ont quelques tours dans leur sac. Alors, occupe-le jusqu'à notre arrivée.

—Inutile de vous presser, jura Wraith, parce que je vais lui arracher la tête. Même les immortels ne le restent pas longtemps une fois décapités. (Il se tourna vers Eidolon.) Maintenant, donne-moi des nouvelles de Serena.

—Wraith…

—Tout de suite.

Eidolon et Shade échangèrent un regard, et Wraith se prépara au pire.

—Tu sais bien qu'elle est mourante.

—Oui. Arrange ça.

Shade s'avança vers lui, mais Wraith recula, incapable de supporter que quiconque sauf Serena le touche. Et il savait qu'elle ne le voudrait pas. Elle le haïssait. Oui, elle devait vraiment le détester.

—Comment… va-t-elle ?

Eidolon secoua la tête.

—Sa maladie est incurable, et elle progresse vite.

Wraith eut l'impression qu'une lame lui fouaillait les entrailles. Encore une fois.

—Je lui ai donné un traitement contre la douleur, et Shade a utilisé son don pour s'assurer que ses organes fonctionnent de façon optimale, mais tout ça est temporaire. Ça lui donne juste un peu plus de temps et de confort.

—Nous avons échangé nos places, murmura Wraith en se frottant la poitrine, où le vide se faisait déjà sentir. Qu'est-ce que je vais devenir sans elle ?

—Je suis navré, frangin, dit Shade, mais Wraith leva la main pour le faire taire.

L'entendre rendrait la situation réelle.

Il contourna Tayla pour sortir et s'arrêta net dans le couloir en voyant un mâle aux cheveux noirs assis par terre, les bras et les jambes pris dans des menottes brackennes. Il s'agissait de chaînes utilisées par la Judicia pour annuler les pouvoirs d'un démon au cours de sa garde à vue.

Le type portait un pantalon en cuir et des bottes, mais pas de chemise.

Son *dermoire* était pâle, mais c'était la réplique exacte de ceux que Wraith et ses frères arboraient, à l'exception de leurs symboles personnels. Il avait aussi une drôle de brûlure en forme de paume au-dessus du cœur.

Wraith ignorait ce qui se passait, et pour le moment, il s'en fichait.

Serena n'avait plus beaucoup de temps à vivre, et il ne voulait pas perdre une seule minute.

CHAPITRE 26

Serena se trouvait dans la salle de bains quand elle entendit la porte de la chambre s'ouvrir. Son cœur s'emballa lorsque des pas feutrés lui parvinrent. Peut-être était-ce Eidolon ou Shade ? Elle ne savait pas ce qu'ils lui faisaient au juste, mais elle se sentait toujours mieux après leurs visites. Il était temps qu'ils reviennent, parce qu'elle s'affaiblissait de nouveau et les élancements dans sa tête rendaient sa vision floue.

—Serena ?

Oh, Seigneur. C'était Josh. Si elle ne répondait pas, peut-être s'en irait-il.

—Sors de là, Serena. (Il marqua une longue pause.) S'il te plaît.

Serena ne pouvait pas l'affronter. Elle était encore trop en colère, trop blessée, trop déchirée par un maelström d'émotions conflictuelles. Elle resta debout près du lavabo, étudiant son reflet en silence, les cernes noirs sous ses yeux vitreux et rougis, ses cheveux secs et cassants, son teint terne. Seigneur, elle était vraiment en train de mourir.

Ce qu'elle avait fait était incroyablement stupide.

Elle ferma les yeux et baissa la tête. Non, pas stupide… si Josh parvenait à récupérer l'amulette et sauver le monde. Sauf… que c'était un démon. Pourquoi voudrait-il que le monde reste tel qu'il était ? Et s'il souhaitait mettre la main sur le pendentif, ne serait-ce pas pour le garder ?

Elle se cogna la tête contre le miroir.

Idiote.

Bang.

Idiote.

Bang.

Idiote!

Elle était tombée amoureuse de lui, un incube qui avait sans doute utilisé ses tours de démon sexuel sur elle. Le truc, c'était qu'il ne l'avait pas séduite avec de belles paroles et des promesses. Non, il l'avait protégée du danger, il lui avait donné des orgasmes extraordinaires et il avait été gentil avec un chat errant. Il avait été dur et fort, avec une touche de douceur. Mais avait-ce été vraiment lui ou avait-il joué la comédie?

Elle l'entendit soupirer, puis ses pas s'éloignèrent et la porte se referma. Elle attendit une minute de plus. Puis elle ouvrit avec prudence.

Josh était assis par terre, adossé au mur, le regard levé vers le plafond. Il portait juste un jean. Ses pieds étaient nus. Son torse large et musclé se soulevait au rythme de sa respiration, et plus bas, ses abdos ciselés ne portaient plus aucune trace de blessure.

— Tu as l'air en forme pour un type qui a été transpercé par une épée magique et a failli mourir.

Le ton était neutre, mais pas ce qu'elle ressentait pour lui, et elle pria pour qu'il n'entende pas sa voix vibrer d'émotion.

— Tu m'as sauvé. (Il ne la regardait toujours pas.) Je peux toujours… te sentir.

— Parce que tu es un vampire. (Elle ricana.) Et un démon. N'oublions pas ce petit détail.

Elle vit un long frisson le parcourir.

— En effet.

— En effet ? C'est tout ce que tu trouves à dire ? (Elle lâcha un juron tel qu'elle n'en avait jamais utilisé.) Est-ce qu'une seule des choses que tu m'as dites était vraie ?

Il plongea enfin ses yeux dans les siens.

— Je t'ai menti bien plus que je ne l'aurais dû, en fait.

— Explique-moi, je veux des détails.

Elle croisa les bras, se demandant pourquoi elle prenait cette peine, pourquoi elle éprouvait ce besoin insensé de le comprendre.

— Tu n'as pas envie d'entendre ça, Serena.

La colère l'enflamma comme une allumette.

— Je t'ai donné ma vie, Wraith, alors tu peux bien me raconter la tienne. (Il tressaillit, et elle éprouva presque de la pitié pour lui. Presque.) Allez, déballe-moi tout. Commence par le début.

Il se frotta les yeux, puis il les baissa sur ses genoux, épaules voûtées. Et une fois encore, elle se sentit désolée pour lui.

— Tu as raison, mais ne viens pas dire après que je ne t'avais pas prévenue.

Il fit courir sa main de haut en bas sur sa poitrine, comme si elle lui faisait mal. Après un long silence, il reprit enfin :

— Mon père avait le même don que Shade… il pouvait manipuler les fonctions du corps. Il a trouvé une femme qui était sur le point d'être transformée en vampire… elle avait déjà effectué l'échange de sang et allait mourir quand il l'a violée. Ensuite, il s'est servi de son talent pour la maintenir entre la vie et la mort pendant neuf mois, la prenant contre son gré tout le temps que je me développais en elle. Il est parti quand elle m'a donné naissance, et entre-temps, elle avait sombré dans la folie.

Wraith parlait vite, les mots se bousculant à tel point que Serena n'avait pas le temps d'être choquée. Il gardait la tête baissée, ses cheveux tombant devant son visage, si bien qu'elle ne voyait pas son expression.

—Ma mère m'a confié à une nourrice jusqu'à l'âge de cinq ans, puis elle m'a enfermé dans une cage avant de transformer ma nourrice en vampire sous mes yeux. Elle a passé les quinze années suivantes à me torturer. Et à torturer des humains et des démons devant moi. Quand j'ai eu vingt ans, j'ai subi le premier des deux cycles de maturation de ma race. J'avais besoin de sexe ou je mourrais. Ma mère a poussé une prostituée dans ma cage… j'étais fou de désir…

Sa voix se brisa, mais il releva la tête pour river son regard au sien.

—Je l'ai prise de force.

—Oh, mon Dieu.

—Je t'avais avertie.

C'était vrai. Mais elle avait besoin d'en entendre davantage.

—Continue.

Quand il hésita, elle lui posa la main sur le genou, animée du besoin incompréhensible de le réconforter.

—Qu'est-ce qui s'est passé ensuite ?

—La fille ne faisait que son boulot, non ? (Sa voix était creuse. Morte.) C'est comme ça que j'ai toujours justifié le viol. Parfois, j'arrive à croire ces mensonges.

Une émotion fugace passa sur son visage, du dégoût, crut-elle voir, mais il se cacha de nouveau et elle n'en fut pas sûre.

—La fois suivante, quand ma mère m'a amené une femelle, j'ai refusé de la toucher, même si je savais que je me condamnais à mort. Ma mère l'a alors torturée pendant des heures, jusqu'à ce qu'elle se vide de son sang. Quand elle en a conduit une autre jusqu'à ma cage, je l'ai prise, mais j'avais alors appris à utiliser mon don. La pauvre a cru qu'elle s'envoyait en l'air avec son petit ami sur une plage.

— Quel don ?

— Je peux pénétrer dans les pensées, les lire, faire croire aux gens qu'ils ont vécu des choses qui ne sont jamais arrivées. Je peux leur donner des cauchemars.

Il la regarda de nouveau, avec du défi dans le regard, comme s'il s'attendait à ce qu'elle le frappe. Comme s'il le voulait.

— Ou des rêves, ajouta-t-il.

Elle inspira vivement.

— Ces rêves que j'ai faits. C'était toi.

— Le premier. Les autres, tu ne les dois qu'à toi-même.

Cela la démangeait de le gifler, mais elle n'allait pas lui donner cette satisfaction. Au lieu de cela, elle dit avec calme :

— Salaud.

Il se passa les mains dans les cheveux et les y laissa, les coudes appuyés sur ses genoux.

— Je suis un démon, Serena. C'est ma nature.

Elle supposa que c'était vrai. Mais cela ne l'aida pas à se sentir mieux. Surtout parce qu'elle devait admettre qu'il était bien plus qu'un simple démon pour elle, même si elle essayait de se convaincre du contraire.

— Alors, qu'est-ce qui s'est passé ? Après que tu as appris à utiliser ton don… ?

— Ma mère a perdu tout intérêt pour moi. Un jour, elle est entrée dans ma cage pour me tuer. Mais c'est moi qui lui ai pris la vie. Et je me suis échappé. J'ai couru, mais son clan m'a retrouvé à Chicago. Ils m'ont suspendu dans un entrepôt et torturé pendant deux jours. Peut-être plus. Je ne sais pas. Au bout de la première journée, ils m'ont arraché les yeux.

Oh… doux Jésus. Dieu tout-puissant…

Des taches noires envahirent son champ de vision, et Serena chancela et manqua de s'effondrer. Wraith la rattrapa, et elle était si faible qu'elle ne trouva pas l'énergie de le repousser. En plus, c'était bon d'être de nouveau dans ses bras. Son corps n'était qu'un traître. Si bien que lorsqu'il l'allongea sur le lit, elle s'accrocha à lui, l'attirant près d'elle.

— Je ne crois pas vouloir en entendre davantage, dit-elle d'une voix qui tremblait tellement qu'elle eut du mal à la reconnaître. Mais… comment as-tu survécu ?

— Mes frères m'ont trouvé. (Il lui caressait les cheveux, ses gestes pleins de tendresse et de réconfort.) Ils ont tué les vampires. Tous sauf un, pour me rendre la vue.

Elle faillit demander pourquoi ils n'avaient pas utilisé les yeux d'un cadavre, avant de se rappeler que les vampires avaient tendance à s'enflammer après leur mort.

— Et ensuite ?

— Je les ai accompagnés à New York, où j'ai passé les décennies suivantes à gâcher ma vie. Je ne valais rien. Je vivais comme un rat, me nourrissant de junkies et de poivrots, essayant d'oublier de toutes les manières possibles. Puis Eidolon et Shade ont créé l'hôpital, et même si je ne voulais pas apprendre à sauver des vies, ils ne m'ont pas laissé le choix. Ils m'ont appris à lire et à écrire. Ils m'ont remis dans le droit chemin. En quelque sorte.

— Seigneur… Dieu.

Sa vie avait été un cauchemar.

Il ricana.

— Dieu m'a abandonné il y a longtemps. (Il lui prit la main et la serra gentiment.) Écoute, Serena, selon les critères humains, je suis un vrai salaud. Merde, même selon ceux de mon espèce. J'ai toujours été égoïste, me fichant de tout et de tous sauf de moi-même. Je savais ce qui t'arriverait si tu perdais ta bénédiction, et si à présent je pouvais te la rendre, je n'hésiterais pas. Je sais que tu ne me crois pas, mais… je t'aime.

Elle sentit ses yeux la piquer, et son cœur, cet idiot, répondit en s'emballant un peu, parce que lui croyait Wraith.

—Tu n'as plus besoin de me mentir, lui dit-elle.

—Ce n'est pas le cas. Plus jamais.

—Facile à dire puisqu'il ne me reste que quelques heures à vivre.

Il émit un grognement.

—Ne dis pas ça.

—Il est temps d'arrêter de le nier.

Et étrangement, le dire lui sembla libérateur.

Elle l'entendit déglutir avec peine.

—Je sais, répondit-il d'une voix tendue.

Elle se souleva sur un coude pour le regarder dans les yeux.

—Je te hais.

—Je sais, murmura-t-il.

—Embrasse-moi.

Il n'hésita pas et captura la bouche de Serena pour un baiser passionné. Pour la première fois, il entrouvrit les lèvres pour la laisser explorer sa bouche, toucher les pointes acérées de ses canines. Elle comprenait mieux pourquoi il avait toujours été dominateur par le passé, reculant quand elle devenait agressive à son tour. Même à présent, il sursauta légèrement, mais elle lui passa une main derrière la tête pour qu'il se tienne tranquille. C'était pour elle, pas pour lui. Il lui devait bien cela, et elle allait prendre ce qu'elle voulait.

Les grognements de Wraith la traversaient, titillant toutes ses zones érogènes et éveillant ses terminaisons nerveuses. Ses poumons lui faisaient mal et elle avait des crampes aux intestins, mais le plaisir effaçait l'inconfort et la douleur.

Elle glissa une main entre eux pour toucher son érection. Elle le serra à travers son pantalon, et il émit un râle très masculin.

—Tu mentais quand tu m'as dit ne pas pouvoir jouir comme ça?

—Non. (Il passa la langue sur la lèvre inférieure de Serena.) Les miens ne peuvent éjaculer que dans une femelle.

—Alors, pénètre-moi.

Elle n'arrivait pas à croire qu'elle ait envie de lui à ce point, mais il lui restait si peu de temps. Si c'était de la folie, cela lui semblait très éloigné, sans importance.

Wraith ouvrit vivement les yeux, et elle haleta en voyant qu'ils étaient devenus dorés, magnifiques.

—Tu es sûre?

Son attitude la mit en colère. Il n'avait pas le droit de s'inquiéter après ce qu'il lui avait fait.

—Fais-le, c'est tout, dit-elle, cassante. Maintenant.

Son regard lui indiqua qu'elle l'avait blessé, mais il se débarrassa quand même de son jean, souleva le tee-shirt de Serena et déchira son short pour la pénétrer. Elle cria de la soudaine invasion et à cause des sensations incroyables qui remontaient le long de sa colonne vertébrale.

—Dieux, lui souffla-t-il à l'oreille. Je sens ton désir qui me rend fou.

Il lui lécha la gorge, et durant une seconde, elle crut qu'il allait la mordre. Et une petite partie d'elle-même aurait voulu qu'il le fasse.

—Mmmm… tu as un goût étrangement salé.

—C'est la maladie, murmura-t-elle. C'est l'un des effets secondaires.

Il se raidit, et un son douloureux lui échappa.

—Je…

—Arrête. (Elle lui prit le visage entre les mains, se servant de son pouce pour tracer les tatouages sur sa joue droite.) Ne gâche pas tout ça pour moi.

Elle se montrait terriblement égoïste, mais elle chassa très vite la légère culpabilité que cela lui inspirait.

Un frisson parcourut Wraith, mais il ferma les yeux et hocha la tête. Il commença à aller et venir en elle avec douceur, et ce fut comme si de minuscules étincelles éclataient sur la peau de Serena. Elle lui griffa le dos, et il siffla.

—Plus fort, feula-t-il.

Le plaisir cascada dans l'esprit de Serena quand il accéléra le rythme et se fit plus agressif, jusqu'à ce qu'il la cloue au matelas tout en lui murmurant des paroles érotiques au creux de l'oreille. Les choses qu'il voulait lui faire traversèrent l'esprit de la jeune femme en autant d'images colorées, la propulsant vers une jouissance sans fin.

Elle cria et l'appela par son nom. Son vrai nom cette fois.

—Non. (Il lui mordilla le lobe.) Appelle-moi Josh.

—Oui... Josh !

Il rugit son propre plaisir, la remplissant d'une chaude giclée qui déclencha chez elle deux autres orgasmes. Elle ne contrôlait plus son corps, comme si un éclair d'énergie sensuel les enveloppait tous deux et les maintenait dans une série d'orgasmes électrisants.

Peu à peu, la pression orageuse se dissipa, et Serena songea qu'elle n'avait jamais été si épuisée.

Il lui fallut longtemps avant de trouver la force de parler. Quand elle le put, sa voix était rauque, sa respiration sifflante.

—À bord du train... (Elle dut marquer une pause pour déglutir et essayer de trouver un peu de salive pour s'humecter les lèvres.) Tu as dit que quelqu'un avait glissé un aphrodisiaque dans mon verre... mais ce n'est pas vraiment ce qui s'est passé, n'est-ce pas ?

—Non. (Il roula sur le côté, mais il garda ses bras forts autour d'elle. Ses biceps étaient durs et sa peau couverte de sueur.) C'était mon sperme. Je ne voulais pas que ça arrive.

L'esprit encore un peu embrumé, elle se creusa les méninges pour tenter de se souvenir des détails de cette nuit-là. Folle de désir, elle l'avait supplié de lui faire l'amour.

—Tu aurais pu en profiter pour prendre ma virginité, mais tu ne l'as pas fait. Pourquoi?

—Je ne pouvais pas. (Il enfouit son visage dans le cou de Serena et inspira profondément, et une sorte de ronronnement monta de sa poitrine.) C'est pour ça que je voulais descendre au Caire. J'avais changé d'avis, Serena. Même si ma décision aurait tué mes frères… je ne pouvais pas te trahir comme ça.

—Tes… frères?

—Eux aussi étaient mourants. Leur santé se détériorait à mesure que ma maladie progressait.

Le temps sembla se ralentir tandis qu'elle assimilait ce qu'il venait de dire. Elle savait qu'il aimait ses frères, et pourtant, quand il avait dû choisir entre leurs vies et la sienne, il l'avait choisie elle.

Il venait de chambouler toutes ses anciennes certitudes sur les démons, toutes les choses apprises au contact des nonnes et dans l'immense bibliothèque de Val.

Il regarda sa montre.

—J'aimerais pouvoir rester, mais je n'ai pas beaucoup de temps. Byzamoth a l'intention de déclencher l'ultime bataille dans quelques heures seulement. (Il écarta les cheveux de Serena de son visage d'une caresse légère et tendre.) Je vais lui reprendre ton collier. Et je l'arrêterai, Serena. Même si c'est la dernière chose que je ferai, je l'arrêterai.

—Mais… tu es un démon!

— Alors pourquoi ne voudrais-je pas qu'il réalise ses plans ? (Quand elle acquiesça, il haussa une épaule.) La plupart des démons qui vivent parmi les humains aiment le monde tel qu'il est. Imagine le pire scénario apocalyptique, et multiplie ça par cent, puis ajoute le chaos, la maladie, la saleté, la puanteur et les démons, et tu obtiens Sheoul. L'idée que la surface de la Terre puisse devenir comme ça est terrifiante pour nombre d'entre nous. Dans cette bataille, de nombreux démons combattront du côté du bien.

— Comme toi.

Il passa le bout de la langue sur une de ses canines, un coin de ses lèvres se retroussant en un rictus impudent.

— Historiquement, le Bien ne sait pas se battre. Alors, oui, ils ont besoin de moi.

Qu'il soit maudit de pouvoir la séduire et l'exciter ainsi… alors qu'elle était sur son lit de mort.

Des bruits de lutte devant la porte firent bondir Josh sur ses pieds et il tira les couvertures sur elle. Des cris furieux, un bruit de course, puis de coups traversèrent les murs fins comme du papier à cigarette.

— Serena !

— Val ?

Josh jura quand celui-ci ouvrit la porte à la volée, flanqué d'Eidolon. Shade luttait contre David et un autre homme dans le couloir, et à en juger par les sons qui lui parvenaient du reste de la maison, on se battait.

— Qu'est-ce qui se passe, bon sang ? demanda Val, son regard passant de Serena à Josh, qui reboutonnait son pantalon. Par tous les saints, Serena ! C'est un démon !

Il entra à grands pas dans la chambre, l'œil rivé sur Josh.

Serena s'assit dans son lit en serrant le drap autour d'elle, même si elle portait toujours son tee-shirt.

— Calme-toi, Val. Je sais ce qu'il est…

L'Aegi serra les poings, et elle se demanda s'il cachait une arme sous sa chemise.

—Ne me dis pas que c'est à ce salaud que tu as transmis ta bénédiction ?

—Alors, ne me pose pas la question.

Il se passa la main sur le visage.

—Oh, Serena. Comment as-tu pu être si stu…

—Termine cette phrase, l'interrompit Josh d'un ton menaçant, et tu es un homme mort.

Val s'empourpra de rage. Pendant un instant, elle pensa qu'il allait exploser, mais David lui posa une main apaisante sur l'épaule.

—Laisse tomber, papa.

Shade bouscula tout le monde pour aller se positionner près de Josh, et soudain, la pièce fut pleine de monde. Tous des étrangers. Et Serena était là à moitié nue, dans un lit où il était évident qu'elle venait de faire l'amour. Avec un démon.

—Tout le monde se calme, dit Eidolon en allant rejoindre Josh et Shade.

—Va te faire foutre, répondit David. Nous ne recevons pas d'ordre d'une créature comme toi.

Josh montra les crocs.

—Oh, si. Parce que pour le moment, je suis votre meilleur espoir de vaincre Byzamoth. Alors, si tu ne veux pas passer l'éternité à lui baiser les pieds, tu vas devoir faire un putain d'effort.

Ky, Gem, Tay, Shade et Eidolon avaient envahi la chambre, ainsi que six Gardiens de la cellule locale de l'Aegis et six membres du Sigil. Luc, Reaver et d'autres tueurs attendaient dans une pièce adjacente dans une ambiance tendue, et des agents patrouillaient autour de la maison.

Quant à ce connard de Lore, il était attaché dans le couloir. Ky ignorait ce qu'il faisait là.

La main à portée de son stang, Kynan avait les doigts qui le démangeaient. Les lieux étaient remplis à craquer d'ennemis mortels. Et les Gardiens étaient armés jusqu'aux dents.

Ils étaient assis sur un baril de poudre. Une étincelle, et ce serait l'explosion.

Val tendit la main vers Serena, son anneau du Sigil reflétant la lumière du plafonnier.

— Je te ramène à la maison.

Ce fut l'étincelle.

Un rugissement déchira l'air et fit trembler la maison. Wraith se déplaça si vite que Ky ne réussit pas à le suivre des yeux. Se tournant vers la source du bruit, il découvrit le seminus à quatre pattes sur le lit, protégeant Serena de son corps.

Seigneur, ses yeux rougeoyaient telles des flammes sortant d'un réacteur et ses crocs s'étaient allongés. Avec sa crinière blonde encadrant son visage, il avait l'air d'un lion défendant sa femelle.

Les raclements sinistres d'armes quittant leurs étuis tranchèrent net dans l'atmosphère à couper au couteau. Gardiens et Anciens resserrèrent les rangs en même temps que Shade, Eidolon et Gem se plaçaient devant le lit qui abritait Wraith et sa compagne.

Dans un mouvement montrant leur belle coordination, et qui rappela à Ky les combats d'autrefois, Tay et lui s'interposèrent entre les deux camps.

— Je ramène Serena chez elle, répéta Val, son accent roumain si fort que Kynan le comprit à peine.

La voix de Wraith résonna, grave :

— Si tu la touches, je m'occuperai de tous tes copains, puis je te taillerai en pièces.

— Tu n'as pas ton mot à dire, rétorqua l'Aegi. Elle est en train de mourir à cause de toi.

Les Gardiens se préparèrent au pire, et les yeux de Wraith devinrent écarlates. Tout cela allait très mal finir.

— Shade, calme ton frère, dit Ky. (Il se tourna vers Val, dont le regard était aussi meurtrier que celui du seminus.) Vous feriez bien de reculer. Nous avons besoin de lui pour reprendre l'amulette à Byzamoth. De plus, vous ne pouvez pas le blesser. Essayer serait un suicide.

Cela en aurait été un, même si Wraith n'avait pas eu de protection angélique.

Serena posa une main apaisante sur l'épaule de son amant, qui, même s'il continua à foudroyer Val du regard, cessa de gronder.

— Val, s'il te plaît, dit-elle d'un ton calme, comme si un démon furieux ne montait pas la garde au-dessus d'elle. Le plus important, c'est d'arrêter Byzamoth. Nous devons travailler tous ensemble.

— Nous étions d'accord pour coopérer avec le porteur de la bénédiction, dit David, mais nous ignorions qu'il s'agissait d'un démon. Nous ne voulons rien avoir à faire avec eux. Il n'en est pas question.

— Alors, passe-toi du lubrifiant et prépare-toi à appeler Byzamoth « papa », dit Wraith, pour ne rien arranger à la situation.

L'un des Anciens, Juan, se racla la gorge.

— Tayla, Kynan, en tant que Régente et ex-Régent, vous devez comprendre que des Gardiens ne veuillent pas s'associer avec des démons.

— Oh, oui, je le sais d'expérience. (Tayla prit sa forme hybride de déchiqueteuse d'âme, ses ailes veinées griffant le mur, et des halètements surpris s'élevèrent.) Parce que je suis à moitié démon, poursuivit-elle en reprenant sa forme humaine. Ne me faites pas recommencer. Ça pique et ça me met de mauvaise humeur.

David pivota vers elle, son beau visage tordu en une sorte de masque hideux.

— Espèce de traîtresse et de sal…

— Surveille tes paroles, humain.

Les yeux d'Eidolon étaient devenus aussi rouges que ceux de Wraith et il avait tout l'air du démon qu'il était.

Un long silence tendu tomba sur la pièce, mettant les nerfs de Kynan à rude épreuve. Enfin, Val se tourna vers lui, non sans jeter des regards inquiets du côté de Tayla.

— Vous saviez, pour elle ? Quand vous l'avez recommandée pour devenir Régente, vous saviez qu'elle était une démone ?

— Oui.

— Doux Jésus, Kynan. À quoi est-ce que vous pensiez ?

— Je me disais que Tayla est une formidable guerrière, avec d'excellents instincts. Elle est capable de prendre des décisions rapides. Elle connaît également la différence entre bons et mauvais démons…

— Il n'y a pas de bons démons, interrompit Val.

— Pour l'instant, cela n'a pas d'importance, répondit Kynan, parce qu'ils n'avaient pas le temps de se quereller. Il faut arrêter Byzamoth. Et faites-moi confiance, vous avez besoin de Wraith pour ça.

Des grommellements étouffés montèrent des rangs aegis. Val leva une main ; tous se turent.

— Il a raison. Nous devons nous concentrer sur la situation présente.

Kynan aurait juré avoir entendu la maison pousser un soupir de soulagement. Cependant, la pièce grouillait d'ennemis mortels. Et Serena n'avait pas l'air à l'aise, assise dans ce lit, d'autant que l'état des draps et les vêtements éparpillés au sol racontaient une histoire classée X.

— Nous sommes bien trop nombreux ici, fit remarquer Kynan. La situation ne requiert que quelques participants.

Il y eut quelques discussions entre Gardiens et Anciens, puis la plupart sortirent, ne laissant derrière eux que Val et son fils David. Gem et Tayla leur emboîtèrent le pas pour garder un œil sur eux. Reaver, qui était entré, s'était posté au pied du lit et regardait Serena avec tristesse.

Plus calme, Wraith s'assit au bord du matelas, tenant la main de la jeune femme. Il croisa le regard de Val, qui s'éclaircit impérieusement la voix.

— La ville de Jérusalem est en train d'être évacuée. Des centaines d'Aegis et de militaires seront placés sur le Mont du Temple durant les heures qui viennent, dit Val à Wraith. Je présume que tu prendras une Porte des Tourments pour arriver là-bas à temps ?

— Pf !

Shade soupira, et Eidolon se massa les tempes.

— Tu distrairas Byzamoth le temps que les Aegis puissent récupérer l'amulette, continua Val. Si tu t'en empares avant nous, tu devras la remettre immédiatement à un Gardien.

Kynan tressaillit quand Wraith se leva.

— Va te faire foutre. Ce n'est pas à toi de me dire ce que je dois faire. Je ne reçois pas d'ordre des tueurs.

— Josh. Val. (La voix fluette de Serena leur fit tourner la tête dans sa direction. Les cernes sous ses yeux avaient empiré au cours des dix dernières minutes.) Ne… vous battez pas. Reprenez-lui seulement le collier.

Wraith acquiesça et lui serra doucement la main ; et était-ce l'imagination de Ky, ou bien le bras de la jeune femme était-il plus fin, plus fragile ?

— Désolé.

Wraith coula un regard noir à Val, comme s'il rendait l'humain seul responsable d'avoir bouleversé Serena.

Le silence retomba, uniquement rompu par la respiration sifflante de cette dernière. Puis Reaver dit :

— Je t'accompagne.

Eidolon haussa un sourcil.

— Je croyais que tu n'avais pas le droit de nous aider ?

— Qu'ils aillent se faire foutre.

— Qu'est-ce que tu peux faire pour nous, ange ? demanda Wraith.

Val et David poussèrent de petits cris de surprise.

— Ange ? répéta David.

— Déchu, précisa Reaver, alors personne ne s'emballe. (Il secoua la tête.) Je peux le combattre, mais pas seul. Il est plus fort que moi. Il tire son pouvoir du mal alors que je ne peux compter ni sur celui du Paradis, ni sur celui des Enfers.

Wraith ramena Serena contre lui et lui caressa le bras.

— Nous l'attaquerons donc de concert.

— Ça me paraît une bonne idée, répondit Reaver.

Eidolon flanqua une claque dans le dos de Wraith.

— Je vais avec toi. Tay, Luc et Ky aussi. Il y aura de nombreux morts et blessés.

Ils avaient décidé de laisser Shade derrière eux, parce que ses talents seraient précieux pour prendre soin de Serena, et Gem lui servirait d'assistante. Tous les Gardiens resteraient dans la maison, qui était devenue leur quartier général. Ils contacteraient les renforts et fourniraient des rapports sur la situation aux cellules aegies du monde entier. Bref, ils agiraient comme la seconde ligne de défense, au cas où Wraith échouerait.

Bien sûr, si cela devait arriver, aucun d'eux ne ferait la moindre différence.

—Les dés sont jetés, dit Wraith. Nous partons tous ensemble. Mais, Shade, personne n'emmène Serena nulle part, tu m'entends?

Il jeta un regard assassin à Val, puis il ajouta sur un ton menaçant:

—Personne.

Shade croisa les bras sur son torse puissant et alla se poster à la tête du lit.

—Personne.

Wraith embrassa Serena avec tellement de tendresse que quelque chose se serra dans la poitrine de Kynan. Pas un instant il ne se serait imaginé que Wraith pourrait jamais avoir des sentiments si forts pour quiconque, et encore moins pour une humaine. Que la jeune femme soit en train de mourir rendait la situation encore plus incroyable… et tragique.

Kynan pensa à Gem et se demanda comment il réagirait s'il savait qu'elle était condamnée. Seigneur, il se roulerait en boule et se laisserait mourir.

Putain, non. Personne ne la lui prendrait, ni la mort, ni qui que ce soit d'autre. Pas question. Et puisque la situation était sous contrôle, il en profita pour s'éclipser.

Dans le salon, il tomba sur une autre scène tendue. Quatre Gardiens se tenaient à un bout de la pièce, et Luc à l'autre, et ils se foudroyaient du regard. Les Aegis ignoraient qu'il s'agissait d'un loup-garou, mais comme il était arrivé avec les frères seminus, ils en avaient déduit qu'il faisait partie des méchants.

Ky emmena Luc à l'écart.

—Tu as vu Gem?

—C'est pas mon tour de garder un œil sur elle, gronda Luc quand l'un des Gardiens tira son stang et fit mine d'en tester la lame. Mais je l'ai vue entrer dans la cuisine il y a une minute.

Le regard de Luc se posa sur une Gardienne debout près de la fenêtre, qui l'observait avec attention.

—Qu'est-ce qui se passe? demanda Kynan.

Luc sourit, montrant les dents.

—C'est une warg. Elle sait que je suis au courant, mais je suppose que ses copains humains l'ignorent. Et elle a peur que je leur dévoile son petit secret.

—Tu vas le faire?

—Ça dépend.

—De quoi?

La voix de Luc chuta d'une octave.

—Je vais voir si elle accepte de me donner ce que je veux.

—C'est-à-dire?

—Quinze minutes. Nus.

—C'est du chantage!

Luc ricana.

—Les wargs appellent ça de la négociation.

—Donc, tu veux un quart d'heure avec elle... qu'est-ce qu'elle demandera en échange?

—Avec moi? (Luc lui fit un clin d'œil.) Deux heures.

Kynan secoua la tête.

Ah, ces wargs.

Gem se trouvait bien dans la cuisine, en train de regarder dans le frigo. Il ne prit pas la peine de lui demander de l'accompagner. Il la prit par la main et l'entraîna dans la seule pièce déserte.

La salle de bains.

Il fit un doigt d'honneur à Lore au passage.

—Kynan! Qu'est-ce qui te prend?

Il ferma la porte, se tourna vers elle et lui donna un baiser. Elle émit un petit cri de protestation, mais il la poussa contre la porte et continua à l'embrasser, et au bout de quelques secondes, elle se détendit.

—Je me fiche de ce que tu es, Gem. Je te veux. Je t'aime. Et tant pis si nos enfants sont un quart démon. Si ça te dérange, nous pourrons en adopter. Ou nous prendrons un animal. Peu importe.

Interloquée, Gem ouvrit la bouche et la referma. Puis elle demanda :

—Qu'est-ce… qui me vaut ce discours ?

—La femme que Wraith aime est en train de mourir. Il ne leur reste peut-être que quelques heures à passer ensemble. Je sais que tu as des centaines d'années devant toi, et je ne pourrai te donner qu'une fraction de ça, mais il m'a suffi de voir Wraith et Serena pour comprendre que je ne voulais pas perdre une seule minute.

» Épouse-moi, Gem. Reste avec moi aussi longtemps que je vivrai.

Il vit ses yeux se remplir de larmes, et il eut peur. Il sut ce qu'elle allait répondre avant qu'elle parle.

—Je suis navrée, Ky… je ne peux pas. Peut-être après la bataille, quand les choses se seront tassées, mais là, maintenant, je crois que tu penses à la fin et tu te raccroches à tout ce que tu peux.

—Bon sang ! Pourquoi est-ce que tu me dis sans cesse ce que je devrais penser et ressentir ?

—Parce qu'il faut bien que quelqu'un le fasse.

Elle sortit de la salle de bains, le laissant face au mur. Il entendit du bruit dehors ; les combattants préparaient leurs armes. La bataille était proche.

Bien. Il allait pouvoir se débarrasser de sa frustration sur des tas de démons, parce que celle qu'il voulait… ne partageait pas sa vision des choses.

CHAPITRE 27

Ce qui craignait, à Jérusalem, c'était le nombre restreint de Portes des Tourments. Il en existait une à quelques pas du Dôme du Rocher, le temple qui abritait le Rocher de la Fondation que Byzamoth voulait utiliser pour ouvrir la porte, mais elle serait aux mains de l'ennemi, et la suivante se trouvait à la périphérie de la ville. Wraith, Luc, Tayla, Eidolon, Reaver et Kynan durent marcher pour rejoindre le Mont du Temple.

L'atmosphère était lourde. Les quelques personnes qu'ils croisèrent dans les rues étaient silencieuses et marchaient en regardant le sol comme si elles craignaient que s'abatte sur elles le feu du ciel, qui était couvert de nuages noirs frangés d'écarlate. Des éclairs frappaient un peu partout, et le tonnerre grondait.

Wraith les aperçut dans le lointain. Deux armées... l'une massive, l'autre arrogante. Seuls les Aegis pouvaient croire que leur vertu leur permettrait de vaincre alors qu'ils allaient se battre à un contre vingt.

— Allons-y, dit Wraith.

Luc partit en courant. Nul n'aimait davantage une bonne bagarre qu'un warg.

Sauf Wraith.

Reaver tira Kynan à l'écart, et Eidolon attrapa son frère par le bras.

— Attends, frangin. Juste une seconde.

Il se tourna vers Tayla et prit son visage entre ses mains avec tellement de tendresse que Wraith souhaita être de retour auprès de Serena.

— Ne prends pas ta forme de déchiqueteuse d'âme, dit E à sa femme. Je ne voudrais pas qu'un de ces idiots de soldat ou d'Aegi te prenne pour une ennemie.

— Et toi, veille à rester en arrière. Tu n'es pas là pour te battre, mais pour jouer les guérisseurs. (Tayla embrassa son compagnon.) Je t'aime.

Wraith se détourna pour leur laisser une minute d'intimité. Il avait toujours ri de leur relation à l'eau de rose, n'ayant jamais compris comment Eidolon pouvait donner tant de lui-même à Tayla. Mais sa rencontre avec Serena lui avait ouvert les yeux et il eut un pincement au cœur en pensant à la jeune femme.

Il donnerait tout pour Serena, si seulement elle le laissait faire. Si seulement elle pouvait vivre.

Il mit la main dans sa poche, mais au lieu d'y chercher une arme, ce qui l'apaisait toujours, il toucha la toupie qu'elle lui avait offerte. Il l'avait prise avant de sortir de la maison. C'était désormais son porte-bonheur, il n'était pas question qu'il parte se battre sans.

Il sentit deux mains dans son dos. L'une d'elles appartenait à Eidolon, l'autre à Tayla, qui lui adressa un sourire hésitant.

— Bonne chance, Wraith, lui souhaita-t-elle avant de s'éloigner.

— Idem, dit Eidolon. J'ai foi en toi.

— Désolé, mais je n'en crois pas un mot. (Wraith regarda un éclair déchirer le ciel, reliant les nuages entre eux comme un jeu où il fallait relier les points.) Mais j'apprécie quand même.

—Je suis sincère. Je t'ai souvent sous-estimé, et je découvre en toi une chose que je n'avais encore jamais remarquée. (Eidolon leur épargna un plus long moment d'embarras en lui flanquant un coup de poing dans l'épaule.) Botte-lui le cul, frangin.

Et il emboîta le pas à Tayla.

Wraith les regarda s'éloigner, prit une profonde inspiration et se remit en route. Heureusement qu'il avait les épaules larges… parce que porter le poids du monde, cela craignait.

Serena respira à fond quand Shade lui lâcha le poignet. Elle s'était évanouie juste après le départ de Josh, mais l'incube avait fait son truc avec son bras, truc qui l'aidait à se sentir mieux. Puis il était allé se poster près de la porte, tel un garde du corps, son regard rusé à qui rien n'échappait passant de Val à David. Les deux Aegis s'étaient installés dans des fauteuils de part et d'autre du lit.

—Tu sais, dit Val en prenant la main de la jeune femme. Je préférerais vraiment te ramener à la maison, où tu serais plus à l'aise.

Elle secoua la tête.

—Je ne sais pas si je pourrais prendre l'avion.

Elle n'irait nulle part avant d'être certaine que l'amulette était de nouveau en leur possession.

Et que Josh avait survécu.

Serena n'était toujours pas très sûre de ce qu'elle ressentait pour lui, parce que sa trahison l'avait anéantie… Mais elle comprenait pourquoi il avait voulu la séduire, et combien cela avait dû être difficile pour lui d'y renoncer, sachant que cela condamnerait aussi ses frères.

Elle se contorsionna pour s'asseoir, et Val tapota les oreillers dans son dos.

—Shade ?

Il la regarda.

—Josh… Wraith… m'a dit qu'Eidolon et vous étiez mourants. Mais vous n'aviez pas été empoisonnés, n'est-ce pas ?

Il secoua la tête.

—C'est une longue histoire. Il n'en savait rien, jusqu'à ce qu'il appelle, après l'attaque à Philae. Il avait décidé de ne plus vous séduire. C'est à ce moment que nous lui avons annoncé que nous allions y passer aussi.

Seigneur, il avait révisé ses plans encore plus tôt qu'elle ne l'avait imaginé.

—Quelle différence ça fait ? demanda David. C'est juste un démon.

—Il m'a sauvée de Byzamoth.

—Pour t'avoir toute à lui, pauvre idiote ! Tu as vraiment cru ce… cette créature ?

—David ! (Val serra la main de Serena presque douloureusement, mais il ne sembla pas s'en rendre compte.) Ça suffit.

L'expression de David se fit honteuse.

Serena se mit à tousser… et ne put s'arrêter. Shade se précipita aussitôt à son chevet, la main autour du poignet de la jeune femme, les doigts sur son pouls. Son tatouage luisit. En quelques secondes, ses poumons furent de nouveau dégagés et s'ouvrirent, et elle put mieux respirer. Josh lui avait dit que son frère était urgentiste, et sans doute en était-il un bon. Il était attentif, efficace, et il possédait une confiance en lui presque arrogante… et totalement justifiée. Il savait ce qu'il faisait, et il le faisait bien. Elle aurait parié qu'il mettait la même ardeur dans tout.

—Vous avez… une compagne, n'est-ce pas? demanda-t-elle, et il battit des cils que n'importe quelle femme lui aurait enviés.

—Oui.

—Elle savait que vous étiez un démon quand vous vous êtes rencontrés?

Il grogna.

—Pas avant de m'avoir trouvé au lit avec une trillah et une vampire.

Elle en resta bouche bée.

—Et elle a quand même voulu de vous?

—Elle a surtout voulu me tuer. Écoutez, ajouta-t-il avec un sourire séducteur qui lui rappela Josh, je vous raconterai mon histoire sordide quand Wraith aura vaincu Byzamoth, d'accord?

Elle savait que Wraith risquait de mourir au combat, mais elle appréciait les efforts de Shade pour la rassurer. Il retourna se poster près de la porte, et Serena tapota la main de Val pour attirer son attention. Le regard de l'Aegi s'était perdu par la fenêtre, où pointait l'aube, et il était… ailleurs.

—Val?

Sa voix se brisa tandis qu'elle prononçait cette seule syllabe, et elle fut surprise que dire son nom lui demande tant d'effort.

—Qu'est-ce qu'il y a?

Elle sentit la nervosité la gagner.

—Qui savait, pour mon voyage en Égypte?

David répondit le premier.

—Tout le Sigil.

—Mais qui en connaissait tous les détails? Où je séjournais, où je devais me rendre et à quel moment… les trucs comme ça.

Son mentor plissa les yeux.

— Pourquoi ?

Elle posa les mains à plat sur le matelas pour les empêcher de trembler. Et si Josh avait vu juste au sujet de Val ?

— Parce que Byzamoth me précédait toujours d'un pas. Il avait connaissance de choses qu'il n'aurait pas dû savoir.

David se raidit.

— Qu'est-ce que tu racontes ? Comment oses-tu accuser mon père de t'avoir trahie ?

— Je n'accuse Val de rien du tout. Mais quelqu'un servait d'informateur à l'ange déchu et essayait de me faire tuer. Sinon, comment Byzamoth aurait-il su que je devais me rendre chez le Régent ? Et surtout, comment aurait-il pu deviner quel train j'allais prendre au départ d'Assouan ? Josh avait fait les réservations.

— La voilà ta réponse, rétorqua David. Et appelons-le par son vrai nom, d'accord ? Il a usurpé l'identité de Josh comme il a à peu près tout volé dans cette histoire.

Elle coula un regard en direction de Shade, qui observait la scène en silence, mais à voir ses mâchoires ciselées, elle aurait juré qu'il serrait les dents.

— Ça ne pouvait pas être lui, insista Serena.

Josh n'aurait jamais informé son rival.

David lâcha un son écœuré.

— Apparemment, ça t'est plus facile de nous accuser que de penser que ton amant démon ait pu te trahir. Et peu importe qu'il n'ait cessé de te mentir depuis le début.

— Tu te sens un peu coupable, humain ? Parce qu'elle n'a accusé personne. (Shade regarda Serena et haussa les épaules.) Elle n'a fait qu'énoncer des faits.

Ce en quoi il avait parfaitement raison.

— Val, dis-moi. Qui savait, pour la maison du Régent et le train ?

Val se tut, mais elle devina la réponse. Lui-même…
ainsi que David.

Ce dernier bondit sur ses pieds avec tellement de
précipitation qu'il renversa sa chaise.

—Je ne vais pas rester assis à écouter ces conneries.
Viens, papa. Nous en avons assez entendu.

Shade bloqua la porte.

—Tu n'es pas obligé de rester assis, mais tu vas rester ici.

—Je suis entraîné à tuer les tiens.

Shade fit craquer ses articulations.

Faisant preuve de sagesse, David recula, mais sa fierté
blessée n'avait pas arrangé son humeur.

—C'est ta faute, Serena. (Il s'avança vers le lit et la cloua
sur place d'un regard haineux.) La tienne et celle de ta putain
de mère.

—Assez! cria Val en se levant à son tour. Tu dépasses
les bornes.

—Vraiment, papa? Vraiment? Parce que tu crois que ta
liaison avec Patricia ne dépassait pas les bornes?

Serena en resta bouche bée. Val ferma la sienne avec un
claquement sec. Un silence pesant s'installa dans la chambre,
jusqu'à ce que Shade dise sur un ton ironique:

—Les choses deviennent enfin intéressantes.

—Raconte à Serena, gronda David. Vas-y. Dis-lui
comment tu as trompé maman pendant des années. Que
chaque fois que Patricia claquait des doigts, tu partais
la rejoindre en courant, nous laissant seuls elle et moi.
Comment, quand elle a voulu être enceinte, tu t'es empressé
de te branler dans un flacon.

Serena sentit ses poumons se vider, la laissant prise
de vertige.

—C'est vrai? demanda-t-elle.

Val écarta les mains dans un geste suppliant.

—Je ne pouvais pas te le dire. J'ignorais même que David était au courant.

—Tu me croyais donc si stupide ? cracha ce dernier. Tu as pensé que maman ne comprendrait pas la première fois où elle a vu Serena ? Elle était ton portrait craché ! (Sa voix tremblait de rage.) Tu as dû être tellement soulagé quand Patricia a transmis sa bénédiction à Serena. Tu as pu avoir le meilleur des deux mondes. Ta précieuse petite fille était sauvée, et tu pouvais enfin baiser sa mère…

Val flanqua un tel coup de poing à son fils qu'il l'envoya percuter le mur. David encaissa le choc et se servit de l'élan pour se jeter sur son père, mais Shade s'était déjà interposé entre eux, attrapant le plus jeune des Aegis par sa chemise et le tenant facilement à distance.

—Je me fiche pas mal que vous vous entre-tuiez. Mais allez faire ça dehors. Wraith me fera la peau si la femelle est prise entre deux feux.

—Elle devrait déjà être morte ! cracha David.

Et Serena en resta hébétée.

—Oh, mon Dieu, murmura Val. C'est toi. Tu l'as dénoncée à Byzamoth.

—Et alors ? Maman est morte à cause d'elle. Si tu n'avais pas aimé Patricia et Serena plus que nous…

Il se dégagea de la poigne de Shade et tituba jusqu'à un coin de la pièce, où il posa le front contre le mur.

—Maman ne supportait plus que tu la trompes. Toutes ces années, elle l'a accepté, mais quand Patricia est tombée de nouveau enceinte, ça a été la goutte d'eau qui a fait déborder le vase. Tu l'as poussée à se suicider, papa, aussi sûrement que si tu l'avais forcée à avaler ces pilules.

C'était la vérité, et l'accusation accentua les cernes sous les yeux de Val. Il déglutit avec peine.

— Je n'ai jamais voulu que tout ça arrive. J'aimais ta mère. Je t'aime.

Essuyant sa bouche ensanglantée du revers de la main, David se tourna vers lui.

— Mais tu aimais Patricia et Serena plus que nous.

Cette dernière se mit à trembler de fureur. Si elle n'avait pas été si faible, elle aurait frappé David elle-même.

— Tu as mis le monde entier en danger, trahi la race humaine, juste pour te venger ?

Il recula comme si elle lui avait donné un coup.

— Je ne savais pas que Byzamoth était un démon. (Des larmes noyaient son regard, et il les essuya en se tournant vers son père.) Je te le jure, je l'ignorais. Et je ne savais pas non plus que Serena mourrait, pas avant que tu commences à paniquer parce que quelqu'un la pourchassait. Je voulais juste le collier. Je voulais être spécial.

Val secouait la tête comme s'il essayait de s'éclaircir les idées, et Serena sut ce qu'il ressentait, parce qu'elle était perdue elle-même.

— Comment tu as rencontré Byzamoth ?

— Il est venu au manoir après avoir découvert l'identité de Serena. Il a prétendu être un mage. Je crois qu'il comptait lui voler sa bénédiction. Mais tu l'avais déjà envoyée en Égypte. J'étais furieux…

— Parce que tu voulais y aller à sa place, interrompit Val.

David lui adressa un hochement de tête irrité.

— Byzamoth a passé un marché avec moi. Il prendrait la protection et me donnerait Heofon.

— Et tu l'as cru ? haleta Serena, abasourdie par tant de stupidité.

— Il semblait se ficher du pendentif. Je me suis dit qu'il ne voulait que le reste. Puis il s'est intéressé aux artefacts et a décidé de t'utiliser pour mettre la main dessus.

—Il était donc sur la piste de la tablette et de la pièce.

Val éclata d'un rire amer.

—Bien sûr. Une fois que David a craché le morceau, Byzamoth a compris que fermer les Portes des Tourments contrecarrerait sérieusement ses plans. La porte entre le Paradis et l'Enfer aurait toujours pu être ouverte grâce à Heofon, mais les démons n'auraient pas été en mesure de rejoindre la surface de la Terre pour faire la guerre aux humains. Du moins pas avant d'avoir détruit le Paradis.

Il émit un son dégoûté en approchant de son fils.

—Imbécile. Tu te rends compte que même si tu avais récupéré le collier, tu n'aurais pas été autorisé à le garder ?

David releva le menton avec défi.

—Celui qui possède Heofon est protégé…

—Si les anges jugent que cette personne en est digne ! rugit Val. Et tu ne l'es pas !

—À tes yeux, je ne l'ai jamais été.

David partit d'un grand pas vers la porte, et sur un hochement de tête de Val, Shade s'écarta… mais pas avant d'avoir murmuré quelques mots à l'oreille de l'Aegi, dont les jambes se dérobèrent sous lui. Quand il réussit à se reprendre, il s'empressa de leur fausser compagnie.

Val s'assit lourdement dans son fauteuil sans réussir à regarder Serena.

—Je ne sais pas comment t'expliquer, commença-t-il, alors pose-moi toutes les questions que tu veux.

Bien trop sous le choc pour parler, Serena se contenta de l'observer en silence. Ce fut Shade qui rompit la glace.

—C'est encore mieux qu'un soap. Non pas que j'en regarde beaucoup. (Il s'adossa de nouveau au jambage.) Alors, Aegi… pourquoi n'as-tu jamais dit à Serena que tu avais secoué toi-même le milk-shake dont elle est issue ?

Oui, elle aurait bien aimé connaître la réponse à cette question très imagée. Val enfouit son visage dans ses mains, et elle dut tendre l'oreille pour l'entendre.

— Comment aurais-je pu alors que je n'arrivais même pas à en parler à ma propre famille ? Je pensais qu'ils l'ignoraient. Et après la mort de Patricia, je n'avais plus aucune raison de le faire. Je savais que tu serais en sécurité avec les nonnes. (Il releva la tête ; il avait les yeux injectés de sang.) J'ai été lâche. Et à cause de ça, mon fils me hait. Il hait sa propre sœur. Je suis désolé. Tellement désolé.

— Qu'est-ce qui va arriver à David ? demanda Shade, son ton indiquant qu'il prendrait les choses en main si la réponse ne le satisfaisait pas.

Val prit une inspiration saccadée qui se termina en sanglot.

— Ce sera du ressort de l'Aegis. (Il se leva.) Je vais revenir.

Shade attendit que Val soit sorti, puis il marmonna :

— Parfois, la famille, ça craint.

Seigneur, comme il avait raison !

— En parlant de famille… Je crois que vous devez savoir pourquoi Wraith n'est pas encore allé voir vos fils. (Il ouvrit la bouche, mais elle l'interrompit.) Il a peur, Shade. Il a peur de s'éparpiller, parce que chaque petit bout qu'il pourrait donner risque de disparaître quand la personne lui tournera le dos. Il a l'impression qu'il vous a perdus, Eidolon et vous, en faveur de vos compagnes et enfants, et vous étiez tout pour lui.

— De quoi je me mêle ? demanda-t-il d'un ton grognon. Après ce que Wraith vous a fait, vous devriez le haïr.

— Mais je l'aime aussi, et je ne peux pas m'en empêcher.

Elle soupira et se renfonça dans les oreillers, les derniers événements sapant le peu d'énergie qui lui restait.

Shade traversa la pièce pour s'asseoir sur le lit. Il lui prit gentiment le poignet, et ses tatouages… – non, son *dermoire*, avait-il confié plus tôt… – se mit à luire. Une sensation plaisante courut dans les veines de Serena.

— Les humains sont vraiment de drôles de créatures, marmonna-t-il. Alors que tu penses que ce sont tous des cons, tu en rencontres un qui te prouve le contraire.

Elle lui adressa un sourire las.

— Je crois bien que c'était un compliment. De la part d'un démon. Quelle ironie.

— Ouais, alors que tu pensais que nous étions tous des cons…

…il en vient un dont tu tombes amoureuse.

CHAPITRE 28

C ette bénédiction était vraiment cool.

Wraith et Reaver approchèrent du Dôme du Rocher sans problème, presque sans se frotter aux démons qui grouillaient autour d'eux. Wraith aurait pu se transformer en une espèce moins visible, mais cela n'aurait pas été drôle.

Non, il traversa les hordes comme une lance pénètre la chair, son long manteau en cuir battant autour de ses chevilles, les cliquetis réconfortants de ses armes tintant à ses oreilles. Comme c'était gentil de la part de ses frères d'avoir pensé à apporter sa tenue de combat.

Plusieurs démons essayèrent de l'attaquer – pas parce qu'ils les voyaient, Reaver et lui, comme des ennemis, mais parce que les démons en général sont des brutes –, mais pas un n'y arriva. Ils trébuchaient, frappaient un de leurs camarades ou le manquaient... Oui, cette bénédiction était vraiment très cool.

Reaver l'arrêta en haut des marches, sous la colonnade qui courait autour de la mosquée au dôme doré.

— Si les choses tournent mal, tu sais ce que tu dois faire.

Reaver lui avait expliqué que seul un ange pouvait tuer un de ses semblables... à une exception près. Si un individu vidait un ange de son sang, il héritait momentanément de sa capacité à en détruire un autre. Mais nul ne pouvait faire cela à moins que ledit ange se porte volontaire.

Wraith espérait qu'ils n'en arriveraient pas là, car il aimait bien Reaver.

—Oui, aucun souci, répondit Wraith, qui se remit en marche.

Mais Reaver l'arrêta de nouveau.

—Dieux, quoi encore?

—Kynan. Tu remettras l'amulette à Kynan, et à personne d'autre au sein de l'Aegis. Compris?

—Non.

Reaver lâcha un soupir exaspéré.

—Le destin est en marche, dit-il, montrant de la main l'armée qui les entourait. J'ignore comment tout ça va finir : la bataille a été prophétisée, mais pas son issue. Le destin de Ky est lié aux événements en cours.

Wraith leva les yeux au ciel. S'il y avait bien un truc qu'il détestait encore plus que les foutues énigmes, c'était les putains de prophéties.

—Peu importe. Allons botter le cul affreux, et je dis bien affreux, de Byzamoth.

Ils pénétrèrent dans le Dôme du Rocher, écartant sans aucun mal les gardes ramreels. Ils n'avaient pas à s'inquiéter que les sbires de Byzamoth les suivent. Peu de démons oseraient mettre les pieds dans un édifice aussi sacré. Ils craignaient Dieu bien plus que n'importe quel ange déchu.

Même Wraith se sentit nerveux une fois à l'intérieur de la mosquée, où des mosaïques de verre et de céramique rappelaient des versets du Coran et des descriptions religieuses. Byzamoth se tenait au milieu, près du Rocher de la Fondation, le regard levé vers le plafond, un sourire mauvais et extatique aux lèvres.

Dehors, les combats éclatèrent. Wraith était entré, et c'était le signal qu'attendaient les Aegis et les militaires pour lancer leur attaque.

— Byzamoth, dit Reaver en venant se placer près de Wraith.

Sa peau émettait une lumière blanche bizarre.

Byzamoth ouvrit vivement les yeux.

— Reaver ? (Son regard glissa jusqu'à Wraith.) Toi ! Tu n'es pas mort.

— Non, tout ça n'est qu'une illusion. (Wraith s'avança vers lui.) C'est une putain de façon de retourner au Paradis, alors qu'il t'aurait suffi de marcher au soleil de midi.

— Imbécile ! Ça ne fonctionne que si un ange n'a jamais mis les pieds à Sheoul.

— Au temps pour moi. Je suis un peu rouillé en matière de règles pour les créatures dans ton genre. Je suppose qu'il n'existe pas de manuel intitulé *Anges déchus pour les nuls* ? (Wraith étudia ses ongles.) Tu veux savoir de quoi je suis sûr ? Si tu meurs, c'est pour de bon. Pouf ! Pas de rédemption, ni de réincarnation, rien. Adieu.

Il lança un shuriken si vite que Byzamoth n'eut aucune chance de le parer. Le projectile l'atteignit à l'épaule, déchirant la chair et les muscles, avant de se ficher dans une colonne.

Byzamoth glapit de douleur, mais il récupéra en un instant.

— Tu croyais que ce serait aussi simple ?

Il se jeta sur Wraith, ses pieds ne touchant même pas le sol.

Reaver le rencontra à mi-chemin, et ils se percutèrent comme deux taureaux. Des éclairs de lumière et des trous noirs tourbillonnèrent autour d'eux, les enveloppant dans un cône surnaturel tandis qu'ils se battaient. Wraith lança une dague dans la mêlée, visant le cou de Byzamoth, mais l'arme fut prise dans la minitornade et rejetée sur le côté.

Les deux anges saignaient, teintant de rouge le vortex. Quand celui-ci explosa, Reaver vola dans les airs, atterrit sur le sol et glissa, laissant dans son sillage une traînée écarlate.

Wraith attaqua Byzamoth, lui flanquant plusieurs coups de poing en pleine figure. Il eut la satisfaction de l'entendre grogner quand il lui balança son genou dans les couilles. Mais une boule d'énergie l'envoya heurter la barrière qui entourait le Rocher de la Fondation.

Des bruits humides de chair qui se déchire se firent entendre quand Byzamoth prit sa forme grotesque de gargouille. Il leva son aile unique au-dessus de sa tête et en abattit le bout griffu sur la tête de Wraith.

La douleur explosa dans le crâne du seminus quand les serres de l'ange déchu se refermèrent dessus. Le sang ruissela sur son visage, et Wraith sentit la rage l'envahir. Grondant, il se laissa tomber à genoux, s'arrachant à la prise de Byzamoth. Il roula sur lui-même et esquiva le pied qui voulait lui pulvériser la hanche.

Wraith pivota sur une main, lançant les jambes pour délivrer ses propres coups dévastateurs. Il atteignit le monstre au genou, mais même si Byzamoth lâcha un râle, il conserva son équilibre. Se relevant tant bien que mal, Wraith essuya le sang qui lui coulait dans les yeux. Dans le lointain, les armes claquaient, la chair frappait la chair, démons et humains hurlaient dans leur agonie.

—Quelle magnifique musique, tu ne trouves pas ?

Byzamoth marchait de biais, restant entre Wraith et le Rocher de la Fondation. Un éclair déchira le ciel et le tonnerre fit trembler le sol. À l'extérieur du dôme, un orage maléfique formait des tourbillons noirs et déversait une pluie rouge. D'une percée minuscule dans les Cieux descendit un rai de lumière dorée, mais l'instant suivant, les nuages menaçants l'avaient englouti.

Byzamoth ouvrit le poing pour révéler l'amulette de Serena et une fiole de sang. Celui de Wraith.

—Le soleil a dardé son dernier rayon sur le monde. Il est l'heure. Reconsidère ta position, incube. Joins-toi à moi, et tu en retireras des récompenses inimaginables.

—Aussi tentant que ça puisse paraître de devenir ta putain, dit Wraith sur un ton dégoulinant de dérision, il va me falloir décliner ton offre.

Il se jeta sur l'ange. Byzamoth le frappa à l'épaule avec son aile, l'envoyant valser, mais Wraith réussit à rester debout. Ils se battirent comme des démons, Wraith ayant le dessus chaque fois qu'ils se séparaient.

Mais l'incube perdait beaucoup de sang, l'une de ses jambes était cassée et au bout d'un moment il devait faire bien plus d'efforts pour respirer qu'il ne l'aurait voulu.

De son côté, Byzamoth donnait l'impression d'être en pleine forme.

—Je ne peux pas être tué, sale démon.

—Tu portes des jugements plutôt catégoriques, répondit Wraith, qui haletait, puisque tu es toi-même un démon.

Le rire maléfique de Byzamoth résonna à l'intérieur de l'édifice sacré, dont les murs semblèrent avoir un mouvement de recul.

—Je vaux mieux qu'une merde de démon.

—Quelle arrogance de la part d'un ange déchu.

—Je suis fatigué de ton humour puéril.

Byzamoth retira le bouchon de la fiole et pivota vers le Rocher de la Fondation.

—Non! hurla Wraith, frappant Byzamoth dans le dos et le propulsant vers une colonne de soutènement.

Du sang s'échappa du récipient et éclaboussa la pierre.

Dehors, l'orage se calma. À l'intérieur, il éclata.

Sur la pierre, le liquide entra en ébullition, et il en monta une fumée noire. Byzamoth lutta pour l'atteindre, donnant des coups de pied à Wraith, qui s'accrochait à sa cheville. L'ange déchu tendait l'amulette devant lui, essayant de réunir les deux ingrédients du rituel.

—Maudit sois-tu !

Byzamoth lui assena un coup de poing sur le crâne avec la force d'un marteau frappant un clou. Wraith s'écroula ; ses jambes ne répondaient plus. Le monstre s'approcha du rocher.

—Wraith…

Reaver, qui avait rampé jusqu'à lui, referma la main sur sa jambe. Le corps de l'ange n'était plus qu'une masse d'os brisés.

—Saigne-moi.

Wraith s'essuya les yeux. Nom de Dieu ! Si Reaver mourait ainsi, son âme souffrirait des tourments éternels.

—Laisse-moi essayer…

—Nous n'avons plus le temps ! grinça Reaver. Tu dois trancher la gorge à Byzamoth… et remplir la blessure de ton propre sang après avoir bu le mien. Vite !

Byzamoth tenait le pendentif dans la fumée qui montait de la pierre, et la mosquée avait commencé à trembler. Reaver avait exposé sa gorge. Il ne restait rien à ajouter. Rien du tout.

Wraith planta ses crocs dans la jugulaire de l'ange. Le sang lui fit l'effet d'une décharge électrique lorsqu'il toucha sa langue et commença à couler dans sa gorge.

—Non !

Byzamoth se rua sur Reaver, l'attrapa par le bras et le jeta dehors comme un Frisbee.

—Traînez-le dans les profondeurs de Sheoul ! hurla-t-il, et une horde de farfadets apparut de nulle part pour emmener Reaver.

Grondant, Byzamoth se tourna vers Wraith et lui planta un pied botté sur la poitrine. Puis l'incube vola dans les airs et percuta le mur d'en face avec un craquement de côtes brisées.

Sa vision se troubla. Byzamoth repartit en direction du rocher. D'une main tremblante, Wraith tâtonna dans son harnais à la recherche d'une arme... n'importe laquelle. Dehors, le bruit de la bataille était un rugissement constant, métal contre métal, métal contre chair. Et il se rapprochait.

Soudain, Kynan s'accroupit près de Wraith.

— J'ai besoin de Reaver, haleta le démon. Son sang.

— Prends le mien.

Wraith secoua la tête, essayant de donner un sens aux paroles de Kynan.

— Je n'ai pas faim.

— Je sais. Tu dois saigner un ange. Et j'en ai un dans mes ancêtres. Ce ne sera pas tout à fait pareil, mais nous sommes en train de perdre, Wraith. D'une manière ou d'une autre, je vais mourir.

— Non. (Wraith s'empara d'un shuriken.) Je n'ai pas encore dit mon dernier m...

— Wraith ! (La voix de Kynan était basse, mais son ton impatient quand il lui agrippa les épaules pour le secouer.) Sois maudit, vampire. Si tu veux revoir Serena, tu dois le faire.

Byzamoth tourna la tête vers eux, mais Kynan, un simple humain, ne lui apparut pas comme une menace.

— Te nourrir ne va pas t'aider, imbécile.

Il reporta son attention sur le Rocher de la Fondation, qui se perdait peu à peu dans un trou noir se tendant vers la coupole. Le phénomène grossit et s'élargit, engloutissant le plafond.

Kynan inclina la tête sur le côté.

— Vas-y. (Il déglutit et croisa le regard de Wraith.) Dis à Gem... peu importe.

—Putain, souffla Wraith.

—Fais-le.

Fermant les yeux, Wraith se jeta sur la gorge de Kynan. L'humain se raidit, mais au bout de quelques instants, il s'affaissa dans les bras du seminus.

Wraith but jusqu'à ce que le cœur de Kynan accélère pour compenser, puis il pompa plus fort, et les veines de l'humain s'effondrèrent sur elles-mêmes et son pouls vacilla. Oh merde, il… il était en train de tuer son ami.

Mon ami.

Il n'en avait jamais eu avant, et le seul et unique qu'il s'était fait était en train de mourir par sa faute.

Kynan cessa de respirer.

Le pouvoir coulait dans le corps de Wraith, et aussi la douleur, comme si ses muscles se détachaient de ses os. Il allongea doucement Kynan sur le sol et laissa la rage qu'il ressentait lui donner des ailes. Il était furieux, parce que le véritable responsable, c'était Byzamoth.

Le démon allait payer de sa vie.

Ivre de vengeance, Wraith se jeta sur Byzamoth. Ils roulèrent ensemble dans un corps à corps vicieux… le genre de combat dans lequel le seminus excellait. Il ne pouvait pas perdre. La mort de Kynan n'aurait pas été vaine.

Byzamoth le frappa avec son aile, et Wraith tomba à genoux. L'ange déchu vint s'accroupir près de lui et lui enroula sa main griffue autour de la gorge.

—Je n'ai pas de temps à perdre avec ces conneries.

Il regarda vers l'horizon, où les nuages essayaient d'empêcher le soleil de se lever.

Wraith ouvrit la bouche, mais rien n'en sortit. Même pas un souffle.

—Je sais qui tu es. Un démon né d'une vampire. (Byzamoth lécha la coupure qu'il lui avait faite sur la joue.) J'ai rencontré ta mère à Sheoul-gra.

Sheoul-gra... l'endroit où les démons séjournaient en attendant de renaître. Mais d'après la légende, les humains mauvais, les vampires, les garous et les métamorphes n'avaient pas droit à une seconde chance.

—Tu te demandes pourquoi elle est là-bas au lieu de subir les tourments éternels à Sheoul ? (Byzamoth enfonça son ongle dans la plaie, et Wraith serra les dents.) C'est une esclave. Elle sert les démons qui attendent d'être réincarnés. Tous ces supplices qu'ils lui infligent...

Wraith pouvait imaginer. En fait, il n'en avait même pas besoin.

—Elle a un message pour toi, son cher petit garçon. (Byzamoth lui flanqua un coup de poing dans le ventre, et la douleur s'accompagna d'un bruit de déchirure humide.) Elle est impatiente de te revoir. Et à côté de ce qu'elle te réserve, ce qu'elle t'a fait étant gosse n'était, eh bien, que des jeux d'enfants.

Un frisson parcourut Wraith, même s'il essaya de le réprimer de toutes ses forces. Même après toutes ces années, elle restait son pire cauchemar.

Non. Elle ne gagnerait pas, et il n'était pas question qu'il la revoie de sitôt. Parce qu'elle n'avait plus aucun contrôle sur ses peurs. Pas quand la plus grande d'entre elles, c'était de perdre Serena. Il devait aller retrouver la jeune femme. Mais la main de Byzamoth était enfoncée dans son corps et se frayait un chemin vers son cœur.

—Maintenant, je vais t'envoyer à ta maman chérie.

Wraith fouilla sa poche à la recherche d'une arme. Il effleura une lame du bout de ses doigts gluants de sang, mais ne réussit pas à la saisir... Soudain, il referma son poing sur la toupie en bois à l'instant où Byzamoth trouvait son cœur.

L'ange déchu serra. Faiblement, Wraith le frappa à l'œil avec le bout pointu du jouet. Byzamoth recula vivement. Enfin libre, Wraith enfonça une dague dans les tripes de son adversaire. La lame pénétra profondément, et l'ange déchu s'écroula.

—Mère va devoir se montrer patiente, haleta Wraith.

Poussant un grondement, il trancha la gorge de Byzamoth, dont le cou s'ouvrit en deux jusqu'à la colonne vertébrale. Son sang coula, telle une rivière, mais le site sacré était prêt. De la fumée s'éleva, et la souillure fut réduite en cendres. Sans tarder, Wraith se coupa le poignet et laissa son propre sang goutter sur la plaie béante.

Instantanément, Byzamoth partit en fumée.

C'est tout ?

Il aurait cru que la mort d'un ange serait plus spectaculaire.

Dehors, les démons hurlèrent quand ils commencèrent à s'enflammer à leur tour. Wraith baissa les yeux pour s'assurer qu'il ne subissait pas le même sort. Jusque-là, tout allait bien. À l'exception de la plaie de la taille d'un poing dans son ventre.

Wraith ramassa l'amulette tombée par terre quand Byzamoth s'était évaporé et sortit en titubant du Dôme du Rocher. Dans le lointain, Eidolon passait d'un humain à l'autre pour les guérir quand il le pouvait. Non loin de là, Tayla aboyait ses ordres aux Gardiens les moins grièvement blessés. Luc jouait les infirmiers et semblait avoir passé un sale quart d'heure, mais il était en un seul morceau. Près de la Porte des Tourments, Reaver était attaché, jambes et bras en croix.

Wraith souleva le corps de Kynan dans ses bras et, boitant, il descendit les marches rendues glissantes par les restes de démons carbonisés et le sang versé par les humains. À son approche, Eidolon leva les yeux de son patient, un homme portant une sorte d'uniforme espagnol. Son visage s'assombrit en voyant Kynan.

—Est-ce qu'il…

—Oui.

Pourtant, son *dermoire* s'éclaira quand Eidolon posa la main sur la poitrine de l'Aegi.

—Merde.

Wraith désigna Reaver de la tête pendant que son frère lui insufflait une vague d'énergie guérisseuse.

—Il faut s'occuper de l'ange. Je retourne auprès de Serena. (Il baissa les yeux sur Kynan.) Et de Gem.

Lore avait envie de pisser. Il ignorait depuis combien de temps il était assis dans le couloir de la maison aegie, mais il avait besoin de se dégourdir les jambes et d'aller aux toilettes. Pourquoi diable ses frères l'avaient-ils amené là au lieu de le laisser à l'hôpital ? Cela dépassait son entendement !

Être enchaîné là-bas ou ici, c'était pareil, non ? Et sans doute moins dangereux pour sa santé, parce que les Gardiens le regardaient comme s'ils auraient bien aimé le traîner dehors pour s'en servir comme cible de tir.

La porte en face de lui s'ouvrit, et Shade sortit de la chambre.

—Très bien, dit-il en venant se camper devant Lore. Qu'est-ce que tu as à nous raconter ? Nous n'avons pas encore eu le temps de discuter.

—Dommage, parce que tu sembles être un chic type, ironisa Lore.

Shade lui flanqua une chiquenaude en plein front.

—Dit le gars qui a essayé de tuer ses propres frères.

— Ouais, à ce sujet… (Lore baissa les yeux sur son bras, puis regarda celui de Shade, qui arborait des marques en tous points identiques.) Je sais que tes frères et toi êtes des incubes. Je suppose que j'en suis un aussi ?

— Qu'est-ce que tu croyais être ?

— Mec, je ne savais même pas que j'étais un démon avant mes vingt ans.

Shade le dévisagea comme s'il était le dernier des cons.

— Le fait que tu sois né avec un *dermoire*, ça ne t'a pas mis la puce à l'oreille ?

— *Dermoire* ? C'est comme ça que ça s'appelle ? (Quand Shade acquiesça, Lore secoua la tête.) Je ne suis pas né avec. Il est apparu au cours de ma vingtième année.

Il se souvint de l'enfer qu'il avait traversé juste avant que les tatouages apparaissent, le désir fou, le besoin incessant d'avoir des rapports sexuels, alors qu'avant c'est à peine s'il lui arrivait d'avoir une érection.

— C'est vrai ? (Shade fronça les sourcils.) De quelle espèce était ta mère ?

— Humaine.

— Eh bien, c'est l'une des pièces du puzzle. Tu es un *cambion*. Un demi-démon. C'est pour ça que nous ne pouvions pas te sentir.

Il tourna la tête vers les deux Aegis qui les espionnaient sans même se cacher. Il leur fit un doigt d'honneur, puis se focalisa de nouveau sur Lore.

— Ta mère t'a appelé Lore ?

— Loren, marmonna-t-il.

Shade lui adressa un regard compatissant. Parce qu'il croyait peut-être que Shade, c'était un prénom génial ?

— Quand est-ce que tu es né ?

— Dix-huit cent quatre-vingts.

—Alors, tu étais l'un des premiers rejetons de notre père. Cet idiot ne devait pas savoir qu'il valait mieux éviter d'engrosser une humaine, ou bien il était déjà complètement fou.

—Tu sais, j'ai du mal à sentir l'amour fraternel, là.

Lore remua et tressaillit ; il avait des fourmis dans une jambe, qui s'était engourdie.

—Notre père adorait baiser tout ce qu'il n'aurait pas dû toucher.

Lore ignorait ce qu'il voulait dire par là, mais le ton de Shade n'encourageait pas les questions. Et puis, il avait bien d'autres soucis que les partenaires sexuelles de son paternel. D'autant qu'il n'avait pas assez d'expérience pour le juger.

—Où il est ?

—Mort. (Shade montra du doigt le *dermoire* de Lore.) Ton don, c'est quoi ?

—Mon don ? (Il éclata de rire.) C'est comme ça que vous appelez ça ? Toi aussi tu peux tuer quelqu'un rien qu'en le touchant ?

Shade haussa un sourcil.

—Je peux donner la mort, mais je dois le vouloir, le faire consciemment. Mon don a pour but premier de déclencher l'ovulation chez une femelle.

Puisque Shade était un incube, c'était logique.

—Tous les démons seminus peuvent faire la même chose ?

—Wraith pénètre les pensées d'une femelle et la rend réceptive à un rapport sexuel. Eidolon a le pouvoir de s'assurer qu'un ovule sera fécondé. Toi, tu tues tout ce que tu touches ?

—Oui, sauf qu'Eidolon n'a pas été affecté.

—Sans doute le lien du sang… ou bien E a activé son don en même temps et ils se sont annulés l'un l'autre.

Ce devait être le lien du sang, car Lore n'avait jamais fait de mal à sa sœur non plus.

—Pourquoi est-ce que mon don est foireux ?

—Probablement parce que tu es un *cambion*. Nous ne sommes pas censés nous reproduire avec les humaines. Les bébés naissent avec des tas de problèmes. Comme toi.

—Il y a autre chose que je devrais savoir ? Tu sais, sur ce qui pourrait aller de travers ?

Shade sembla réfléchir à la question.

—Ah, oui, tu es probablement stérile. Tu sais, comme le rejeton d'un âne et d'une jument, d'une nymphe et d'un lutin du feu…

—J'ai saisi ! interrompit Lore.

Pour une raison étrange, cette nouvelle l'ennuya. Il n'aurait su expliquer pourquoi, cependant, puisqu'il tuait ses partenaires quand il avait un rapport sexuel. Alors, envisager d'avoir des enfants était idiot.

Shade marmonna entre ses dents qu'il était vraiment soupe au lait.

—Qu'est-ce qui t'a fait croire que nous tuer, Eidolon et moi, était une grande idée ?

—Un type du nom de Roag m'a payé pour ça.

—Et tu ignores qui il était ? (Shade rejeta la tête en arrière et éclata d'un rire sans joie.) Ce foutu fils de pute.

—Je peux savoir ce qu'il y a de drôle ?

—C'était notre frère.

—Vraiment ? Cette ordure complètement pourrie ?

—Ouais. Je suis sûr qu'il le savait depuis le début. Je parie qu'il s'était arrangé pour que tu apprennes la nouvelle en même temps que tu recevrais le paiement.

Un marrant, son taré de frère. Bien sûr, celui en face de lui ne lui paraissait pas être un enfant de chœur non plus.

—Je suis content qu'il soit mort.

—Eh bien, il ne l'est pas vraiment, mais il subit un sort bien pire, crois-moi.

Des bruits se firent entendre, et Shade se releva. Les pas lourds et les cris étouffés n'auguraient rien de bon.

Wraith apparut dans le couloir, portant un corps dans ses bras. C'était le mâle humain, Kynan. Oh, cool.

Les cris de Gem déchirèrent le silence, dissipant son sentiment de satisfaction.

—Non… non… non!

Elle avait tenu compagnie à la malade, et elle se tenait sur le seuil avec une expression mi-incrédule, mi-horrifiée. Elle recula, une main posée sur la bouche, tout en secouant la tête. Lore la vit trébucher et s'effondrer.

Wraith marchait vers la chambre à coucher au bout du couloir. Il avait les yeux fermés, mais sa démarche n'était pas du tout hésitante. Shade lâcha un juron et s'écarta pour le laisser passer. Wraith déposa le cadavre près de Gem.

—Non, Wraith… non!

Elle lui prit la main, le suppliant de faire en sorte que tout cela ne soit qu'un cauchemar.

Shade et Wraith baissèrent la tête jusqu'à ce qu'elle se jette sur Kynan en sanglotant.

Wraith avait l'air de peser une tonne tandis qu'il se dirigeait vers Serena.

Nul ne semblait savoir quoi faire, mais les cris de Gem transperçaient le cœur de Lore. Il aurait dû saisir sa chance, profiter de la situation pour la réconforter. S'il avait tué Kynan lui-même, c'était ce qu'il aurait fait.

Mais la regarder souffrir était déplaisant.

—Shade. (L'intéressé ne répondit pas.) Shade!

—Quoi?

Il se tenait toujours tête basse.

—Libère-moi.

—Va te faire foutre.

—Shade.

Lore déglutit, sachant que c'était de la folie et que cela risquait de ne pas fonctionner parce qu'il ignorait comment l'humain était mort, mais il devait essayer.

—Il est possible que je puisse vous aider.

Il avait parlé à mi-voix, pour ne pas susciter de faux espoirs.

Shade se tourna vers lui, lentement, plissant ses yeux injectés de sang.

—Si c'est une mauvaise blague, sache que je te tuerai, frère ou pas.

Lore hocha brièvement la tête. Shade s'accroupit pour lui retirer ses chaînes.

Shade sur les talons, Lore s'approcha de Kynan et de Gem. Elle était couchée sur son amant, le visage enfoui dans son cou.

Prenant une profonde inspiration, Lore s'accroupit aux pieds de Kynan. Il attrapa l'une de ses chevilles encore tièdes et concentra son «don», le sentant passer de son épaule au bout de ses doigts, faisant luire ses marques. Une vague d'énergie remonta la jambe de l'humain, envahit son ventre, sa poitrine et continua jusqu'à ses extrémités.

Son cœur frémit, une fois. Mais son corps avait été saigné, alors il fallut plusieurs autres précieuses minutes pour stimuler sa moelle, qui se remit à créer du sang pour remplir les veines.

Gem se tourna vers Lore. Elle avait les yeux tellement gonflés qu'ils étaient presque fermés, mais il y lut une rage possessive.

—Ne le touche pas!

Shade s'agenouilla près de la jeune femme et lui murmura quelque chose à l'oreille. Elle hocha la tête et se remit à sangloter.

Là. Un battement de cœur. Une fois. Deux. Le muscle parut hésiter, comme s'il ne savait pas quoi faire ensuite… puis il repartit de plus belle, fort et régulier. La poitrine de Kynan se souleva, et ses lèvres s'ouvrirent sur une inspiration étranglée.

—Kynan ? (Gem se redressa.) Kynan ?

—Ouais, répondit-il d'une voix rauque. Putain. Oui.

Gem poussa un cri de joie et se jeta de nouveau sur lui. Lore se leva et recula. Une main vint se poser sur son épaule. Celle de Shade.

—Merci.

—De rien, répondit Lore. Vraiment.

Putain, il venait de faire une chose vraiment stupide. Lore se frotta la poitrine, au-dessus du cœur, à l'endroit de la brûlure en forme de main. Ces types avaient peut-être la réponse concernant son identité, mais était-ce vraiment important ? Il pouvait prétendre être libre, un agent travaillant en free-lance. Mais la vérité, c'était qu'il était tenu en laisse par un démon qui pouvait le convoquer à tout instant, sans lui donner le temps de se retourner, et toujours pour lui confier les missions les plus viles.

Il sentirait que Lore avait ramené quelqu'un à la vie, et celui-ci serait puni. En plus de l'être pour n'avoir pas rempli son contrat sur les trois frères. S'il était une chose que Detharu ne tolérait pas, c'était qu'un de ses serviteurs lui désobéisse.

Enfin, cela, et de voir sa part du paiement lui passer sous le nez.

Lore allait souffrir.

Heureusement, il aimait cela.

CHAPITRE 29

W raith ne prêta aucune attention aux Gardiens, bouche bée devant l'état de ses vêtements dégoulinants de sang, et sans doute ébahis aussi par le petit morceau de Paradis qu'il tenait dans sa main. Seul Val n'avait pas le regard rivé sur lui. Il était assis dans un fauteuil près du lit de Serena, tête baissée, et lui tapotait la main.

Son soulagement d'avoir vu Lore ramener Kynan à la vie fut tempéré par la vision de Serena allongée sous les draps, mortellement immobile, sa poitrine se soulevant à peine quand elle respirait. Shade lui prit le poignet et canalisa un peu d'énergie en elle.

— Ça va, dit-il à mi-voix. Je la maintiens endormie, parce que ça ralentit…

Il ne termina pas sa phrase.

— Eh bien, démon ? demanda l'Ancien appelé Juan.

— Oui, oui, j'ai récupéré votre précieuse amulette.

Wraith laissa le pendentif glisser entre deux de ses doigts et s'amusa de leur réaction : tous, sauf Val, semblaient sur des charbons ardents, attendant de voir ce qu'il allait faire.

— Tu dois nous le donner, démon.

Cette fois, c'était Regan, un autre membre du Sigil, qui avait parlé.

— À toi, par exemple ?

— Oui. (Elle tendit la main.) L'Aegis est le mieux qualifié pour le garder…

Wraith éclata de rire.

—Vraiment, vous êtes tous si imbus de vous-mêmes. (Il fit un pas en avant.) Je vais donc le confier à Tayla.

—Non! s'écria Juan, qui semblait près d'avoir une attaque. C'est… elle est…

—À moitié démon? suggéra Wraith. Mais c'est une Gardienne, et ne sont-ils pas les plus qualifiés pour le garder?

La respiration sifflante de Serena lui rappela qu'il devait se dépêcher. Se souvenant des paroles de Reaver, il s'agenouilla auprès du seul humain dans la pièce qui, avec Serena, était digne de respirer l'air de la Terre.

Kynan était toujours assis sur le sol, la peau emperlée de sueur. Pour autant que Wraith puisse en juger, Gem le soutenait dans cette position.

Kynan se raidit.

—Wraith, non…

Mais l'incube lui passa la chaîne autour du cou et se releva.

—C'est à toi, mon pote. Le destin de la race humaine est entre tes mains. (Il lui fit un clin d'œil.) Mais je ne te mets pas la pression.

Pendant que les Anciens étaient encore sous le choc, Wraith attrapa Lore par les épaules.

—Toi. Tu peux ramener les morts à la vie?

Le démon le regarda avec calme.

—Parfois.

Wraith le poussa contre le mur.

—Pas de demi-réponse. Je veux savoir si, au cas où il lui arriverait quelque chose… (il montra Serena) tu pourras intervenir.

Le regard de Lore devint froid et terriblement noir.

—Qu'est-ce qui la tue?

—Infection démoniaque.

—Alors, non. Il faut que ce soit une cause naturelle.

Wraith esquissa un geste en direction de Kynan.

—Parce que être saigné à mort par un vampire, c'est une cause naturelle?

—Se vider de son sang, oui. (Lore haussa les épaules.) Le problème de ta femelle est d'origine surnaturelle. Je ne peux rien faire, sinon accélérer le processus.

Entendant cette suggestion énoncée sur un ton neutre, Wraith sentit la rage l'envahir. Mais avant qu'il puisse tailler Lore en pièces, Shade lui passa un bras en travers de la poitrine pour le retenir et l'entraîna à l'écart.

—Pas le temps, frangin, dit-il.

Shade avait raison, mais cela n'empêcha pas Wraith d'adresser un regard à Lore qui disait clairement : « Toi, mon pote, tu ne perds rien pour attendre. » Puis il souleva Serena dans ses bras.

—Nous l'emmenons à l'UG. Tout de suite.

Il avait voulu qu'elle soit entourée de gens qu'elle connaissait pendant qu'il partait se battre contre Byzamoth, mais à présent il désirait lui offrir la meilleure aide médicale possible, dans un environnement où il se sentait chez lui.

Son foyer. Il n'y avait jamais pensé ainsi avant. Mais il venait de comprendre qu'un foyer, c'était l'endroit où on se réfugiait en cas de coup dur.

Et l'hôpital était le sien.

Kynan resta assis sans bouger, stupéfait, tandis que Shade et Wraith emportaient Serena vers la sortie. Val essaya d'intervenir, une seule fois, mais Wraith dit quelque chose qui sembla l'enraciner au sol.

Alors qu'ils partaient, Reaver entra. Il avait l'air d'avoir été passé à la moulinette, mais au moins il était vivant. La dernière fois que Kynan l'avait vu, il paraissait bien près de rendre son dernier soupir. Bien sûr, dans la minute qui avait suivi, c'était Kynan lui-même qui avait expiré.

Wraith tenait Serena dans ses bras, mais il s'arrêta néanmoins pour adresser un signe de tête respectueux à l'ange, qui le lui rendit. Puis les deux seminus sortirent.

Gem, qui ne l'avait toujours pas lâché, l'enlaçait comme une couverture. Ses larmes avaient laissé des traînées noires sur ses joues, mais il ne l'avait jamais trouvée plus belle. S'il avait su qu'il lui suffisait de mourir pour la récupérer, il aurait fait cela plus tôt.

Euh, une minute… comment avait-il ressuscité ?

Juan se tourna vers Kynan.

— C'était une énorme erreur. Rends-nous le collier. Il sera gardé par le Sigil.

Regan secoua la tête, faisant danser sa longue queue-de-cheval noire autour de ses cuisses.

— Une fois le pendentif au cou, il ne peut plus être retiré que par un ange.

— Uniquement si ce dernier est béni, précisa Reaver, or Kynan ne l'est pas. Mais si quelqu'un essaie de le lui retirer, il devra me passer sur le corps.

Les Anciens ne semblèrent pas enchantés par cette perspective.

Kynan sentait une chaleur étrange émaner du cristal trouble contre sa poitrine, lui réchauffant la peau. Comment un objet aussi petit, à peu près de la taille d'une bille, pouvait-il leur avoir causé autant de problèmes ? Il semblait si innocent, mais c'était un foutu morceau de Paradis. Kynan avait du mal à s'habituer à cette idée, et au fait qu'il le touchait.

Wraith avait apparemment commis une grave erreur en lui donnant ce pendentif. Les membres du Sigil feraient de bien meilleurs gardiens. Il tendit la main vers l'amulette pour la remettre à qui de droit.

Un éclair aveuglant les prit tous de court. Quand la lumière baissa, Kynan faillit avaler sa langue.

Debout au milieu de la pièce, auréolé d'une lueur pâle, se tenait un ange. C'était une femelle, aux cheveux comme de l'or filé. Elle était vêtue d'une tunique blanche qui lui tombait jusqu'aux genoux et portait une épée dans un fourreau et une faux dorée à la main.

Elle regarda tous les occupants de la pièce, qui se contentèrent de l'observer, les yeux ronds et bouche bée.

—Aegis. Gardiens de la race humaine. Je me présente humblement devant vous. Mon nom est Gethel. Salutations.

Elle s'avança vers Kynan d'une démarche gracieuse et silencieuse, et il se sentit comme une souris sous le regard d'un chat. Il avait envie de s'agenouiller, mais il était incapable de bouger, même si son cœur battait si fort qu'il craignait pour ses côtes. Elle sourit, comme si elle devinait ses pensées.

—Tu honores ta race, humain. (Elle le toucha à l'épaule, et une onde d'énergie incroyable le traversa.) Te voilà béni.

Ferme la bouche.

—Pourquoi?

—Tu as sacrifié ta vie pour sauver le monde, dit-elle en souriant. Et tu portes l'amulette.

—Vous devriez la confier à quelqu'un d'autre.

—Pourquoi donc?

L'intelligence farouche qui brillait dans son regard lui indiquait qu'elle connaissait déjà la réponse à sa question.

—Parce que je n'en suis pas digne, répondit-il en baissant la tête.

—Tu doutes de ta valeur parce que tu t'es écarté de ton chemin?

Cela résumait bien son état d'esprit. Il s'était perdu pendant si longtemps, et il n'était pas certain d'être complètement redevenu lui-même.

Elle lui toucha le visage.

— Tu as été testé. Tu es tombé et tu t'es relevé pour reprendre ta route. Seul un être possédant une force extraordinaire peut faire cela. Ceux qui n'ont jamais quitté le droit chemin n'ont encore rien prouvé.

— Mais… pourquoi moi ?

— Tu es un descendant de Sariel.

— Un Grigori, souffla Kynan. Un Observateur.

Les Grigori étaient des anges envoyés sur Terre pour veiller sur la race humaine, mais ils avaient fini par céder à la tentation et s'accoupler à des mortelles. L'armée avait raison.

« Et celui qui est né des anges et des hommes mourra de la main du Mal et portera quand même le fardeau du Ciel… »

Le Ciel… il toucha l'amulette. Heofon.

Mon Dieu.

— En effet. (Gethel lui sourit.) Tu joueras un rôle vital dans la bataille finale, ainsi que tes enfants. Ils naîtront bénis – tu seras le premier à pouvoir transmettre la bénédiction ainsi – et tu les élèveras en guerriers. Car un jour, ils devront combattre pour l'humanité.

— D'accord.

D'accord ? Un ange venait de lui annoncer que l'avenir de la race humaine était entre ses mains et celles de ses descendants, et tout ce qu'il trouvait à répondre, c'était « d'accord » ?

Elle éclata d'un rire léger et cristallin.

— D'accord.

Elle posa la main sur le pommeau de son épée, puis se tourna vers Reaver, qui s'était adossé contre le mur. Ses cheveux filasse pendaient autour de son visage. Il avait l'air hagard, pourtant il se redressa et fit face à Gethel, les épaules droites, le regard fier.

—Reaver, dit-elle, s'arrêtant à un pas de l'ange déchu. Tu as interféré alors que cela t'avait été formellement interdit. Tu t'es associé à des démons et tu leur as révélé des secrets divins.

—C'est vrai, répondit-il en inclinant la tête, mais quand il la releva, ses yeux brillaient de défi. Et si c'était à refaire, je n'hésiterais pas une seconde.

Elle caressa du bout des doigts le rubis enchâssé dans la poignée de son épée, et Kynan sentit son pouls devenir erratique. Gem craignait elle aussi pour la vie de Reaver, car elle enfonça les ongles dans la poitrine de Kynan, tellement elle était tendue.

—Étrange, n'est-ce pas, dit Gethel, qu'il y ait eu des démons et un ange déchu aux côtés des humains pour sauver le monde.

Elle se pencha et dit tout doucement, si bas que Kynan l'entendit à peine :

—Tu as bien agi.

Reaver arborait une expression choquée quand elle recula. Un halo doré l'enveloppa, et soudain, il apparut tel qu'il devait être avant sa chute. Il était… auréolé. Plus de sang ni de blessure.

Un sourire de pure extase lui fendit le visage tandis qu'il rejetait la tête en arrière et écartait les bras. Un sentiment de paix envahit la pièce, puis Reaver disparut dans un dernier éclat.

—Il est rentré chez lui, dit Gethel à mi-voix. Il est à la maison.

Gem n'en croyait pas ses yeux. Un ange… une vraie créature divine… se baladait dans la chambre, parlant à chaque humain pendant quelques instants avant de passer au suivant.

La démone pensait que l'ange ferait comme si elle n'existait pas, mais quand elle arriva devant elle, Gethel lui sourit. La jeune femme se leva ; elle ne pouvait quand même pas rester assise par terre pour s'adresser à un être divin, n'est-ce pas ?

— *Tu n'es pas un démon*, dit l'ange, mais ses lèvres n'avaient pas remué.

Gem l'entendit dans sa tête.

—*Pourtant, mon père…*

—*… a violé ta mère. Tu es née d'une humaine, qui n'a pas eu le choix. Ton âme est humaine.*

—*Vous êtes sérieuse ?*

L'ange acquiesça.

—*Oui. Ce que tu en fais, bien sûr, t'appartient.*

—*Mais… Kynan. Si ses enfants doivent être bénis, je ne peux pas… je veux dire, je ne pourrai pas…*

Le regard de Gethel flamboya.

—*Si. Aussi longtemps que tu seras avec Kynan, tu partageras son immortalité. Toi aussi, tu as un rôle à jouer.*

Gem cligna des yeux, puis elle se retrouva dans la chambre, seule avec Kynan désormais. Ce dernier l'attira dans ses bras comme s'il ne voulait plus jamais la lâcher, ce qui n'était pas pour déplaire à Gem.

—Alors, murmura-t-elle, tu es le héros d'une sorte de prophétie, hein ?

—On dirait bien. (Il entortilla une mèche des cheveux de la démone autour de son doigt.) J'ai toujours voulu sauver le monde. Je suppose qu'il faut toujours se méfier de ce qu'on souhaite.

Elle battit des paupières pour chasser des larmes soudaines.

—Seigneur, tu m'as fait tellement peur. Quand Wraith t'a ramené…

—Chut. (Il posa un doigt sur les lèvres de Gem.) C'est fini.

Elle lui flanqua un coup de poing dans l'épaule.

—Ne me refais plus jamais ça!

—Je suis plus ou moins immortel maintenant, alors ça ne risque pas de se reproduire. (Kynan écarta les cheveux de la jeune femme de son visage.) Gem, où est-ce que nous en sommes?

Elle s'ouvrit à sa vision de déchiqueteuse d'âme et haleta à cause de ce qu'elle vit… Rien.

Il n'avait pas plus de cicatrices qu'un nouveau-né.

—Je te crois, Ky. Je t'ai rendu responsable, mais depuis le début, le problème venait de moi. J'ai été tiraillée entre deux mondes pendant si longtemps, sans jamais être complètement acceptée dans aucun, et il ne me semblait pas possible de pouvoir vivre avec toi dans un seul d'entre eux.

—Qu'est-ce qui t'a fait changer d'avis?

—Tu es mort, Kynan. J'avais tellement de regrets. Et j'ai compris que ce que tu avais fait, ce n'était pas seulement pour les hommes, mais pour toutes les espèces… humaines, animales, démoniaques. J'appartiens à deux mondes… mais tu sais quoi? Nous partageons aussi l'un d'eux. Et nos enfants appartiendront à un seul monde: le nôtre.

—Tout ça semble très… éclairé. Et peut-être un peu mièvre.

—Tu te moques de moi!

—Ouais. Ressusciter d'entre les morts m'a mis de bonne humeur. (Il fronça les sourcils.) Comment c'est arrivé, au fait?

—Euh, crois-moi, tu n'as pas vraiment envie de le savoir.

Ses merveilleux yeux bleus brillèrent, et Kynan la regarda avec tant d'intensité qu'elle en eut le souffle coupé.

—Je t'aime, Gem.

Les mots d'amour qu'elle avait si longtemps attendus se posèrent sur son cœur comme un baume, où ils resteraient gravés pour l'éternité.

—C'est une bonne chose. Parce qu'il semblerait que nous ayons tous les deux un rôle à jouer.

Sa voix se fit basse et suggestive tandis qu'il la dévisageait à travers ses paupières mi-closes.

—Peut-être devrions-nous commencer ce jeu de rôle, alors…

CHAPITRE 30

S erena ignorait comment elle avait atterri à l'hôpital…
– du moins était-ce l'endroit où elle pensait se trouver.
Sa vision était floue et sa tête l'élançait, mais elle devinait
des équipements médicaux, et d'autres trucs à peine moins
effrayants, comme des chaînes et des perceuses géantes. Les
murs gris acier donnaient un aspect caverneux à la chambre,
et elle y distinguait des symboles couleur de sang séché,
comme des peintures rupestres.

Elle referma les yeux et se demanda si c'était un
cauchemar. Quelle poisse de rêver d'un hôpital. Et les bips
des appareils semblaient si réels…

— Salut.

La voix de Josh la tira de ses sinistres pensées, et elle
sourit en gardant les paupières closes.

— Salut. On a gagné ?

— On les a écrasés.

— L'amulette ?

— Elle ne pourrait pas être entre de meilleures mains.

Elle soupira de soulagement et essaya de prétendre qu'elle
n'avait pas entendu l'air siffler dans ses poumons.

— Je suis à l'hôpital ?

— L'Underworld General. C'est le centre médical dont
je t'ai parlé. Nous traitons beaucoup de non-humains.

Elle était pratiquement certaine qu'il ne s'agissait pas
d'une clinique vétérinaire.

—Où est Val?

—Dans un avion en direction de New York. Alors, c'est ton père?

—Apparemment.

Il lui prit la main et lui massa la paume, ramenant la circulation dans ses doigts glacés.

—Dès qu'il atterrira, je m'arrangerai pour qu'il puisse te rendre visite.

Cela n'arriverait pas, et ils le savaient tous les deux. Mais c'était gentil à lui de jouer la comédie.

—J'aimerais… j'aimerais vraiment pouvoir rester.

—Ne t'en va pas. (La voix de Josh se brisa, et Serena le sentit poser son front sur son bras.) S'il te plaît… ne me laisse pas.

Ayant besoin de le voir, vision floue ou pas, elle ouvrit les yeux.

—Je ne changerais rien, tu sais. Je referais l'amour avec toi, peu importe les conséquences.

Une larme brûlante roula sur sa peau.

—Moi, je changerais tout, répondit-il d'une voix rauque. Tout pour que tu ne sois pas…

—En train de mourir.

Sans prêter attention aux tiraillements de la perfusion, elle lui passa les doigts dans les cheveux, se souvenant de leur caresse soyeuse quand il descendait le long de son ventre en l'embrassant. La manière dont ils lui chatouillaient les cuisses quand il lui donnait du plaisir avec sa langue habile.

—Tu peux le dire. Ça va. Il y a une seule chose que j'aimerais changer.

Elle sentit le feu lui monter aux joues alors qu'il relevait la tête pour la regarder avec des yeux brillant de larmes.

—Quoi?

—Je t'aurais… ah, Seigneur, ça va te sembler si stupide… je t'aurais demandé de me mordre. Tu sais, le truc des vampires.

Il esquissa un sourire en coin.

—J'en avais envie. Tu ne peux pas imaginer combien j'en avais envie.

Elle inspira vivement.

—Peut-être que tu pourrais… me transformer?

Il baissa les yeux, comme s'il avait honte.

—Je ne peux pas. Je ne suis pas un vrai vampire. (Il se mordit la lèvre et la pointe d'une canine très sexy y creusa un sillon.) Mais… c'est vraiment ce que tu voudrais?

—Devenir une vampire?

Cela semblait dingue quand elle le disait tout haut, même s'ils la fascinaient. D'un autre côté, elle se trouvait dans un hôpital pour les démons.

—Tu es sérieux? Mais ce ne serait peut-être pas possible, à cause de la maladie démoniaque qui me ronge…

—Je ne sais pas. Écoute… tiens bon, OK?

Il laissa sa main glisser le long de son bras jusqu'à son cou, pour lui tenir la mâchoire pendant qu'il l'embrassait tout doucement. Elle sentit à peine son contact, mais l'émotion derrière son geste réchauffa son corps glacé.

—Si ça doit se faire, je veux que tu t'unisses à moi.

—Nous unir? Comme un mariage?

—En quelque sorte. Un lien plus profond. Plus permanent.

Serena se mit à pleurer. Elle ignorait en quoi cette union consistait, mais elle sentit que pour lui, le seul fait de le vouloir, c'était un progrès monumental.

—Ne t'en fais pas, dit-il vivement. Ce ne sera pas une obligation.

—Ce n'est pas ça.

Elle renifla et essaya d'essuyer ses larmes, mais elle n'était plus capable de lever le bras. Josh comprit et les récolta du bout des doigts comme si c'étaient de précieux diamants.

—J'avais toujours rêvé de fonder une famille, mais à cause de la bénédiction, c'était impossible. Et maintenant… que c'est à ma portée…

Elle allait mourir.

—Putain, non.

Josh appela ses frères, qui les rejoignirent en un instant.

—Qu'y a-t-il ? demanda Shade, pendant qu'Eidolon vérifiait l'intraveineuse et les diverses machines reliées au corps de la jeune femme.

—Gardez-la en vie jusqu'à mon retour. Et pendant mon absence, expliquez-lui ce qu'est l'union. (Il l'embrassa avec tendresse.) Je ne serai pas long. Ne… va nulle part.

Elle ouvrit la bouche pour lui dire qu'elle l'aimait, mais aucun son n'en sortit.

Et maintenant, il ne le saurait jamais.

Alors que Wraith se tenait dans l'antichambre de la salle de réunion du Conseil des vampires, il pria qui voulait bien l'entendre que ces salauds se dépêchent. Dieux, il n'arrivait pas à croire qu'il soit en train de faire cela, qu'il songe à transformer la femme qu'il aimait en une créature de la seule espèce qui le répugnait.

Il avait passé sa vie à tuer des vampires chaque fois qu'il en avait eu l'occasion. Et voilà qu'il allait non seulement se mettre à genoux pour les supplier de lui accorder une faveur, mais il allait le faire pour pouvoir passer l'éternité avec l'une d'entre eux.

Apparemment, être béni ne guérissait pas de la folie, parce que cela… c'était dingue !

La porte cloutée de la salle s'ouvrit en grinçant, et un vampire massif, portant une robe noire et une épée, s'encadra sur le seuil.

— Le Conseil vous attend.

— Je parie, oui, marmonna Wraith en dépassant le mâle pour entrer dans la salle.

Des bougies noires et rouges brûlaient dans des appliques murales en argent et des candélabres en bronze, éclairant une pièce qui ressemblait au décor d'un film de série B. Des tapis écarlates et dorés aux portraits grandeur nature de héros vampires remontant jusqu'à l'époque romaine, tout n'était que clichés hollywoodiens.

Les dix-sept membres du Conseil étaient assis sur leurs trônes disposés en demi-cercle. Le plus haut dans la hiérarchie mondiale, la Clé, fit signe à Wraith d'avancer. Il fallut à celui-ci toute sa détermination pour obéir à Komir alors qu'il aurait voulu leur planter un pieu dans le cœur à tous.

— Cette visite est surprenante, incube, dit Komir quand Wraith s'arrêta au centre du pentagramme dessiné dans le sol avec des plaques de marbre blanc. Qu'est-ce qui vous amène ?

— Une requête.

Une femelle aux cheveux noirs, placée à la droite de Komir, éclata de rire.

— Vous qui défiez les lois des vampires et tuez les nôtres, vous voudriez que nous vous aidions ?

— C'est ça.

Il regretta aussitôt ces paroles et ajouta avec raideur :

— Mes excuses. Je suis épuisé. Vous savez, d'avoir sauvé le monde.

Komir haussa un sourcil.

— Oui, nous en avons entendu parler. (Il pianota des doigts sur l'accoudoir de son trône.) Alors, que voulez-vous, ô grand héros ?

Connard sarcastique.

Wraith se conformait au protocole, même si cela lui faisait mal de devoir témoigner le moindre respect à ces peigne-culs. Il aurait pu demander à l'un des vampires qui bossaient à l'UG de transformer Serena, mais il craignait les conséquences. C'était contraire aux lois de transformer un humain sans l'accord du Conseil. Les contrevenants étaient sujets à divers châtiments, se terminant toujours par deux exécutions, celle du vampire et celle de sa progéniture.

—L'humaine que je veux prendre pour compagne est en train de mourir. Je… euh… supplie humblement qu'elle soit transformée.

Il préférait être battu que s'abaisser à supplier. Mais la vie de Serena en dépendait, et pour elle, il le ferait sans hésiter.

Un grondement sourd monta de la poitrine d'un mâle aux cheveux roux assis à un bout du demi-cercle.

—Vous avez massacré mon frère. Je préférerais encore vous tuer.

Plusieurs autres murmurèrent leur assentiment, et Wraith sentit son ventre se nouer. Ils allaient refuser sa requête.

—S'il vous plaît, dit-il, baissant la tête. Je ferai n'importe quoi.

Impérieux, Komir gardait le silence. Enfin, après de longues minutes dramatiques, il s'adressa au Conseil.

—Qui s'oppose au projet de Wraith ?

Ils levèrent tous la main, et les genoux du démon faillirent se dérober sous lui.

—Sans le vote du Conseil, j'aurais été tenté de vous accorder cette faveur, dit Komir, et le cœur de Wraith bondit. Mais ça va à l'encontre de toutes nos coutumes. Nous devons choisir ceux que nous changeons avec soin. Un vampire qui en crée un autre est responsable de son éducation pendant un an, il doit lui apprendre notre culture, et tout partager avec lui, de la manière de se nourrir au sexe.

Wraith se raidit et ne put s'empêcher de gronder tout bas. Nul vampire ne coucherait avec Serena. Jamais.

— Je m'en chargerai.

— Vous ? Vous avez fui la société des vampires et vous en avez fait un objet de dérision. Vous avez massacré les vôtres sans pitié.

— J'ai eu tort.

— Vous mentez.

Bien sûr. La vie de Serena était en jeu, et il n'avait jamais eu aucun problème avec le mensonge. Mais il se montrait en général plus convaincant.

Il s'avança.

— Vous voyez mes yeux ? Ils devraient être marron, mais ils sont bleus parce que des vampires ont arraché ceux avec lesquels j'étais né. Des vampires. Et avant ça, ils m'ont accroché à des poutres et écorché vif, brûlé la plante des pieds avec des chalumeaux et ouvert le ventre. Quand ils m'ont trouvé, mes frères ont dû replacer mes intestins à l'intérieur de mon corps pour les empêcher de tomber jusqu'à mes orteils dont on avait arraché les ongles. (Il sortit du cercle dans lequel il était supposé se tenir.) Alors, dites-moi, bande d'enfoirés sans couilles, pourquoi est-ce que j'aurais dû embrasser ma moitié vampire ? Dites-le-moi !

Plusieurs d'entre eux détournèrent les yeux.

— C'est bien ce que je pensais.

Komir se leva.

— Vos frères nous ont informés de votre passé. Votre plus grande peur, c'est la torture, n'est-ce pas ?

— C'est la deuxième, répondit Wraith d'une voix ferme et pleine de confiance. La première, c'est de perdre Serena.

— Je vous croirais presque.

—Vous feriez bien.

—Peut-être devriez-vous le prouver.

Komir fit le tour de la table en demi-lune et s'arrêta près d'une plate-forme ensanglantée.

—Il y a eu beaucoup de douleur d'un côté comme de l'autre… Et il y en aura encore. Si vous voulez sauver votre femelle, vous devrez affronter votre peur.

Oh, merde.

—Êtes-vous prêt ?

Wraith regarda la plate-forme, et les souvenirs de ce qui s'était passé dans l'entrepôt lui traversèrent l'esprit.

Il lutta pour rester bien droit devant Komir. La bénédiction ne le protégerait pas s'il donnait son consentement.

—Oui.

—Alors, amenez-la-moi.

Wraith fut envahi par le soulagement, puis par la terreur quand il posa les yeux sur l'autel en pierre. Il n'était pas question que Serena mette les pieds en ce lieu pour être traitée comme un objet de sacrifice. L'incube savait comment fonctionnait le rituel. L'humaine était déshabillée et allongée devant le Conseil. Ses membres l'inspectaient sous toutes les coutures et la tripotaient comme bon leur semblait jusqu'à ce que son créateur, lui aussi nu, la monte. Le sexe n'était pas indispensable pour que la transformation s'opère, mais les deux allaient en général de pair, et souvent, pendant qu'ils échangeaient leur sang, le vampire et sa victime baisaient. Et le Conseil les observait. Ou participait parfois.

—Il faudra aller à elle, dit Wraith.

Komir lui agita un doigt menaçant sous le nez.

—Vous n'en avez pas vraiment envie, n'est-ce pas ?

—Serena est bien trop malade pour être transportée.

Pour plus de sûreté, il ajouta en serrant les dents :

—S'il vous plaît.

Un courant d'air froid balaya la salle, trahissant le déplaisir de la Clé. Komir combla la distance qui le séparait de Wraith en un éclair, réapparaissant derrière lui. Il appuya son torse contre son dos pour lui murmurer à l'oreille :

— Rien de tout ça ne me plaît. Mais que vous songiez à prendre une vampire comme compagne après toutes vos souffrances… peut-être est-il temps que le Conseil vous donne une nouvelle chance. Mais c'est moi qui endoctrinerai Serena et ferai d'elle une vampire.

Wraith aurait voulu hurler de chagrin, mais si c'était la seule solution pour sauver Serena, il devrait se résigner. D'une manière ou d'une autre.

Mais à la seconde où Komir la laisserait partir, Wraith s'unirait à elle. Elle était sienne, et il allait s'assurer qu'aucun autre mâle, quelle que soit son espèce, ne la toucherait plus jamais.

— D'accord, dit-il d'une voix rauque.

Il se racla la gorge et répéta plus fort, pour que tous l'entendent :

— D'accord.

Komir montra les dents.

— Alors, allons tuer votre femelle.

CHAPITRE 31

W raith se précipita dans la chambre de Serena, Komir sur les talons. Shade était assis au chevet de la jeune femme, tête baissée. Il lui serrait si fort le poignet que le sang ne circulait plus dans sa main. Le *dermoire* du seminus brillait, et Wraith comprit que son frère brûlait beaucoup d'énergie pour maintenir l'humaine en vie. Shade ne releva même pas la tête, ni ne desserra les dents.

C'était très mauvais signe.

Eidolon entra à son tour. Il était en tenue d'hôpital, son stéthoscope autour du cou. Il avait vraiment l'air d'un docteur, jusqu'à la mine sinistre.

— Je suis désolé, Wraith, dit-il à mi-voix. Dès que Shade la lâchera…

— Alors, il ne faut pas qu'il flanche. (Il se tourna vers Komir.) Ça marchera quand même, n'est-ce pas ?

— Peut-être. Si elle est capable d'avaler le sang. (Le vampire secoua la tête.) Il existe toujours un risque… dix pour cent des transformations échouent. Et elle est déjà presque partie.

— Euh… qu'est-ce qui se passe ? (Eidolon lorgna la Clé.) C'est ce que je crois ?

— Si vous croyez que votre frère veut que je change cette humaine en vampire, alors oui, c'est bien ça.

— Par les cloches de l'Enfer, marmonna Shade, sans les regarder.

— Je refuse d'en discuter, décréta Wraith.

Eidolon leva les mains en signe de reddition et recula.

Komir s'approcha de Serena, et le cœur de Wraith s'emballa. La nervosité et la jalousie allaient l'achever. Le vampire dut sentir les ondes de chaleur émanant de lui, mais il n'y prêta aucune attention. Il contourna le lit et prit le visage de Serena entre ses mains. Doucement, il lui inclina la tête sur le côté. Ses crocs s'allongèrent. Ils étaient immenses… et dans quelques instants, ils seraient plantés dans le cou de Serena.

— Ce serait plus simple si je pouvais m'allonger près d'elle…

— Non ! cria Wraith.

Eidolon l'attrapa à bras-le-corps avant qu'il ait pu faire un truc stupide comme assommer le vampire. Les symboles commencèrent à pulser sur les murs alors que la menace grandissait.

— Du calme, frangin, ordonna Eidolon.

Wraith recula vers la porte. Il se sentait tellement possessif que c'en était douloureux. Peut-être que s'il ne regardait pas… ?

Komir lâcha Serena et, oh, putain, Wraith avait vraiment tout gâché. Le vampire le bouscula presque en sortant de la chambre.

— Suivez-moi.

Wraith n'eut pas d'autre choix que d'obéir. Et quand ils furent dans le couloir, Komir se tourna vers lui.

— Frappez-moi.

Le sort de havre empêchait toute violence, mais comme pour la bénédiction de Serena, si la personne y consentait, c'était différent.

— Pourquoi ?

— Libérez-vous de votre agressivité maintenant, démon. Quand le rituel aura commencé, il ne pourra pas être interrompu.

Wraith serra les poings.

— On n'a pas le temps de jouer.

— Alors, puis-je vous frapper ?

— Oui. Qu'on en finisse av…

Le poing de Komir s'écrasa sur sa bouche avec la force d'un boulet de canon, le faisant pivoter d'un quart de tour. Du sang éclaboussa les murs. Le vampire passa de nouveau à l'attaque, mais Wraith esquiva et le frappa en pleine mâchoire.

Komir alla s'écraser contre un chariot et glissa au sol comme une masse. Il baissa les yeux sur ses articulations ensanglantées et tressaillit.

— Vous avez un crochet en béton, et la tête dure.

Il secoua la main et la porta à sa bouche. Et soudain, il se raidit et la baissa pour la regarder sans ciller. Puis il leva les yeux sur Wraith.

— Vous avez un goût… d'ange ?

— Ah, ça. Il a fallu que je boive le sang de l'un d'eux aujourd'hui…

Komir se releva et lissa ses cheveux argentés sur son crâne, comme s'il craignait d'avoir été décoiffé par leur échange de coups.

— Alors, vous n'avez pas besoin de moi.

Wraith sentit son espoir renaître, aussitôt remplacé par de la confusion.

— Comment ça ?

— Notre race… a été créée par des anges déchus. Leur sang coule dans nos veines. C'est lui qui active la transformation d'humain en vampire.

— Donc, si Serena boit mon sang avant que j'aie éliminé celui de Reaver…

—Oui. Dépêchez-vous !

—Mais je ne sais pas comment procéder. Les détails…

Il eut honte de devoir l'admettre. Il avait passé bien trop d'années à haïr les vampires pour apprendre quoi que ce soit à leur sujet, à part comment les chasser et les tuer.

—C'est instinctif, Wraith, dit Komir. Buvez juste au-delà du point de non-retour, mais pas au point que le cœur s'arrête complètement. Puis donnez-lui votre sang. Autant qu'elle en voudra. Plus elle en avalera, mieux ce sera.

—Et après ?

—Venez à moi. Vous avez une promesse à tenir.

Ainsi, même s'il allait transformer Serena lui-même, ces salauds le tortureraient quand même.

—Merci.

Komir inclina la tête.

—Ce que tu as fait sur le Mont du Temple t'a valu la gratitude du Conseil.

—Vous avez une étrange façon de me la montrer.

Mais il ne s'attarda pas. Il repartit comme une flèche à l'intérieur de la chambre et s'agenouilla à côté du lit. Sans perdre de temps, il planta ses crocs dans le poignet gracile de la jeune femme, veillant à être aussi doux que possible.

Le sang de Serena lui coula sur la langue, et sa saveur riche le fit à la fois gémir et tressaillir, car la puanteur de la mort se mêlait à son goût épicé. Il descendit dans sa gorge comme une cascade de soie chaude, et Wraith aurait souhaité faire cela dans un moment de passion au lieu de la saigner dans l'espoir qu'elle lui revienne.

Le flot commença à ralentir et à se tarir, alors que le cœur de Serena pompait avec frénésie pour compenser la perte de sang. Il sentit son pouls contre ses dents quand elle atteignit le seuil critique qui tentait tous les vampires. Là, ils avaient un choix à faire : s'arrêter et laisser leur victime vivre, ou avaler une ou deux gorgées supplémentaires et prendre leur pied quand celle-ci trépassait.

Wraith avait besoin qu'elle meure.

Il suça plus fort. Le pouls de la jeune femme était faible et filant, pratiquement inexistant. Vite, Wraith bondit sur ses pieds et s'ouvrit le poignet d'un coup de croc. Il le pressa contre les lèvres de Serena. Un gros filet de sang coula le long de son menton.

— Eidolon ? Pourquoi elle ne boit pas ?

La panique lui avait fait hausser le ton.

— Elle est partie déjà trop loin, jura son frère. Nous allons devoir forcer le sang à descendre dans sa gorge. (Il mit une main sur le front de la jeune femme et lui ouvrit la bouche de l'autre, comme pour lui faire du bouche-à-bouche.) Il faudra peut-être insérer un tube d'alimentation.

Wraith utilisa son don pour pénétrer dans l'esprit de Serena. Il y trouva une lumière blanche tourbillonnante, sans substance, sans conscience, à part une tristesse infinie qui lui brisa le cœur.

— Oh, non, non, *lirsha*, murmura-t-il. Reviens. Reviens dans tes rêves. Je suis là. Je t'attends.

Il s'inséra dans le tourbillon lumineux, forçant le vide environnant à prendre forme. Il se plaça devant la grande pyramide de Gizeh, avec du sable tout autour.

Et Serena le rejoignit. Soudain, elle se tenait devant lui, vêtue d'une longue robe blanche.

— Où étais-tu ? J'étais perdue.

— J'ai toujours été là, chérie. Et je le serai toujours. (Il la prit par les épaules pour l'attirer contre lui.) Je vais te laisser partir, mais juste pour un temps très court.

— Mais…

— Tu as confiance en moi ?

Ses yeux limpides s'éclairèrent.

—Oui.

Il entra en action, enfonçant ses crocs dans sa gorge. Elle haleta, puis elle soupira et se détendit. Elle avait un goût merveilleux, sans la souillure de la mort. Son sang était un nectar pur et délicieux comme il n'en avait jamais bu. Il aurait voulu lui faire l'amour, mais même là, il la sentait s'affaiblir entre ses bras.

Il se dégagea à contrecœur. Puis il leva la main et s'ouvrit la gorge avec la dague qu'il imagina entre ses doigts.

—Josh!

— Chut. Tout va bien. Bois. Bois, maintenant. Dépêche-toi, Serena!

Elle s'exécuta comme si elle avait des siècles de pratique. Serena était une chasseuse et elle possédait un instinct extraordinaire, que ce soit pour trouver d'anciennes reliques ou sucer le sang. C'était tellement sexy.

Dans le lointain, il entendit la voix d'Eidolon dire:

—C'est bien, Serena. Avalez.

Le stratagème fonctionnait. Elle buvait dans son rêve et dans la vie réelle, puis… elle disparut, le laissant seul sur le sable.

Wraith revint aussitôt dans la chambre d'hôpital, où Serena ingérait faiblement le sang qui lui coulait dans la bouche.

Le moniteur bipait doucement au rythme de son cœur. Le tensiomètre se dégonfla en sifflant. Une perfusion faisait passer au goutte-à-goutte une solution saline par l'intraveineuse fixée au dos de sa main.

Wraith se tenait là. Il avait froid et il se sentait vide.

Putain. Il ne s'agissait pas d'une opération clinique. La femme qu'il aimait allait l'intégrer en elle comme cela devait être fait: leurs corps, enlacés.

D'un mouvement souple, il sauta sur le lit étroit et s'allongea à côté d'elle. Tandis que Serena buvait, il lui embrassa le cou et lui murmura à l'oreille des mots apaisants et réconfortants qu'il fut surpris de connaître. Elle était froide… bien trop froide, et immobile.

Il ne savait pas combien de temps s'était écoulé quand Eidolon lui souleva le bras pour lui insuffler une onde guérisseuse.

—Elle n'avale plus, dit-il. Si ça marche, elle se réveillera demain au crépuscule.

—Elle va revenir, répondit Wraith d'un ton farouche. Il le faut.

Il passa encore quelques instants de paix avec Serena, puis Eidolon lui secoua gentiment l'épaule.

—Il est l'heure, frangin.

—Non.

—Wraith, Shade va s'écrouler.

Wraith coula un regard à son frère, qui tremblait si fort que ses dents claquaient. La lueur de son *dermoire* avait pâli et n'était plus constante.

—Il faut la laisser partir.

Un sanglot l'étouffa. Dès que Shade lâcherait Serena, elle mourrait. Et s'il n'avait pas réussi à la transformer…

Je la perdrais pour toujours.

Eidolon lui serra l'épaule.

Oh, Dieux…

Wraith ferma les yeux et hocha la tête. Aussitôt, le pouvoir de Shade cessa d'agir, et la poitrine de Serena s'immobilisa. Son cœur battit encore une fois. Deux.

Puis il se tut.

Le seul son audible dans la pièce fut le hurlement de Wraith.

Chapitre 32

L'obscurité tourbillonnait en un vide sans fin, qui n'abritait qu'un vent froid et une solitude dévorante. Et la faim. Une faim comme elle n'en avait jamais ressenti.

Serena avait l'impression que son estomac se contractait. Mais la faim allait bien au-delà. Elle était dans ses os. Dans son âme.

La jeune femme ne pouvait pas ouvrir les yeux, alors elle resta allongée et tendit l'oreille. Elle entendit le battement caractéristique d'un cœur. Les murmures d'une respiration. Puis un autre de ses sens se réveilla : l'odorat.

Elle sentit quelque chose de fumé, peut-être du soufre ? Puis l'odeur entêtante et musquée de… Josh.

Un corps était pressé contre son flanc, de l'épaule aux orteils, dispensant une chaleur bienfaisante. Elle souleva lentement les paupières, puis les referma quand la lumière au-dessus d'elle l'aveugla. Au bout d'un moment, elle effectua une nouvelle tentative, poussée par la faim qui la rendait folle.

Plissant les yeux contre ce qu'elle reconnut comme une lampe rougeâtre de faible intensité, elle regarda le plafond noir et les étranges chaînes et poulies qui y étaient suspendues. Josh était allongé près d'elle, une jambe passée par-dessus l'une des siennes, un bras en travers de son buste. Son visage était enfoui dans le creux de son cou. Il n'aurait pas pu être plus près, même en essayant bien.

— *Josh ?* dit-elle.

Ou plutôt elle essaya de parler. Elle remua les lèvres, mais aucun son n'en sortit. Elle les lécha, et s'entailla la langue sur quelque chose de pointu…

Aïe!

Étaient-ce des… crocs?

Les souvenirs des derniers jours lui revinrent en une avalanche, lui coupant le souffle… le souffle?

Minute…

Elle respirait?

Oui, en quelque sorte.

Vampire.

Elle avait parlé à Josh de son désir d'en devenir une, mais c'était tout ce qu'elle se rappelait. Jusqu'à cet instant.

La faim lui laboura les entrailles. Poussant un petit cri, elle se redressa.

Josh l'imita aussitôt, les yeux hagards, la mâchoire pendante.

—Serena!

—Mal, gémit-elle en se tenant le ventre. Si mal.

Josh lui retroussa la lèvre supérieure avec le pouce et laissa entendre un cri de victoire.

—Chérie, ça a marché! Oh, putain, ça a marché!

Un voile rouge tomba sur le champ de vision de Serena et le bruit d'un cœur qui battait faillit lui faire perdre la raison. Elle voulait l'attaquer, ravager son cou avec sa bouche, son corps avec le sien…

Il sembla deviner ses pensées, parce qu'il se rapprocha, inclinant la tête sur le côté.

—Prends ce que tu veux, dit-il tout bas. Vas-y, maintenant, et n'aie pas peur de me faire mal… aïe!

Elle enfonça ses crocs dans la gorge de Josh, son instinct la guidant à merveille. Et, non, elle ne craignait pas du tout de lui faire mal. Elle éprouva un regret passager quand il grogna de douleur, puis il gémit et l'attira au-dessus de lui.

Elle songea qu'elle aurait sans doute dû être dégoûtée par le fait de boire du sang, mais la faim avait pris le contrôle de son corps, et le besoin d'être avec Josh celui de son cœur et de son esprit.

Une douleur exquise commença à pulser entre ses cuisses, et encore une fois, son amant devina ses besoins, parce qu'il fit glisser une main jusqu'à son sexe. Elle était nue sous les draps. Comme c'était pratique.

Josh faisait de la magie avec ses doigts, allant et venant dans son vagin trempé et lui effleurant le clitoris avec juste ce qu'il fallait de pression. Il déboutonna son jean de sa main libre, et quelques secondes plus tard, elle sentit son érection glisser entre ses lèvres. Il émit un râle trahissant un désir qui faisait écho au sien. Ce ne serait pas une étreinte lente et prolongée. Elle avait un besoin primaire de lui qu'elle ne comprenait pas.

Il arqua le dos quand elle attrapa son membre rigide et s'empala dessus. Le large gland étira son ouverture sensible, sa surface veloutée contrastant avec la texture épaisse de la verge quand il s'enfonça en elle, aussi profondément que possible. À l'instant où il la pénétra, elle eut l'orgasme le plus long et le plus intense de sa vie. Josh se joignit à elle, son cri d'extase résonnant à ses oreilles.

— Unis-toi à moi, haleta-t-il en redescendant sur terre. Sois à moi.

Il lui prit la main et entrelaça leurs doigts. Les marques sur son bras se mirent à pulser. Serena se sentait bien, un peu soûle et délicieusement rassasiée ; elle leva la tête de son cou.

— Lèche les trous, recommanda-t-il d'une voix rauque. Arrête le saignement.

Elle obéit, et il grogna, donnant de tels coups de reins qu'il la soulevait du matelas. Un autre orgasme s'empara d'elle, l'envahissant tout entière, du bout des orteils à la racine des cheveux.

Josh la regardait de ses yeux dorés.

— Tu es si belle.

Sa voix sensuelle la traversa comme un roulement de tonnerre, et elle jouit encore. Il explosa de nouveau en elle, et avant que les effets ne se dissipent, il répéta :

— Unis… toi… à moi.

Shade et Eidolon lui avaient expliqué les avantages et les conséquences du rituel, mais elle avait sombré dans l'inconscience plusieurs fois au cours de la conversation. Si sa mémoire était bonne, ils devaient échanger leur sang, ce qui n'était évidemment pas un problème, et ensuite, elle aurait la réplique exacte des marques de Josh sur le bras gauche. Ils seraient unis pour la vie, et ni l'un ni l'autre ne pourraient coucher avec une tierce personne.

Elle fit descendre un doigt le long de son torse.

— Explique-moi ce que j'aurais à y gagner.

Il lui agrippa les hanches pour la maintenir tranquille, parce que chacun de ses mouvements le faisait suffoquer de plaisir.

— Des orgasmes fantastiques, une connexion mentale, plus jamais de sentiment de solitude, ou de sexe pour le sexe. Tu auras un protecteur, un partenaire, une personne qui t'aimera toujours.

— Chéri, tu m'as eue au mot « orgasmes ».

— Dieux, je t'aime tellement !

Elle sourit, et il leva la main pour caresser l'un de ses crocs avec le pouce. Une sensation incroyable traversa Serena et elle faillit de nouveau jouir.

— Oh. Eh bien…

Pour une zone érogène, c'en était une !

—Ils sont tellement sexy, dit-il. Je n'aurais jamais cru dire ça un jour.

—Ils… ne me semblent pas du tout choquants.

—Parce qu'ils ne le sont pas.

Elle était une putain de vampire. C'était extraordinaire !

—Alors, on va finaliser cette union ?

—Oh, oui. Tu as déjà bu mon sang, alors ta part du rituel est déjà terminée. (Il rejeta la tête en arrière et ferma les yeux.) Chevauche-moi. Vas-y.

Il n'eut pas besoin de se répéter. Elle se mit à onduler des hanches et sentit l'électricité monter rapidement entre ses cuisses. Il tendit la main pour la passer derrière sa tête et la ramener vers lui. Elle crut qu'il voulait l'embrasser, et quand il planta ses crocs dans sa gorge, elle haleta.

Et elle jouit. Le monde disparut, et elle entendit crier et se rendit compte de très loin que c'était elle.

Josh était avec elle. Il prit sa main gauche dans sa droite, et son bras se mit à luire. Le feu naquit au bout de ses doigts et remonta jusqu'à l'épaule de Serena, et un sentiment de plénitude naquit en elle tandis qu'elle retombait sur le torse de son amant. Ils restèrent ainsi longtemps, les membres emmêlés, épuisés, la respiration haletante.

—Je suis une vampire, réussit-elle à articuler au bout de quelques minutes. Pourquoi est-ce que je respire ?

—Eidolon dit que c'est un réflexe. Ton corps ne se rappelle pas qu'il n'a plus besoin de le faire.

—Intéressant. Je suppose que nous avons beaucoup à apprendre.

Elle soupira, parce qu'elle faisait désormais partie d'un autre monde, et que dans celui qu'elle venait de quitter, elle avait un père dont le boulot consistait, entre autres choses, à tuer les vampires. Comme famille dysfonctionnelle, on ne faisait pas mieux.

—Je suppose qu'il va falloir que j'appelle Val. Pour lui dire que je ne suis pas morte.

—Eh bien, tu l'es, en quelque sorte. Enfin, tu es morte-vivante. Mais, oui, appelle-le. Il a dû laisser un millier de messages sur mon portable.

—Il va être tellement excité d'apprendre que je suis une vampire, marmonna-t-elle. (Elle prit une vive inspiration, se souvenant que Josh les haïssait.) Et toi? Je sais ce que tu ressens pour eux. Nous.

Seigneur, c'était surnaturel.

Il lui releva la tête d'un doigt sous le menton.

—Je me fiche de ce que tu es. Tu n'es pas différente de celle que tu étais avant parce qu'il t'est poussé des crocs et que tu es au régime liquide.

—Mais, c'est bien plus que ça, non? Suis-je devenue... mauvaise?

Il ricana.

—Si tu crois ces idiots d'Aegis.

—Alors, ce n'est pas le cas?

Il lui écarta les cheveux du visage d'une caresse.

—Se transformer en vampire distille certains aspects de ta personnalité pour les rendre plus purs, si bien que tu es plus honnête concernant qui tu es. Que tu sois bonne ou mauvaise, tu restes toi-même.

—Je ne sais pas comment tu peux faire comme si ça ne changeait rien après...

—Arrête. (Il roula au-dessus d'elle et se redressa sur un coude, et elle dut lever les yeux pour le regarder.) J'ai été en colère et la tête en vrac bien trop longtemps. Ce que ma mère et son clan m'ont fait... eh bien, il n'y a pas de mot pour le décrire. Mais j'ai blâmé tous les vampires. Putain, j'ai rendu le monde entier responsable. J'ai des excuses à présenter. En commençant par mes frères.

Elle inclina la tête pour l'observer, parce que quelque chose chez lui était différent…

—Ton visage! Le tatouage a disparu. Et tu en as un nouveau… non, deux… autour du cou.

Il effleura sa joue du bout des doigts, puis il les fit descendre vers sa gorge.

—L'un d'eux signifie que j'ai accompli ma *s'genesis*, l'autre que je suis uni à quelqu'un.

Elle ignorait ce qu'était cette *s'genesis* dont il parlait, mais elle aurait tout le temps de lui poser la question plus tard.

—Je trouve qu'ils sont bien mieux que de simples alliances, le taquina-t-elle. Impossible de les enlever.

—Madame Je-sais-tout, dit-il, montrant le bras gauche de Serena. Voilà ce que te valent tes railleries.

Elle leva son bras, où une réplique des marques de Josh commençait à apparaître.

—Tu es à moi, maintenant, dit-il. Tu ne peux plus m'échapper.

—Tu crois que j'en ai envie?

—J'espère bien que non, parce que je suis un chasseur, tu te rappelles? Et j'obtiens toujours ce que je veux.

Elle sourit.

—Et qu'est-ce que tu veux, là, maintenant?

Il le lui montra. Tout de suite.

Wraith attendit que Serena sombre dans un profond sommeil avant de se glisser hors du lit pour la laisser récupérer. Elle en avait bien besoin après s'être nourrie, avoir fait l'amour, s'être unie à lui… et transformée d'humaine en vampire.

S'éloigner d'elle lui coûta, mais il avait plusieurs affaires à régler, dont aller se faire torturer et parler à ses frères. Étant donné ce qu'il avait à leur dire… retourner voir le Conseil des vampires paraissait une partie de plaisir.

Il trouva Shade et E au bout du couloir, dans la salle de repos du personnel. La porte était ouverte. Dès qu'ils l'aperçurent, ils vinrent à sa rencontre.

— Tout va bien ? demanda Shade, et Wraith lui flanqua un coup de poing dans l'épaule.

— Tu sais bien que oui.

En tant qu'incubes, ils avaient dû sentir que quelqu'un faisait l'amour tout près.

— Donc, Serena a des crocs ?

— Et nous sommes unis.

Eidolon haussa un sourcil.

— L'absence de marque faciale a un peu gâché la surprise. (Il le gratifia d'une claque dans le dos.) Félicitations, frangin ! C'est bon de te savoir heureux.

— Ouais, en parlant de ça. (Wraith entra dans la salle de repos.) Je vous dois des excuses, à tous les deux. Et même plus, parce que je vous ai fait vivre un enfer, et je ne sais pas comment réparer ça.

Ses frères restèrent immobiles, trop stupéfaits ou incrédules pour prononcer un seul mot. Sans doute la deuxième option. Il ne leur avait jamais donné une raison de lui faire confiance.

— Alors… euh… je suis désolé. Vous m'avez tiré d'un tas de guêpiers. Je ne pourrai jamais rembourser la dette que j'ai envers vous.

Le silence de ses frères, qui refusaient de croiser son regard à présent, arracha un sourire à Wraith. Toute cette sentimentalité masculine les gênait. Bien, parce qu'il aurait détesté être le seul à se sentir comme un con.

—T'inquiète pas, répondit enfin Shade d'une voix que l'émotion rendait rauque.

Eidolon hocha la tête.

—Oui, tu ne nous dois rien.

—Foutaises. (Wraith attrapa deux oranges dans le panier de Gem, sur le comptoir, et les lança sur ses frères.) Je vous ai emmerdés pendant des décennies, et ce ne sont pas de plates excuses qui vont tout effacer.

—Nous bombarder de fruits ne t'aidera pas non plus ! cria Shade, en renvoyant le projectile.

L'orange vira sur la gauche et s'écrasa contre le mur.

—Hé-ho, dit Wraith. Je te rappelle que je suis protégé.

—Tu n'as pas encore des excuses à présenter ? demanda E, mais il réprimait visiblement un sourire.

—C'est vrai.

Wraith se dirigea droit vers la machine à café, essayant de se convaincre que cela ne craignait pas tant que cela d'avoir à les supplier de lui pardonner ses erreurs.

—Mais ça va prendre du temps. Je ferai tout ce qu'il faut pour me racheter.

E et Shade étaient de nouveau silencieux.

—Écoutez, si on parlait d'autre chose ?

Ses frères hochèrent la tête avec véhémence.

—Bien, alors, comment va Tayla ?

Il ne changeait pas seulement de sujet, il s'intéressait vraiment à la réponse. Au début, il avait eu envie de zigouiller la tueuse, mais il devait admettre qu'elle était parfaite pour Eidolon.

—Les grands pontes de l'Aegis n'ont pas eu l'air de bien prendre la nouvelle, au sujet de sa moitié démon.

—Ils voulaient l'exécuter, gronda E. Kynan les a aidés à comprendre leur erreur.

Shade arbora un sourire ironique.

—Maintenant qu'il est l'humain le plus important de l'univers, il a suffi qu'il menace de les laisser tomber s'ils ne laissaient pas Tayla garder ses fonctions.

—Ah, un peu de chantage. J'ai toujours su que ce type avait des couilles. (Wraith aurait bien aimé assister à la scène.) Donc, ils ont accueilli Ky à bras ouverts ?

—Ils ont fait de lui un Ancien, sourit Eidolon. Ce fils de pute est maintenant en charge de toute l'organisation.

Alors, ça, c'était vraiment drôle.

—Et Gem ?

—Elle installe Ky chez elle au moment où nous parlons.

Eidolon se pencha pour ramasser l'orange que Wraith avait jetée sur lui.

—Je suis content pour elle, dit Wraith. Bon, et qu'est-ce que vous pouvez me dire sur notre nouveau frère ? Et ce qu'il a fait pour ramener Ky ?

—Il est né de l'accouplement de notre père avec une humaine, l'informa Shade. Son don est foireux. Il tue tout ce qu'il touche, mais apparemment il peut aussi ramener les morts à la vie si peu de temps s'est écoulé et…

—Et uniquement s'ils ne sont pas en train de crever d'une putain de maladie démoniaque, termina Wraith pour lui, encore amer. Où est-ce qu'il est ?

—Parti. Je suppose qu'il avait des gens à assassiner. Je sais pas.

Eidolon lança l'orange, qui atterrit dans le panier.

—Je pense qu'il est dépassé par le fait de s'être trouvé une famille. Il reviendra.

—En parlant de famille, quand est-ce que je peux voir mes neveux ? demanda Wraith à Shade.

Il y eut une longue pause, et il ajouta vivement :

—Je ne les mangerai pas, je te le jure.

Shade s'était raidi.

—Pourquoi maintenant?

—Je veux appartenir à une famille, balbutia-t-il avant de songer qu'il avait l'air d'un idiot. Je veux dire, j'ai Serena, mais c'est une vampire, donc elle n'aura jamais d'enfants…

Pendant un instant, il eut de la peine, pour elle, et bizarrement, pour lui aussi. Avec la jeune femme à ses côtés, pour l'encourager, il aurait pu être un bon père.

—Je me suis dit que si nous pouvions… tu sais, vous voir tous de temps en temps… Merde, je ne sais pas. C'est débile. Oublie ça.

Shade et Eidolon échangèrent un regard de conspirateur. Durant une seconde, Wraith fut tenté de s'introduire dans les pensées de Shade pour découvrir ce qu'il lui cachait. Mais son frère détestait cela, et violer son intimité ne ferait que renforcer l'idée que ses excuses étaient bidons.

—Je comprends. (Wraith recula jusqu'à la porte et se cogna au chambranle.) C'est trop tard.

Il n'arrivait pas à s'imaginer en train de cuire des saucisses au barbecue et de jouer à des jeux de société en famille, de toute manière.

—Non, c'est pas ça, Wraith, dit Shade.

—Aucune importance. Serena se réveille. Je dois y aller.

Shade l'appela, mais son frère leva une main pour le faire taire et sortit. Ils ne le croyaient peut-être pas capable de devenir un membre à part entière de la famille, mais ils changeraient d'avis, car il s'emploierait à gagner leur confiance. Mais pour l'heure, il devait se concentrer sur Serena.

Celle-ci nouait la ficelle d'un pantalon d'hôpital quand il entra.

—Salut, dit-elle, inclinant la tête sur le côté pour l'étudier. C'est bizarre de te voir sans ton tatouage facial.

435

— Je suppose que j'aurai un choc la prochaine fois que je me regarderai dans un miroir.

Mais dans le bon sens, comme lorsqu'il s'était aperçu que son sablier était redevenu normal. Il prit la main de Serena dans la sienne et l'attira contre lui, adorant la manière dont ses courbes douces épousaient son corps dur.

— Tu te sens bien ?

— Je ne me suis jamais sentie mieux.

Elle sourit, et il aperçut la pointe de ses crocs entre ses lèvres. C'était tellement sexy que Wraith eut envie de la jeter sur le sol et de la prendre tandis qu'elle lui enfoncerait ses canines dans la gorge.

Quelle différence en un jour. Il commençait à comprendre son fétichisme pour les vampires. Il commençait à en avoir un lui-même. En plus d'une érection.

— Bébé, il va falloir sortir d'ici.

Sa bite qui se dressait semblait d'accord avec ce plan.

— Où on va ?

Elle avait tellement confiance en lui. Cela lui réchauffa le cœur, et en même temps il en fut effrayé. Et s'il faisait un truc qui la blesse, s'il lui faisait faux bond ?

— Impossible, dit-elle d'une voix douce.

— Comment tu sais à quoi je pense ?

— J'ai senti ta peur. Pas besoin d'être un génie pour deviner ce qui te tourmente.

Il grogna, taquin.

— Cette connexion va être vraiment pénible.

— Vraiment ? (Elle laissa sa main s'égarer et épouser la forme de sa queue.) Parce que je sens ton excitation… et elle agit sur la mienne.

Oh, oui, il pouvait le sentir, à travers leur lien, comme un battement de tambour sensuel.

— Ah, alors ce ne sera peut-être pas si terrible.

Il termina dans un gémissement, parce qu'elle avait commencé à le caresser.

—Bon… tu disais donc?

—Ah, oui. Nous allons chez moi… oh, oui, ne t'arrête pas, juste comme ça. (Il se cambra.) Et quand je t'aurai prise, je commencerai à t'apprendre la vie dans mon monde. Qu'est-ce que t'en dis?

Elle fit sauter le premier bouton de son pantalon.

—Il faut vraiment commencer les leçons tout de suite?

—Ce serait préférable, répondit-il entre ses dents.

Puis elle se mit à genoux et il ajouta:

—Des leçons? Quelles leçons?

—C'est bien ce que je pensais.

Son regard plein de promesses, de confiance et d'amour le fit tomber à genoux devant elle. Elle était tout pour lui, et en cet instant il comprit qu'il ne lui ferait jamais faux bond.

Et la foi qu'il lut dans ses yeux lui apprit qu'elle le savait aussi.

CHAPITRE 33

— **I**ls sont là!

Serena s'efforça de gagner calmement la porte d'entrée, alors qu'elle aurait voulu courir. Runa, Shade et leurs bébés étaient de l'autre côté, et il lui tardait de faire enfin leur connaissance.

Cela faisait presque une semaine qu'il l'avait emmenée chez lui, dans sa garçonnière de Manhattan, et après plusieurs jours à profiter l'un de l'autre, ils avaient décidé qu'il était temps de rencontrer la famille du seminus.

Surtout que celle de Serena leur avait déjà rendu visite.

Elle avait appelé Val à sa sortie de l'hôpital, et son père avait été tellement heureux de la savoir en vie qu'il n'avait pas été choqué qu'elle soit désormais une vampire. Du moins pas trop. Il était venu les voir la veille, et même s'ils n'avaient pas eu le temps de régler tous leurs problèmes, de la relation que Val avait entretenue avec sa mère, à David, en passant par la trahison de Wraith et la transformation de Serena, eh bien… d'accord, pour être honnête, tout n'était pas rose.

Mais Val voulait réparer ses erreurs et aider à guérir les blessures. Wraith et lui ne deviendraient sans doute jamais amis au point de jouer au golf ensemble, mais il ne leur faudrait pas très longtemps pour arrêter de s'observer par-dessus le bord de leur verre de whiskey. Ils n'avaient pas essayé de s'entretuer, ce qui était déjà un bon début.

Quant à David, elle sentait que sa relation avec son demi-frère ne serait plus jamais normale. Enfin, si les Aegis le libéraient un jour, après qu'il eut comploté contre la race humaine avec un ange déchu.

Wraith – elle avait enfin pris l'habitude de l'appeler par son vrai nom – la rejoignit dans le hall d'entrée.

— Tu es prête ? demanda-t-il en lui prenant la main. Parce qu'on peut remettre ça à plus tard. Ils seront au mariage de Kynan et Gem.

Cette nouvelle les avait ravis. Le couple était passé le matin même pour les inviter à leur mariage, la semaine suivante, à Hawaï. Il s'agirait d'une cérémonie au clair de lune, pour que Serena puisse y assister. Wraith s'était fait tirer l'oreille quand Kynan lui avait demandé d'être son témoin, mais elle l'avait surpris à sourire pendant des heures après leur départ.

— Oui, répondit-elle.

Il l'avait prévenue que ses frères et ses belles-sœurs pouvaient être très envahissants, mais il savait aussi que les petits la rendaient encore plus nerveuse.

Serena avait toujours rêvé d'avoir des enfants, mais elle avait appris qu'une vampire ne pouvait pas concevoir. Il en résultait un manque, mais elle n'avait pas le droit de se plaindre. Elle était en bonne santé et en vie. « En quelque sorte », comme aimait le répéter Wraith.

— Allons rencontrer la famille.

Elle ouvrit la porte et fut surprise de trouver Shade sur le palier. Il portait une couverture qui gigotait dans ses bras.

Eidolon se tenait à côté de son frère.

— Runa va être fâchée d'apprendre que vous en aviez perdu un, ironisa Wraith.

Le regard de Shade brillait d'une émotion que Serena ne parvint pas à identifier.

—Mes fils sont tous à la maison avec Runa.

Wraith et Serena s'écartèrent pour laisser entrer Shade et Eidolon.

—Alors quoi? demanda Wraith. Tu vas en ramasser d'autres dans la rue?

—C'est le tien, frangin, dit Eidolon.

—Mon quoi?

—Ton gosse. (Shade écarta la couverture pour exposer le *dermoire* sur le bras droit de l'enfant.) C'est le tien.

Serena ne saurait jamais lequel d'entre eux comprit le premier. Wraith regardait le bébé, les yeux hagards. Elle resta figée, craignant qu'Eidolon ne leur fasse une horrible plaisanterie.

Wraith avait fait un enfant à une autre, ce qui aurait dû l'ennuyer, mais il lui avait expliqué les pulsions de son espèce et son passé… et elle savait qu'il l'aimait profondément.

Et puis, elle était incapable de considérer cette petite vie innocente comme une menace. En fait, c'était un cadeau merveilleux, la réponse à ses prières.

Shade ramena le nouveau-né contre lui avec douceur, comme pour le protéger, et Serena se tourna vers Wraith, dont l'expression n'avait pas changé.

—Hé, tu vas bien? demanda-t-elle.

Il hocha la tête, sans dire un mot.

Dans le silence qui suivit, Serena s'avança vers Shade. L'enfant s'immobilisa pour la dévisager de ses grands yeux bruns où se lisait la sagesse de tout nouveau-né. Il était magnifique, avec le nez et la bouche de Wraith, et elle en tomba aussitôt amoureuse.

—Je peux? demanda-t-elle à Shade.

Il hésita, puis il lui tendit le nourrisson. Dès qu'elle l'eut dans les bras, elle sut qu'il était à sa place, et son cœur se gonfla de joie. Elle s'approcha de Wraith à pas lents, pour ne pas l'effrayer, parce qu'il avait toujours ce regard d'animal effarouché.

—Regarde-le. Regarde ton fils.

Il déglutit et plongea ses yeux dans les siens.

—Mon… fils. Je… n'aurais jamais cru…

—Regarde-le seulement. Il est magnifique !

Wraith obéit. Aussitôt, son visage se détendit et il eut l'air émerveillé.

—Sa mère ? murmura-t-il.

Eidolon se racla la gorge.

—Une suresh.

Wraith tremblait quand il tendit un doigt au bébé, qui le serra dans son poing minuscule.

—Un de ces jours, tu pourras te téléporter, petit gars, souffla-t-il. (Il regarda Serena.) Je suis désolé. Ça ne doit pas être facile pour toi. La femelle…

—Ça va, l'interrompit-elle, et elle ne mentait pas. Je sais ce que tu es et qui tu étais avant. (Elle lui mit le bébé dans les bras, et il le tint comme s'il risquait de se casser.) C'est le tien. Maintenant, c'est le nôtre.

Wraith ferma les yeux.

—Tu es sûre ? Parce que… j'ai peur.

—N'aie pas peur. Nous apprendrons ensemble à être ses parents. Tu seras merveilleux. Tu as tellement d'amour à donner.

Il la prit par le cou pour l'étreindre, et ils restèrent ainsi tous les trois. Elle avait espéré cet instant toute sa vie. Elle chérirait ce souvenir aussi longtemps qu'elle vivrait.

—Je t'aime, *lirsha*, murmura Wraith. Mon existence avant de te rencontrer n'a été qu'un long cauchemar. Maintenant, c'est un rêve. Grâce à toi.

—J'ai toujours eu des rêves, dit-elle, mais je ne pensais pas qu'ils se réaliseraient un jour. (Elle déposa un baiser tendre sur le front du nouveau-né, puis effleura les lèvres de Wraith.) J'ai tout ce dont j'ai toujours eu envie, et même plus.

Et quand il lui sourit, elle sut qu'il partageait ses sentiments. Pour l'éternité.

EN AVANT-PREMIÈRE

Découvrez la suite des aventures
de DEMONICA

(version non corrigée)

Bientôt disponible chez Milady

Traduit de l'anglais (États-Unis) par Sandra Kazourian

Chapitre premier

« Celui qui ne voit pas les anges et les démons dans les laideurs et les beautés de la vie, reste avec un cœur éloigné de la connaissance et l'âme vide de sentiments. »

Khalil Gibran

Lore avait toujours pensé que l'expression « Plus on est de fous, plus on rit » s'appliquait particulièrement bien au domaine du sexe. Malheureusement, les « fous » qui se livraient à cette activité avec lui avaient une fâcheuse tendance à mourir.

Alors qu'est-ce qu'il foutait au pieu avec la petite caissière plantureuse, ramassée à la superette du coin en même temps que sa troisième bouteille de tequila en autant de jours ?

OK, techniquement, il n'était pas « au pieu » mais debout au pied du gigantesque lit California King de la démone à l'apparence humaine. Celle-ci gémit en atteignant son quatrième orgasme tandis qu'il la prenait par-derrière.

Lore sentait la pression augmenter dans ses couilles ; son sexe vibrait, tant le besoin de tout lâcher était puissant. Mais, malgré tous ses efforts, il ne parvenait toujours pas à déclencher l'étincelle libératrice. Il serra plus fort les hanches de la fille, varia l'amplitude, la vitesse : en vain. Il lui souleva les jambes, bénéficiant ainsi d'un contrôle total de la situation, tandis qu'il s'enfonçait en elle fiévreusement : toujours rien.

La sueur ruisselait sur son visage. Ses halètements rauques lui brûlaient les poumons.

— Vas-y, chéri ! l'encouragea la fille.

Il lui semblait qu'elle avait un prénom de mois. April. Ou May. Peut-être June.

Elle se cambra sous l'assaut d'un nouvel orgasme et laissa retomber la tête, épuisée. Ses cheveux formèrent un bassin couleur de lin sur le noir des draps de satin.

Elle était jolie. Pas autant que Gem, mais bon, ce n'était pas possible. Lore secoua la tête pour chasser le souvenir de la sublime femme médecin goth demi-déchiqueteuse d'âme ; elle était amoureuse d'un sale con, un humain appelé Kynan, et de toute façon, Lore n'avait jamais vraiment eu sa chance avec elle.

Que la peur de tuer sa partenaire, une démone d'origine indéterminée, l'empêche ainsi de jouir était en soi une sacrée bonne blague, quand on savait que Lore tuait pour de l'argent, sans scrupules ni remords ; d'autant qu'il existait des façons bien moins agréables de canner que la mort par orgasme.

Gem avait apparemment réveillé un côté chochotte en lui. À dire vrai, ce n'était pas pour rien qu'il s'était privé de sexe pendant plusieurs dizaines d'années alors que son héritage seminus s'accompagnait du besoin irrépressible de baiser toutes les femelles qu'il croisait. Par bonheur, son sang humain lui offrait la possibilité de prendre tout seul ces pulsions en main, contrairement aux seminus purs qui mouraient s'ils ne trouvaient pas de partenaire à temps.

Quand Lore trouvait une partenaire, c'était elle qui mourait.

Dans un rugissement de frustration, il s'arracha à April-May-June et referma sa main gantée de cuir sur son érection. La libération fut rapide et violente et, comme on pouvait s'y attendre, aussi peu satisfaisante que s'il avait été vraiment seul. En outre, sans rien pour le distraire, Lore ne pouvait plus ignorer la cicatrice en forme de main qui lui brûlait le torse.

Il était temps d'y aller. Il fuyait le problème depuis plus de trois semaines, principalement pour emmerder son patron ; mais il ne pouvait plus repousser l'échéance. Il devait accepter sa punition comme un homme. Enfin, comme un demi-homme, demi-incube.

La fille roula sur le dos et posa sur lui un regard ensommeillé. Lore ne s'expliquait toujours pas pourquoi il l'avait choisie, elle, pour rompre sa longue période d'abstinence ; elle se trouvait probablement juste au bon endroit, au moment où il avait reçu un énième texto du « docteur Eidolon ». Putain, il se sentait vraiment obligé d'insister sur le « docteur », comme s'il n'était pas connu d'un bout à l'autre des Enfers !

En se voyant ainsi rappeler que son frère était un éminent médecin qui sauvait des vies à tour de bras – et lui, par opposition, un minable assassin, et sang-mêlé de surcroît – Lore avait sombré dans une spirale destructrice à base d'alcool et de propositions indécentes à April-May-June.

Pourtant, et malgré la promesse faite à sa sœur, il serait bien obligé de croiser à nouveau la route d'Eidolon et des autres frangins. Son petit doigt lui disait que sa fratrie nouvellement découverte n'aurait aucun mal à le trouver si l'envie lui prenait, et qu'elle n'était pas du genre à respecter le besoin d'espace et la vie privée d'autrui.

— Je te l'ai déjà dit, c'est pas la saison, fit la fille d'une voix somnolente, repue de plaisir. Je ne peux pas tomber enceinte.

— Peu importe. Je suis stérile, rétorqua Lore en enfilant son pantalon de cuir.

C'était du moins ce qu'affirmait Shade, son autre frère. Lore ne savait pas trop quoi en penser, mais c'était assurément mieux comme ça.

April-May-June se laissa aller contre les oreillers en soupirant.

— C'est pour ça que tu as éjaculé sur mon parquet ? Et d'ailleurs, pourquoi tu portes encore ce gant ?

— Pour éviter de te tuer.

Quiconque touchait la peau nue de son bras droit, couvert de l'épaule au bout des ongles d'un assemblage de glyphes aux teintes fanées qu'on appelait *dermoire*, mourait foudroyé à l'instant. Lore portait donc en permanence sa veste et son gant depuis plusieurs dizaines d'années, sauf auprès de sa sœur. Mais s'il jouissait, ou s'il invoquait son soi-disant « don », il pouvait tuer à travers le cuir ; raison pour laquelle il s'empêchait de toucher ses partenaires sexuelles quand il approchait l'orgasme. Sauf rares exceptions, cela s'était toujours mal fini.

La fille montra les dents. Celles-ci semblaient avoir subitement gagné en tranchant et en longueur.

— Parce que tu crois pouvoir m'avoir si facilement ?

Je viens de le faire, chérie, songea l'incube.

— Je ne « crois » pas, répondit-il. Je sais.

Il tapota les poches de sa veste pour s'assurer que la fille ne lui avait pas tiré son portefeuille, puis il vérifia ses armes pour la même raison. Si elle lui avait piqué sa dague en os de Gargantua, il se verrait dans l'obligation de la tuer.

April-May-June se leva, gracieuse. Des griffes incurvées remplaçaient désormais les ongles de ses pieds et de ses mains. *Putain, mais c'est quoi, comme démon ?*

— Espèce de petit con arrogant ! gronda-t-elle d'une voix pâteuse, étouffée par une rangée de dents supplémentaire qui ne se trouvait pas là un instant auparavant.

— Tu t'attaques au mauvais petit con, fillette, prévint l'assassin en se dirigeant vers la porte. Allez ; c'était sympa, merci. À un de ces quatre.

— C'est moi que tu traites de fillette ?

Elle se rua sur lui en lui assenant un coup de poing dans le dos qui le précipita contre le mur. Il s'écarta vivement, mais elle le frappa en travers du torse, fendant chairs et tee-shirt d'un seul coup de griffes. Une flamme avide animait ses yeux noirs ; elle approcha, lentement, tel un chat prêt à bondir sur sa proie.

— Je vais te bouffer le cerveau !

Lore plaqua la main sur ses blessures sanglantes.

— Nom de… je le crois pas ! Tu es une mante !

Après plus de soixante ans de célibat, il fallait qu'il choisisse une partenaire qui mangeait la tête des démons mâles après l'acte !

— Si ça peut te consoler, ronronna-t-elle, c'était la meilleure partie de jambes en l'air que j'aie jamais connue !

— Sans blague ! rétorqua-t-il. (April-May-June se lécha les lèvres de l'air de savourer sa cervelle d'avance. *Dégueulasse !*) Et dire que j'avais peur de te tuer !

Elle attaqua. Il esquiva. Il aurait pu lui briser la nuque sans effort, mais la morsure des mantes paralysait leur proie. Lore ne tenait pas à approcher la main de cette bouche plus que nécessaire.

La fille revint à la charge en grinçant des dents. Alors qu'elle lançait à nouveau sa patte griffue vers lui, l'incube pivota et la saisit par le bras. Dans un crépitement d'énergie, une onde de pouvoir létal le traversa, courant comme l'éclair du coude au bout des doigts. La mante s'effondra avec un bruit sourd. Son corps sans vie tressauta encore une ou deux fois et se figea.

La plupart des démons pure race qui mouraient hors de Sheoul se désintégraient en quelques secondes. Lore ne prit pas le temps, ni la peine, d'attendre de voir si cela se confirmait. Il quitta la chambre et la maison sans regarder en arrière. Après tout, c'était un assassin. Trois semaines plus tôt, il avait rencontré ses frères, ressuscité un homme qu'il aurait préféré laisser mourir, et avait manqué de peu d'assister à la fin du monde ; après quoi il avait sombré dans l'alcool. Mais c'était bien fini, à présent. L'hébétude, qui émoussait sa vigilance, avait bien failli lui coûter la vie dans la chambre d'April-May-June. Il ne commettrait plus jamais cette erreur.